D0636585

Het duister van de maan

Van dezelfde auteur

Spel op leven en dood
Blinde haat
Op glad ijs
De insluiper
Zieke geest
Oog om oog
Noodsprong
Dood spoor
Vals spel
Prooi
Doodstrijd
Onder schot
Moordprofiel
Dodenwake
Verborgen boodschap

Bezoek onze internetsite www.awbruna.nl
voor informatie over al onze boeken en dvd's.

John Sandford

Het duister van de maan

A.W. Bruna Uitgevers B.V., Utrecht

Oorspronkelijke titel
Dark of the Moon

Vertaling
Martin Jansen in de Wal
Omslagbeeld
Getty Images: Dan Butler
Omslagontwerp
Select Interface

ISBN 978 90 229 9457 3
NUR 332

Dit boek is gedrukt op papier dat het keurmerk van de Forest Stewardship Council (FSC) mag dragen. Bij dit papier is het zeker dat de productie niet tot bosvernietiging heeft geleid. Een flink deel van de grondstof is afkomstig uit bossen en plantages die worden beheerd volgens de regels van FSC. Van het andere deel van de grondstof is vastgesteld dat hiervoor geen houtkap in de laatste resten waardevol bos heeft plaatsgevonden. Daarom mag dit papier het FSC Mixed Sources label dragen. Voor dit boek is het FSC-gecertificeerde Munkenprint gebruikt. Dit papier is 100% chloor- en zwavelvrij gebleekt en wordt geleverd door Arctic Paper Munkedals AB, Zweden.

Voor Benjamin Curtis

Happy birthday, 2007

1

Zes vuilniszakken met houtkrullen, rood cederhout, twee per keer gekocht voor een dollar per zak, om middernacht, zelfbediening, bij de werkplaats van Dunstead & Dochter Handgemaakt Meubilair, kasten in elke maat, sinds 1986. Geen camera's, geen licht, geen bewaker, geen jatwerk, geen vuiltje aan de lucht.

Moonie bracht de zakken naar de kelder, met de dopjes van zijn iPod in zijn oren en Cross Canadian Ragweed op flink volume zingend over hardrode lippen, en rende de trap weer op. Boven, waar de oude man op zijn buik op het vloerkleed lag, bevend, huilend en kronkelend in een poging zich los te worstelen, trok hij de dopjes uit zijn oren. Hij had hem geboeid met goedkoop sisaltouw, maar dat gaf niet. De man was zo oud en zo zwak dat hij het met vliegertouw had kunnen doen.

'Alsjeblieft,' kreunde de man. 'Doe me geen pijn.'

Moonie lachte, een melodieuze, swingende lach, en zei: 'Ik ga je geen pijn doen. Ik ga je vermóórden.'

'Wat wil je? Ik kan je vertellen waar het geld is.'

'Het gaat me niet om geld. Ik heb wat ik wilde.' Moonie greep het touw tussen de enkels van de oude man vast, sleepte hem naar de kelderdeur en daarna de trap af, waarbij zijn gezicht hard op elke trede sloeg.

'O, Jezus, help me, alsjeblieft,' kreunde de man tussen zijn bloedende lippen door. 'Help me, Jezus.'

BONK! BONK! BONK! Negen keer.

'Jezus kan weinig voor je doen,' zei Moonie.

Even toonde de oude man nog wat weerstand. 'Hij zal je hiervoor naar de hel sturen,' snauwde hij.

'Waar denk je dat ik nu ben, ouwe?'

'Jij...'

'Hou je kop. Ik ben aan het werk.'

De oude man op de zakken krijgen was nog het moeilijkst. Moonie liet hem met zijn bovenlichaam en zijn gezicht omlaag op de bovenste zak vallen, pakte zijn voeten en gooide de rest van zijn lijf er ook op. De oude man was lang maar mager, tweeëntachtig jaar oud, stram en half dement,

maar niet zo dement dat hij niet wist wat er ging gebeuren. Hij zonk weg in de zakken met houtkrullen, bood nog even weerstand, rolde er bijna af, zakte er toen tussenin, kronkelde nog wat en gaf het ten slotte op. Houtkrullen gaven het allerbeste vuur en lieten geen sporen achter, tenminste, dat zeiden brandstichters op internet.
Moonie pakte de jerrycan met twintig liter benzine en begon hem leeg te gieten, rondom de zakken, over de oude man, de lege houten voorraadrekken, de weinig gebruikte werkbank, de stapel ouderwetse houten tuinstoelen en ten slotte richting keldertrap. De oude man begon weer te kronkelen. Kreunde: 'Alsjeblieft...'
De eerste scheut benzine rook lekker, zoals de geur die je opeens opsnuift wanneer je aan het tanken bent, maar in deze kleine ruimte werd de geur van twintig liter hem toch iets te veel.
'Nog niet doodgaan, hoor. Wachten op het vuur,' riep Moonie terwijl hij achteruit de trap opliep en de benzine over de treden uitgoot. De tweede jerrycan goot hij met meer beleid leeg over de Perzische tapijten op de begane grond, rondom de poten van de Steinway-vleugel, en in de kasten. Toen deze voor twee derde leeg was, liep Moonie achteruit de keuken door tot bij de deur, waar hij de eerste lege jerrycan had neergezet. Hij zou ze allebei meenemen. Het had geen zin om het er te dik bovenop te leggen dat het om brandstichting ging, hoewel de politie er waarschijnlijk gauw genoeg achter zou komen.

Dikke regendruppels sloegen tegen de keukenramen. In de ideale situatie zou Moonie de benzine tot in de tuin uitgieten en hem daar aansteken. Maar met de regen zou dat lastig worden. Die zou de benzine wegspoelen zodra hij die op de grond had gegoten. Dus moest hij het binnen doen. Dat bracht een klein risico met zich mee... De onzichtbare dampen zweefden misschien wel rond zijn enkels en kropen in alle hoeken en gaten.
Bij de keukendeur goot Moonie de laatste benzine op de grond, richtte zich op en keek het huis in. Dat was reusachtig, heel duur en in erbarmelijke staat van onderhoud. De huishoudster van de oude man kwam twee keer per week om de vaat te doen en wat kleren te wassen, maar aan het houtwerk, de bedrading en de afvoeren deed ze natuurlijk niets, terwijl het huis dat dringend nodig had, plus een team van de ongediertebestrijding, dat was ook geen overbodige luxe. Spinnen in de kelder en vleermuizen op zolder, zong de moordenaar zachtjes, en een gek in de keuken, voegde hij er giechelend aan toe.
De oude man slaakte nog een laatste kreet, nog net hoorbaar boven het geraas van de regen en de wind...

'Alstublieft, God, help me...'
Goed om te weten dat hij nog leefde, dat hij alles aan den lijve zou meemaken.
Moonie liep de achterveranda op, haalde een boekje lucifers uit zijn zak, streek een lucifer af en stak er het boekje mee aan. Het karton vatte vlam en Moonie wapperde met het boekje, keek bewonderend naar de vlammen totdat het goed genoeg brandde, gooide het in de plas benzine bij de keukendeur, draaide zich om en rende de regen in.
De benzine vloog onmiddellijk in brand, de vlammen dansten eroverheen en trokken richting woonkamer, waar ze aan de poten van de vleugel begonnen te likken, en toen, alsof ze leefden, richting kelderdeur en de houten treden af.
De benzinedamp in de kelder was niet zwaar genoeg voor een echte explosie. Maar de oude man, op zijn bed van houtkrullen, hoorde wel een WOEMP! toen hij opeens in lichterlaaie stond alsof er een vlammenwerper op hem werd gericht, het ene moment overal pijn voelde en het volgende niet meer leefde.
Voor hem was het afgelopen.

2

Bijna middernacht.
Virgil Flowers reed op de I-90 naar het westen. De regen viel met bakken uit de hemel en er stond zoveel wind dat hij zijn best moest doen om de pick-up op de weg te houden. Hij had in Bluestem moeten zijn voordat het stadhuis dichtging, maar hij had eerst een afspraak met een advocaat in Mankato voor een getuigenverklaring. De advocaat, net een maand van de rechtenfaculteit en bezig met zijn allereerste strafzaak, had geen steen onomgekeerd en geen werkwoord onuitgesproken gelaten. Niet dat Virgil het hem kwalijk nam. Die jongen deed gewoon zijn best voor zijn cliënt.
Ja, het wapen was in die container gevonden. Die was pas geleegd op woensdag 30 juni, hoewel hij altijd op dinsdag werd geleegd, maar vanwege Memorial Day was alles een dag opgeschoven. De pizzaman had de verdachte op de 29e gezien, en niet op de 28e, want zijn pizzatent, patriottisch als hij en alle andere eigenaars van Italiaanse eettenten waren, was op Memorial Day gesloten geweest en dus had de pizzaman die dag niet gewerkt.
En dat drie uur lang: blabla...
Tegen de tijd dat Virgil het advocatenkantoor uit kwam, was het vijf uur, veel te laat om nog voor sluitingstijd bij het stadhuis in Bluestem te zijn. Dus was hij meegegaan met Lanny McCoy, de openbaar aanklager in deze zaak, voor een biertje en een hapje in de Cat's Cradle, een bar in de buurt. Ze hadden gezelschap gekregen van een stel politiemensen en algauw waren de biertjes en hapjes in rap tempo over de bar gevlogen. Een van de agentes zag er heel goed uit en op een zeker moment had ze zelfs haar hand op Virgils dijbeen gelegd. Mooier kon het niet, ware het niet dat haar trouwring had gefonkeld in het licht van de lamp boven de bar.
Als in een droevige countrysong.

Hij was om halfzeven uit de Cradle weggegaan, was naar huis gereden en had een lading wasgoed in de machine gepropt. Met het geklots van het water op de achtergrond was hij in de schommelstoel in zijn slaapkamer gaan zitten en had hij met naald en draad een losgeraakte lus van zijn fotografenvest vastgenaaid. Zittend in de kegel van licht van zijn leeslamp op

het nachtkastje had hij zich afgevraagd waarom de getrouwde agente zo amicaal met hem was geweest, waarna zijn gedachten waren afgedwaald naar trouw en haar beperkingen, en de problemen die dat met zich meebracht.
Hij voelde zich een beetje eenzaam. Hij hield van vrouwen, en het was al een tijdje geleden dat hij een vriendin had gehad.
Toen hij klaar was met het vest, hing hij het in de kast met zijn uitrusting – jachtgeweren, handbogen, hengels en fotoapparatuur – haalde een riotgun en twee dozen patronen uit de wapenkast en legde ze naast een lege plunjezak. Hij vulde de plunjezak voor de helft met ondergoed, sokken, T-shirts en drie spijkerbroeken. Terwijl hij wachtte tot de wasmachine klaar was, zette hij de computer aan en keek hij of er al een e-mail van een uitgever van tijdschriften voor hem was. Die had er allang moeten zijn, maar was er nog niet.
Hij opende zijn half voltooide artikel over de jacht met pijl en boog op wilde kalkoenen, prutste er wat aan. Toen de wasmachine klaar was met centrifugeren, sloot hij de computer af. Hij stopte de vochtige kleren in de droger en ging een dutje doen, waarna hij enige tijd later wakker werd van de wekker. Hij nam een douche en stond zijn tanden te poetsen toen hij de droger hoorde stoppen. De timing was volmaakt.
Hij haalde de kleren uit de droger, vouwde ze op, legde de ene helft in de kast en stopte de rest in de plunjezak. Hij liep naar buiten, gooide de plunjezak achter in de pick-up, borg het geweer en de patronen op in de gereedschapskist, legde een Smith & Wesson .40 halfautomatisch pistool onder de bestuurdersstoel en reed om tien over tien de stad uit, via Highway 60 naar het zuidwesten.

Hij was een uur onderweg toen hij de inktzwarte wolken in het westen zag en de bliksem die langs de horizon danste, terwijl in zijn achteruitkijkspiegel een dun partje nieuwe maan te zien was. Hij reed Windom binnen toen de wind opstak en de eerste vlagen weggegooid papier en dode bladeren tegen zijn voorruit bliezen. Juli was de op een na beste maand op de prairie; augustus was de mooiste, dan rook alles naar graan en de komende oogst.
Hij stopte bij een winkeltje voor een kop koffie.
'Het gaat plenzen,' zei de langharige winkelbediende, 'als een koe die op een platte steen zeikt.'
'Zit er dik in,' zei Virgil.
Hij ging zelf ook even plassen, stapte in de pick-up toen de eerste dikke regendruppels op de voorruit spatten en ging weer op weg, nog steeds in

zuidwestelijke richting. Bij Worthington sloeg hij af, de I-90 op, stopte nog een keer voor een kop koffie en zette koers naar het westen.
Het oude Westen, dacht hij.
Het échte oude Westen. Het Westen van de Sioux, van de hoge, droge prairie en de heuvelruggen, het land van paarden en buffels, dat ergens tussen Worthington en Bluestem begon. Tegen de tijd dat hij het oude Westen binnenreed, beukte de regen op zijn pick-up en werd er weer een nieuw record gevestigd in de nu al natste zomer sinds jaren.
Veel lichtjes zag je hier nooit, zo ver van de stad, maar met dit barre weer leek de I-90 wel een tunnel met alleen maar duisternis aan het eind, een paar vage koplampen in zijn achteruitkijkspiegel en heel af en toe een auto of truck die hem op de andere rijbaan tegemoetkwam. Hij hield één oog op de witte lijn aan de rechterkant, stuurde op het licht van zijn koplampen en hoopte dat hij niet van de weg zou raken.
Hij luisterde naar satellietradio, Outlaw Country. Schakelde over naar jazz, naar hardrock en toen toch maar weer terug naar country.

Toen hij er later over nadacht, kon hij zich niet herinneren wanneer hij de vonk voor het eerst had opgemerkt.
De vonk begon als een lichtpuntje in zijn ooghoek, boven de rechterkoplamp, ver weg in de regen. Na een tijdje, toen hij iets meer vorm begon te krijgen, kreeg Virgil hem in de gaten en besefte hij op hetzelfde moment dat hij er al een tijdje was. Een helder, goudgeel lichtvlekje dat niet van plaats veranderde. Na nog eens vijf kilometer wist hij wat het was: een brand. Een grote brand. Hij had vaker branden bij nacht gezien, maar deze was in de lucht.
Hoe kon dat, een brand in de lucht, die niet bewoog?
Hij passeerde een kruising en zag een kleine kilometer rechts van hem de rode lichtjes van Jesus Christ Radio, de honderdvijftig meter hoge zendmast – ze maken ze niet te hoog op de prairie – met de rode knipperende lichtjes die het woord JESUS vormden, dan doofden, daarna CHRIST, weer doofden en dan heel snel achter elkaar: JESUS CHRIST - JESUS CHRIST - JESUS CHRIST.
Als hij bij Jesus Christ Radio was, dacht Virgil, dan was de vonk niet in de lucht, maar tien kilometer verderop, op Buffalo Ridge ten noorden van Bluestem. En er was maar één ding op Buffalo Ridge dat op die afstand zo'n grote vonk kon produceren: het huis van Bill Judd. Het grootste en duurste huis binnen een straal van tweehonderdvijftig kilometer, en het stond te branden als een schuur vol droog hooi.
'Dat zie je niet elke nacht,' zei hij tegen Marta Gómez, die op de satellietradio *The Circle* zong.

Hij nam de afslag Highway 75, terwijl de regen nog steeds tegen de voorruit sloeg, reed het Holiday Inn voorbij en volgde de snelweg naar de brand op de heuvel.

Buffalo Ridge was een geologische bezienswaardigheid, een met keien bezaaid plateau dat ongeveer honderd meter boven het omringende land uitstak. De bodem was te rotsachtig om er iets te verbouwen, zodat er een maagdelijk stukje prairie behouden was gebleven, het laatste in Stark County.
Ergens in het begin van de jaren zestig, had Virgil gehoord, had Judd zijn huis laten bouwen op de oostelijke helling van het plateau, dat later in zijn geheel een staatspark was geworden. Nadat zijn vrouw was overleden en zijn zoon het huis uit was gegaan, had hij er alleen gewoond.
Judd scheen van seks te houden, werd door sommigen zelfs gezien als een seksmaniak. Er gingen geruchten dat vrouwen uit de omgeving weleens bij hem kwamen om iets bij te verdienen, geruchten over onbekende vrouwen uit de grote steden, van rassen die je zelden op de prairie tegenkwam, geruchten over nachtelijke orgieën en kreten in het duister... geruchten over een Dracula-kasteel te midden van het prairiegras.
Het waren de geruchten die je kon verwachten over iedere rijke man die alleen woonde, dacht Virgil, en die door iedereen intens werd gehaat.

Judd was begonnen als advocaat civiele zaken en had vooral grote graanhandelaars vertegenwoordigd. Daarna was hij in grondstoffen en vastgoed gaan handelen en was hij bankier geworden. Hij had zijn eerste miljoen binnen voordat hij dertig was.
In het begin van de jaren tachtig, toen hij al steenrijk was en de meeste mensen aan vervroegd pensioen zouden gaan denken, werd hij de promotor van de 'jeruzalemartisjok'. Dat was geen echte artisjok, maar familie van de zonnebloem, een geschenk uit de hemel voor wanhopige boeren; met een wortelknol die als aardappel kon worden gegeten, rijk aan ethanol, dat als biobrandstof kon worden gebruikt, en – het mooist van alles – met de eigenschappen van onkruid, zodat de plant overal wilde groeien.
Dat kon allemaal wel waar zijn, maar de promotiecampagne begin jaren tachtig, van Judd en enkele anderen, was in werkelijkheid een soort piramideconstructie gebaseerd op de grondstoffenhandel. Boeren kochten knolletjes, kweekten ze op tot jonge stekken, verkochten die door aan andere boeren, die ze weer verder opkweekten enzovoort, totdat uiteindelijk iemand er ergens brandstof van zou maken.
Alleen raakten ze door hun boeren heen nog voordat ze bij de brandstof-

makers kwamen. Bovendien bleek dat de olie meer dan vijftig dollar per vat zou moeten kosten om quitte te spelen, terwijl een vat gewone olie in die tijd de helft daarvan kostte. Het gevolg was dat de mensen die hun geld in de Jeruzalem-artisjok hadden gestoken, alles kwijt waren.
En Judd was rijker dan ooit.

Rijk maar gehaat.
Genoeg gehaat om vermoord te worden. Niemand wist waar het geld van de jeruzalemartisjok was gebleven. Judd zei dat het allemaal was opgegaan aan lobby's om in St. Paul en Washington de vergunningen erdoorheen te krijgen, aan de planning en bouwtekeningen voor een ethanolfabriek, en aan kredietkosten... maar de meeste mensen dachten dat het in aandelen was gestoken en vervolgens op de een of andere bankrekening terecht was gekomen, vermoedelijk een rekening op nummer in plaats van op naam.
De sheriff van Stark County in die tijd, ene Russell Copes, was gekozen op voorwaarde dat hij Judd in het gevang zou stoppen. Dat had hij niet voor elkaar gekregen en kort daarna was hij naar Montana verhuisd. De procureur-generaal had een halfslachtige poging gedaan om Judd veroordeeld te krijgen, op basis van het bewijsmateriaal van Copes, en had hem in St. Paul voor de rechter gebracht. Maar Judd was vrijgesproken door een verdeelde jury en teruggegaan naar zijn huis op Buffalo Ridge.
Dat was een nog groter mysterie dan het hele gedoe met de jeruzalemartisjok, want de grote vraag was: waarom bleef hij daar wonen?
Stark County was een ruige, winderige uithoek van de Great Plains, bitterkoud in de winter, heet en kurkdroog in de zomer, waar eigenlijk alleen maar mensen wegtrokken, en die een rijk man geen enkele afleiding te bieden had.
En nu stond zijn huis in lichterlaaie.

Iedereen in het stadje wist het inmiddels van de brand en zo'n vijftig zielen hadden het slechte weer getrotseerd om te komen kijken.
Toen Buffalo Ridge een staatspark werd, had Judd tachtig hectare prairieland aan de overheid geschonken, wat alom werd gewaardeerd en hem een leuke belastingverlaging had opgeleverd. Een onderdeel van de deal was echter dat de staat een weg zou aanleggen tot boven aan de heuvel, naar een observatieplatform waar toeristen naar de kuddes buffels konden kijken. Judds oprit kwam op die weg uit. Met andere woorden, tenminste, zo zagen de mensen van hier het, hij had in ruil voor zijn tachtig hectare onbebouwbaar rotsland niet alleen een flinke belastingverlaging gekregen,

maar ook een weg die tot aan zijn voordeur door de staat werd onderhouden en 's winters zelfs sneeuwvrij werd gemaakt.
Virgil was een keer of tien in het park geweest en kende er de weg, dus hij reed langs de auto's en pick-ups die in de berm van Parkweg 8 waren geparkeerd. De weg heuvelopwaarts werd geblokkeerd door een patrouillewagen van de sheriff, en meteen daarachter had zich een groep belangstellenden verzameld. Zelfs van zo'n 800 meter afstand zag de brand er indrukwekkend uit. Hij reed stapvoets door de mensenmassa en stopte achter de patrouillewagen. Een hulpsheriff met een lange regenjas kwam naar zijn pick-up toe. Virgil draaide zijn raampje omlaag en zei: 'Virgil Flowers, Bureau Misdaadbestrijding. Is Stryker daar?'
'Hallo, we hebben gehoord dat je zou komen,' zei de hulpsheriff. 'Ik ben Little Curly. Ja, hij is boven. Ik zal mijn wagen weghalen.'
'En Judd?'
Little Curly schudde zijn hoofd. 'Voor zover ik weet kunnen ze hem niet vinden. Zijn huishoudster zegt dat hij vanmiddag thuis was. Hij is half dement en rijdt geen auto meer... dus er is een grote kans dat hij daar nog is.'
'Het brandt goed,' constateerde Virgil.
'Als een vlammenwerper,' zei Little Curly. Hij liep terug naar zijn auto, ging achter het stuur zitten en reed hem opzij. Een vrouw met een blikje bier in haar hand zette de capuchon van haar regenjack af en keek door het zijraampje van de pick-up naar Virgil. Ze had donker haar, donkere ogen en zag er goed uit. Ze stak haar andere hand op, bewoog haar vingers en grijnsde naar hem. Virgil grijnsde terug, stak zijn duim naar haar op en reed langs Little Curly's wagen de asfaltweg naar boven op.
Het eerste wat hem opviel toen hij het huis naderde, was dat de brandweerlieden niet aan het blussen waren. Dat had geen zin. Door de regen zou het vuur zich niet verder uitbreiden, en toen Little Curly zei dat het brandde als een vlammenwerper, had hij niet overdreven. Je kon wel een paar ton blusschuim op het huis spuiten, maar in dit geval was dat pure verspilling. De patrouillewagens stonden achter de brandweerwagens en Virgil ging op het laatste plekje staan. Hij maakte zijn gordel los, knielde op zijn stoel, pakte er een tas achter vandaan en haalde zijn regenpak eruit. Dat was bedoeld voor forelvissen in oktober en zeilen in New England, dus er kwam weinig doorheen. Hij trok het aan en stapte uit.
De sheriff heette Jimmy Stryker. Virgil kende hem al min of meer, want Stryker was op de middelbare school de werper van de Bluestem Whippets geweest. Maar iedereen op de heuvel was van top tot teen in waterafstotend nylon gehuld en Virgil moest drie keer informeren voordat hij hem vond.

'Ben jij het, Jimmy?'
Stryker draaide zich om. Hij was groot, had een vierkante kin, licht haar en harde, lichtgroene ogen. Net als de meeste mannen op de prairie had hij een door de zon gelooide huid en droeg hij cowboylaarzen. 'Ben jij dat, Virgil?'
'Ja. Wat is er gebeurd?'
Stryker draaide zich weer om naar de brand. 'Geen idee. Ik was thuis. Het ene moment keek ik door het raam naar buiten en zag ik niks, en het volgende hoorde ik de sirene, keek ik nog een keer en zag ik het. We hebben iemand die door de stad reed en het heeft gezien. Hij zegt dat het een explosie van vuur was.'
'En Judd?'
Stryker knikte naar het huis. 'Ik kan het mis hebben, maar ik denk dat hij daar nog is.'
Dichter bij het huis stond een man met regenjas en paraplu bij drie brandweermannen druk te gebaren naar het vuur en de brandweerwagens, en dreigend met zijn wijsvinger te zwaaien. In het licht van de vlammen zag Virgil zijn mond bewegen, maar hij kon niet horen wat er werd gezegd.
'Dat is Bill Judd junior,' zei Stryker. 'Hij is boos omdat ze geen poging doen om het vuur te blussen.'
'De hele brandweer van New York krijgt dat vuur nog niet uit,' zei Virgil. De hitte kwam dwars door de regen heen, een warme luchtstroom als van een haardroger, zelfs van vijftig meter afstand. 'Dat vuur brandt een gat in de dampkring.'
'Maak dat junior maar wijs.'
Het vuur stonk naar brandende gordijnen, oud hout, isolatiemateriaal, linoleum, olie en alles wat er nog meer in huis was, en misschien ook een beetje naar mensenvlees. Ze bleven enige tijd zwijgend naar het huis kijken en voelden de hitte terwijl de koele regen op hun capuchons kletterde en langs hun nek en rug omlaag liep. Toen vroeg Virgil: 'Denk je dat hij in bed heeft liggen roken?'
Strykers gelaatstrekken werden verhard door het oranje licht en zijn mondhoeken gingen omlaag toen hij Virgils vraag hoorde. 'Bill Parker, die in Lismore woont, reed op Highway 8 richting stad. Hij zag de brand... hm... hooguit een paar minuten nadat die was begonnen, en wilde ernaartoe rijden toen een pick-up hem met flinke snelheid tegemoet kwam en hem passeerde. Hij schat dat hij zeker honderdveertig, honderdvijftig reed. En het regende als een idioot. Hij zag hem afslaan, Highway 3 op, richting I-90.'
'Heeft hij gezien wat voor pick-up?'

‘Nee,’ zei Stryker. ‘Hij weet niet eens zeker of het wel een pick-up was. Het kan ook een SUV geweest zijn. Het enige wat hij kon zien, was dat de koplampen hoog zaten.’
Ze keken weer enige tijd naar de brand en toen zei Virgil: ‘Er zijn heel wat mensen die de pest aan hem hadden.’
‘Jep.’ Een paar inwoners van Bluestem hadden zich blijkbaar langs de hulpsheriffs weten te werken en kwamen aanlopen, grijnzend, met blikjes bier achter hun rug. In stadjes als deze ging je je eigen gang. ‘Als jullie mijn mensen maar niet in de weg lopen,’ riep Stryker naar het stel.
Ze bleven nog even kijken, totdat Virgil geeuwde. ‘Nou, Jimmy, ik wens je veel succes. Ik ga naar het Holiday Inn.’
‘Waarom ben je komen kijken?’
‘Ik was gewoon nieuwsgierig,’ zei Virgil. ‘Ik zag de brand toen ik op de I-90 reed en wist dat het dit huis moest zijn.’
‘Het is verdomme wat moois,’ zei Stryker terwijl hij in de vlammen bleef staren. ‘Ik hoop van harte dat die ouwe schoft dood was voordat de brand uitbrak. Levend verbranden gun je niemand.’
‘Als hij daar is.’
‘Ja, als hij daar is.’ Stryker fronste zijn wenkbrauwen en keek Virgil met zijn groene ogen aan. ‘Je denkt toch niet dat hij het in scène heeft gezet? Dat hij er met zijn geld vandoor is?’
‘Misschien is dat geld wel een verzinsel, dát denk ik,’ zei Virgil. Hij gaf Stryker een klap op zijn schouder. ‘Werk niet te hard, Jimmy. Ik zie je morgen.’
‘Niet te vroeg. Ik ben hier nog wel even bezig.’ Toen Virgil wegliep riep Stryker hem na: ‘Dat geld was geen verzinsel, Virgil. Hij is verbrand vanwége dat geld.’
Achter hem, dichter bij het vuur, stond Bill Judd junior nog steeds tegen de brandweermannen te schreeuwen. Hij zag eruit als iemand die niet ver van een hartaanval af is.

Het Holiday Inn was rookvrij en huisdieren waren er niet toegestaan, maar desondanks stonk Virgils kamer naar rook en huisdieren – stiekeme sigaretjes en katten die in het donker werden geknepen – en de chemische spray die ze gebruiken om de stank van rook en kattenpis te verdrijven. Je kreeg twee bedden, of je wilde of niet. Virgil gooide zijn plunjezak op het ene bed, trok zijn regenpak uit en hing het over de douchekop om uit te druipen.
Hij was redelijk groot, ongeveer een meter tweeëntachtig, had blond haar en grijze ogen, was slank en pezig, met brede schouders, lange armen en

grote handen, en zijn haar – veel te lang voor een smeris – viel bijna tot op zijn schouders. Op de middelbare school had hij de drie grote sporten gedaan, maar in geen van de drie had hij uitgeblonken: vleugelspeler in American football, mandekker in basketbal en derdehonkman in honkbal. Voor football was hij niet groot en niet snel genoeg, voor basketbal was hij te klein, en hoewel hij met honkbal een goede werparm had, wist hij met de knuppel geen bal te raken.

Hij had zijn studie ecologische wetenschappen afgerond, met creatief schrijven als bijvak, want het eerste vond hij makkelijk en interessant en hij ging graag de natuur in, en schrijven vond hij leuk, net zoals hij de meisjes die in zijn jaar zaten erg leuk vond. Na zijn studie ging hij het leger in, werd daar min of meer geronseld door de militaire politie, zag wat narigheid maar had nooit in een vlaag van woede een wapen afgevuurd.

Hij kwam weer naar huis, ontdekte dat er weinig vraag was naar ecologen met een bachelor en ging toen maar naar de politieacademie. Hij trouwde, scheidde, trouwde, scheidde, trouwde en scheidde, maar na vijf jaar had hij er genoeg van en wilde hij niet voor de vierde keer in de fout gaan, dus zag hij verder af van trouwen.

Hij zat bij de politie van St. Paul, bij de recherche, al acht jaar, en begon zich al een beetje te vervelen toen hij werd uitgeleend aan een eenheid van Bureau Misdaadbestrijding, die achter een bende overvallers aan zat. Van het een kwam het ander en hij werd overgeplaatst naar BM. Daar kwam hij in contact met een hoge beleidsmedewerker, die Lucas Davenport heette en hem een aanbod deed dat hij onmogelijk kon weigeren.

'We geven jou alleen het ruige werk,' luidde het aanbod.

Hij deed het ruige werk nu drie jaar, en in zijn vrije tijd schreef hij artikelen over de natuur. In de meeste natuurtijdschriften die werk van freelancers plaatsten was zijn naam wel in de colofon te vinden, maar hij zou er niet van kunnen leven, tenzij hij een baan op de redactie zou weten te bemachtigen, en zo erg voor de wind ging het die tijdschriften ook weer niet.

Hij wist trouwens niet eens of hij dat wel echt wilde.

Davenport had hem verteld dat slimme boeven het boeiendste spel opleverden, en soms was Virgil het daarmee eens.

Virgil had zijn prairieoutfit aangetrokken: een gebleekte spijkerbroek, een paar afgetrapte cowboylaarzen, een T-shirt met de naam van een band erop en, omdat hij van de politie was, een sportjasje. In de zomer, als de zon scheen, droeg hij een strohoed en een zonnebril. Een handwapen droeg hij

meestal niet, tenzij hij in St. Paul was en hij Davenport zou kunnen tegenkomen. De wet eiste van hem dat hij gewapend was, maar Virgil vond handwapens zo verdomde zwaar en ongemakkelijk dat hij het zijne meestal onder zijn stoel in de pick-up legde of in zijn koffertje bewaarde.
Nadat hij zijn regenpak in de douche had gehangen haalde hij zijn laptop uit het koffertje en startte internet op. De e-mail waar hij al een paar dagen op wachtte, van *Black Horizon*, een Canadees natuurtijdschrift, zat in zijn mailbox. Ze werkten lang door in Thunder Bay.

Virg, ik heb een paar alinea's moeten schrappen uit het deel over het draagpad... Ik kon er niets aan doen; je weet hoe we met ruimte moeten schipperen. Ik heb mijn best gedaan je stuk niet al te zeer te verminken. Hoe dan ook, als jij ermee akkoord kunt gaan, kunnen we het plaatsen. Laat het even horen, dan kan ik je de cheque sturen.

Hij was aangenaam verrast. Dit was zijn derde stuk in *Black Horizon*. Hij begon een bekende te worden. Hij opende het meegestuurde Word-document en las het bewerkte deel door.
Goed genoeg. Hij sloot het document en beantwoordde de e-mail van de redacteur.

Bedankt, Henry. Ziet er goed uit. Ik verheug me op de cheque. Virgil.

Fluitend opende hij de website van de National Weather Service, typte de regiocode van Bluestem in en kreeg de weersverwachting voor de hele week: vanavond storm en onweersbuien – dat had hij gemerkt – en onbewolkt en warm de komende drie à vier dagen, met mogelijk in de middag een onweersbui. Hij opende Google News om te zien of er geen atoombom op Londen was gevallen sinds hij uit Mankato was vertrokken, maar dat was niet het geval.
Hij zette de laptop uit, kleedde zich uit, schudde de laatste druppels van zijn regenpak, ging onder de douche staan, zette die zo heet dat hij bijna geen adem meer kreeg en toen zelfs nóg iets heter. Zo rood als een kreeft kwam hij onder de douche vandaan, hij droogde zich af en kroop in bed, denkend aan Bill Judd die als een braadworst tussen de kooltjes van zijn eigen huis lag te sudderen, en aan de auto die met hoge snelheid van de plaats des onheils was weggereden. Dát zou pas een interessante moord zijn.

Daarna dacht hij een tijdje aan God, zoals hij bijna elke avond deed.
Als zoon van een Lutherse dominee en een docent techniek, die in God de

Grote Mechanicus zag en net zo'n trouwe gelovige was als haar man, had Virgil elke avond van zijn leven op zijn knieën naast zijn bed gezeten om tot God te bidden, totdat hij in het studentenhuis van de Universiteit van Minnesota ging wonen. Op zijn eerste avond daar had hij zich gegeneerd en níét naast zijn bed geknield, waarna hij doodsbang en bevend wakker had gelegen, ervan overtuigd dat de wereld zou vergaan omdat hij zijn gebedje niet had gezegd.

Tegen Kerstmis was hij, net als de meeste eerstejaars, klaar met het geloof en liep hij over de campus met *De Vreemdeling* van Albert Camus onder zijn arm, in de hoop indruk te maken op studentes met lang, zwart haar en samen met hen de mysteries van het leven op te lossen.

Hij was nooit teruggekeerd tot het geloof, maar had wel een soort eigen geloof ontwikkeld. Dat was begonnen tijdens een van de oeverloze gesprekken in de officiersmess van het leger, waar een van zijn maten had beweerd dat hij atheïst was. Een van zijn andere maten, die als niet al te intelligent bekendstond, had daarop gezegd: 'O, maar dan mis je toch iets, want kijk eens naar alle wonderen die op de wereld gebeuren. Er zijn gewoon te veel wonderen.'

Virgil, afkomstig van het platteland, waar de wonderen plaatsvonden, en die ecologie had gestudeerd, waarin hij nog veel meer wonderen was tegengekomen, was getroffen geweest door de juistheid van de uitspraak van deze niet al te intelligente gelovige, want er wáren gewoon te veel wonderen. Atheïsten, zo zag hij vanaf dat moment in, dachten vanachter hun bureau op kantoor, of vanachter hun schoolbord of computer, terwijl ze hun fastfood aten. Ze geloofden niet in wonderen omdat ze die nooit hadden gezien.

Dus werd hij weer een gelovige, maar dan van een afwijkende soort, met een god die zijn vader niet zou hebben herkend. Virgil dacht vrijwel elke avond aan zijn god, aan zijn gevoel voor humor, aan het onweerlegbare feit dat hij regels had gemaakt waar zelfs híj niet van kon afwijken...

Om één uur 's nachts, nadat hij aan zijn god had gedacht, viel Virgil in slaap en droomde hij van mannen die in het donker in hun hotelkamer zaten en stiekem een Marlboro rookten, terwijl hun streng verboden kat over de vensterbank sloop.

3

Dinsdagochtend.
Het oude stadje Bluestem, genoemd naar een soort prairiegras, lag ruim een kilometer ten noorden van de I-90. In de loop der jaren was de ruimte tussen het eigenlijke stadje en de snelweg opgevuld door de bekende franchisebedrijven: een McDonald's, een Subway, een Country Kitchen, een Pizza Hut, een Taco John's, een Holiday Inn, een Comfort Inn en een Motel 6, plus een stuk of vijf benzinestations met een winkeltje, een Forddealer en twee dealers in tweedehands auto's. Verder waren er een stuk of zes winkels met landbouwgereedschap en een paar garages, met stapels oude autobanden aan de straat en modderige opritten vol plassen van de regen van de afgelopen nacht.
Het oude stadje was een stuk aantrekkelijker. De woonwijken werden gedomineerd door huizen uit begin negentienhonderd, grote huizen, allemaal verschillend van stijl, met veranda's en een schommel in de tuin. Het winkelgebied, langs Main Street, besloeg vier straten, met winkelpanden van gele baksteen, twee of drie verdiepingen hoog, een vooroorlogse bioscoop waar nog steeds films werden vertoond, en alle winkels en bedrijfjes die overblijven wanneer de rest heeft moeten plaatsmaken voor een Wal-Mart: advocatenkantoortjes, verzekeringsmaatschappijtjes, veel te veel cadeau- en antiekwinkeltjes, een paar kleinere kledingzaken, vier restaurants en een drogisterij.
Het oude stadhuis, twee straten van Main Street vandaan, werd nog steeds als stadhuis gebruikt. In veel kleine stadjes werden de oude stadhuizen gesloten en vervangen door anonieme overheidscentra buiten de stad, waar de gemeentediensten en de politie werden ondergebracht.

Virgil zette de pick-up op het parkeerterrein van het stadhuis, liep langs het oorlogsmonument – voor dertien jonge mannen uit Stark County, die waren gesneuveld in de Eerste en Tweede Wereldoorlog en de oorlogen in Korea, Vietnam en Irak – ging naar binnen en liep door de langwerpige hal naar het kantoor van de sheriff.
Strykers secretaresse was een mollige vrouw van in de vijftig met een bewerkelijk parelblond kapsel dat vooral opviel door de pieken die er als

de stekels van een egel achter uitstaken. Ze keek op naar Virgil, zag zijn zonnebril en zijn Sheryl Crow-T-shirt – met karper – knipperde met haar ogen en vroeg kortaf: 'Wie ben jij?'
'Virgil Flowers. Bureau Misdaadbestrijding.'
Ze bekeek hem nog eens goed. 'Echt?'
'Jep.'
'De sheriff heeft gezegd dat je kon doorlopen.' Ze draaide zich half om en gebaarde achter zich, naar een matglazen deur waarop SHERIFF JAMES J. STRYKER stond. Virgil knikte en wilde doorlopen, toen ze vroeg: 'Hoeveel keer had je op die man in Fairmont geschoten?'
Virgil bleef staan. 'Veertien keer,' zei hij.
Er kwam een glimlach om haar mond. 'Dat zeiden ze. En je hebt hem niet één keer geraakt?'
'Ik deed niet echt mijn best,' zei Virgil, die niet graag over dit onderwerp praatte.
'Maar hij schoot wel op jou, zeiden ze.'
'Ach, hij wilde me geen kwaad doen,' zei Virgil. 'Hij moest gewoon wat stoom afblazen, omdat hij het niet leuk vond dat we hem hadden gepakt. Het was geen slechte kerel, afgezien van het feit dat hij benzinestations overviel. Hij moest een vrouw en acht kinderen te eten geven.'
'Dus het was zijn werk, min of meer?'
'Ja, zo zou je het kunnen zeggen,' zei Virgil. 'Nu mag hij zes jaar lang schepbladen voor sneeuwschuivers maken.'
'Nou,' zei ze, 'ik denk dat de meeste jongens van hier hem doodgeschoten zouden hebben.'
'Dat is dan verdomd harteloos van die jongens,' zei Virgil, die haar niet mocht, en hij liep door naar Strykers kantoor.

Stryker zat aan de telefoon. Virgil klopte aan en Stryker riep: 'Binnen!', gebaarde naar een stoel en zei in de telefoon: 'Ik moet ophangen, maar zodra jullie ook maar een teennagel vinden, wil ik het horen.' Hij hing op, schudde zijn hoofd en zei: 'Ze kunnen hem niet vinden. Judd.'
Virgil liet zich in de stoel zakken. 'Niet in het huis?'
'Ik zal je eens iets zeggen,' zei Stryker. 'Wanneer mensen een huis bouwen, staan daar meestal een heleboel dingen in die niet zo goed branden.' Hij trommelde met zijn vingers op het bureaublad, was kennelijk geïrriteerd. 'In Judds huis was vrijwel alles van hout – vloeren, lambriseringen, boekenkasten – voor een groot deel vurenhout, zo droog als stro. Daar was vanochtend niks meer van over, afgezien van de kelder en wat stukken metaal en steen, van de koelkast, de kachel en het gasfornuis, en zelfs die

waren tot vormeloze klonten gesmolten. Wij denken dat hij thuis was. Maar we hebben nog niks gevonden.'
'O.'
'Ik zal je dit zeggen, Virgil, als we niks vinden, gaat dit me achtervolgen,' zei Stryker. 'En niet alleen mij, maar iedereen in Stark County. Dan weten we niet of hij in rook is opgegaan of dat hij op een of ander tropisch eiland zit. Dan weten we niet of Bill Judd in die auto zat die gisteravond van het huis wegreed, op weg naar West-Indië.'
'Jezus, Jimmy, die man is – nou? – in de tachtig?' zei Virgil. 'In het Holiday Inn zeiden ze dat hij zwaar ziek is geweest. Dat hij een paar keer in het ziekenhuis heeft gelegen. Waarom zou hij hier in godsnaam tachtig jaar blijven wonen en als hij hoort dat hij nog maar zes maanden te leven heeft ineens naar West-Indië vertrekken?'
'Omdat hij het waarschijnlijk een prachtgrap zou vinden om iedereen voor een laatste keer bij de neus te nemen,' zei Stryker. Hij had duidelijk de pest in en voegde eraan toe: 'De vuile schoft.' Hij slaakte een zucht, keek naar de twee dikke dossiers op zijn bureau en schoof ze naar Virgil toe.
'Dit zijn ze. Dit is alles wat we hebben. Er zit ook een dvd in, met hetzelfde materiaal, voor het geval dat je het liever op de computer doet. Dan heb je Adobe Reader nodig.'
'Oké,' zei Virgil. 'Maar vat het voor me samen, wil je? Wat heb je gevonden en hoe ver ben je gekomen?'

Virgil was niet naar Bluestem gekomen voor Bill Judd.
Hij was hier voor het echtpaar Gleason.
Russell Gleason was vijftig jaar dorpsarts geweest en tien jaar geleden met pensioen gegaan. Hij en zijn vrouw Anna woonden in een bloeiende enclave te midden van zakenlieden en topambtenaren op een heuvel bij het Stark River-reservoir, anderhalve kilometer ten oosten van Bluestem en vlak bij de countryclub, wat handig voor Russell was. Anna had een tijdje in de verpleging gezeten toen ze jong was, was toen gekozen in de regiocommissie van Stark County, had er zes termijnen uitgediend en zich toen voorgoed teruggetrokken. Ze hadden drie kinderen, van wie twee in de Twin Cities woonden en de derde in Sioux Falls.
De Gleasons waren allebei over de tachtig en nog goed gezond. Russell speelde nog steeds elke dag negen holes op de countryclub, als het weer het toeliet, en Anna had haar vrouwenclubjes. Ze hadden een huishoudster, een illegale Mexicaanse die Mayahuel Diaz heette, die door vrijwel iedereen die haar kende aardig werd gevonden en die op doordeweekse dagen kwam schoonmaken.

Drieënhalve week voordat Virgil naar Bluestem was gekomen, had Russell op vrijdagmiddag zijn rondje golf gespeeld, wat hij had moeten afbreken toen het begon te regenen. Hij had wat gedronken met zijn golfmaten en daarna zijn vrouw opgehaald om te gaan eten in het Holiday Inn. Op de terugweg waren ze gestopt bij een SuperAmerica om te tanken. Dat was om 21.12 uur, stond er op het afschrift van zijn creditcard.
Om elf uur op diezelfde regenachtige avond was een buurman door zijn vrouw op pad gestuurd om een pak melk te halen. Toen hij langs het huis van de Gleasons reed, had hij iets gezien wat op een vreemd soort standbeeld leek, een pop of een vogelverschrikker, die in de achtertuin van de Gleasons zat, duidelijk zichtbaar in het licht van de tuinlampen.
Hij was melk gaan halen, de heuvel weer opgereden, en toen hij opnieuw het huis van de Gleasons passeerde, zag hij dat de vogelverschrikker, of wat het ook was, er nog steeds zat. Hij had de auto op de oprit van zijn huis gezet en tegen zichzelf gezegd: verdomme, die vogelverschrikker zit me niet lekker. Ik ga vragen of alles in orde is.
Maar alles was niet in orde.
De vogelverschrikker bleek Russell Gleason te zijn, rechtop gezet met behulp van een stok, en zijn ogen waren uit zijn hoofd geschoten.

Het schieten was in huis gedaan. Anna zat op de bank toen ze één keer in het hart was geschoten. Russell was door drie kogels geraakt, één keer in zijn onderrug en twee keer in zijn ogen. Daarna was zijn lijk naar buiten gesleept en rechtop in de tuin neergezet, waar hij met open mond en zonder ogen, starend in het duister was gevonden.
'Zo te zien heeft hij geprobeerd weg te rennen, maar tevergeefs,' zei Stryker. 'Zo moet het gebeurd zijn, dat hij stond en dat Anna op de bank zat. De moordenaar schiet haar in haar hart, Russell draait zich om, probeert te ontsnappen en de moordenaar schiet hem in zijn rug, net voordat hij bij de eetkamer is.'
'Hoe ver is dat? Hoe ver heeft hij kunnen lopen?'
'Ongeveer drie stappen,' zei Stryker. 'Ik zal je de sleutel van het huis geven, als we straks klaar zijn. We hebben er hier een paar liggen. Hoe dan ook, de eetkamer grenst aan de woonkamer en alles wijst erop dat hij er bijna was toen hij in zijn rug werd geraakt. Hij slaat tegen de grond, de moordenaar draait hem op zijn rug, gaat recht boven hem staan en schiet hem in beide ogen. Het is verdomme wat moois!'
De kogels, .357's met holle punt, waren dwars door Gleasons hoofd gegaan en in de vloer terechtgekomen, waar ze waren gevonden, ernstig vervormd.

‘Dat met die ogen, en dat hij rechtop zittend in de tuin is gezet, in het licht... dat doet aan een of ander ritueel denken,’ zei Virgil.
‘Het doet in elk geval aan íéts denken, al weet ik nog niet aan wat,’ zei Stryker hoofdschuddend. ‘Het tweede schot was onnodig, verspilling van munitie, kan ik je vertellen. De dader heeft daarmee een risico genomen. Het huis van de Gleasons staat ongeveer honderd meter van dat van de dichtstbijzijnde buren, en het regende, dus iedereen had alles dicht en de airconditioning aan. Maar een .357 maakt een verdomde hoop herrie. Als er iemand op straat had gelopen... Met het derde schot nam hij nog veel meer risico.’
‘Misschien was hij opgewonden geraakt,’ zei Virgil. ‘Ik heb het eerder gezien. Ze beginnen de trekker over te halen en kunnen niet meer stoppen.’
‘En dan schiet hij in beide ogen?’ vroeg Stryker. ‘Daar heeft hij de tijd voor moeten nemen. Hij is boven hem gaan staan en heeft recht naar beneden geschoten. Goed, van ongeveer een halve meter afstand, maar hij heeft toch de tijd moeten nemen om precies de ogen eruit te schieten.’
‘Dus hij is gestoord. Een rituele moord, iets uit wraak... een waarschuwing misschien?’
Stryker zuchtte. ‘Waar het hele gebeuren op wijst, kort gezegd, is dat het om iemand van hier gaat, iemand die we allemaal kennen. Iemand die naar dat specifieke huis is gegaan, op dat specifieke moment, om de moord te plegen. Iemand die ze hebben binnengelaten. Er zijn bij de voordeur geen sporen van een worsteling gevonden. Er stond een glas water bij Anna’s hand, op het bijzettafeltje, alsof ze daar al een tijdje zat.’
‘Was het al donker buiten?’
‘Waarschijnlijk wel. We hebben het exacte tijdstip nog niet kunnen vaststellen, maar ze hadden de kleren nog aan die ze die dag hadden gedragen. Russell zijn golfbroek, met een verse grasvlek op een van de pijpen. Dus ergens nadat ze om 21.12 uur hadden getankt, plus vijf minuten om daarna naar huis te rijden, en voordat ze zich omkleedden om naar bed te gaan, moet het gebeurd zijn.’
‘Heeft niemand een auto gezien?’
‘Nee. Ik denk dat de moordenaar, ik heb het gevoel dat het om één man gaat, te voet naar Stark River is gekomen en vanaf daar naar de voorkant van het huis is gelopen. Als hij over de rivieroever is gelopen, in de regen... shit, dan ziet geen mens hem. Iemand die hier de weg weet kan ’s avonds vrijwel ongezien van de stad naar dat huis lopen.’
‘Vertel me eens wat jij ervan denkt,’ zei Virgil. ‘Wie kan dit gedaan hebben? Wie komen ervoor in aanmerking?’
Stryker schudde zijn hoofd. ‘Ik heb geen idee. Dit is te koelbloedig voor

hier. Er zijn misschien wel een paar jongens die ertoe in staat zouden zijn, maar dan zou het in een vlaag van woede zijn. Heel veel woede. En waarschijnlijk zouden die zichzelf daarna aangeven, zichzelf door hun kop schieten, of op de vlucht gaan. In elk geval iets. Dus ik weet het niet. Dat hoor je iedereen in de stad zeggen, dat ik het niet weet. Maar zij weten het ook niet.'
'Oké,' zei Virgil. 'Geef me de rest van de dag om het papierwerk door te nemen, dan spreken we elkaar vanavond. Ik ben in het Holiday Inn en je hebt mijn mobiele nummer voor als je me nodig hebt.'
'Ik zal de sleutel voor je pakken,' zei Stryker. 'Als je klaar bent, draag ik het huis aan hun kinderen over, denk ik. Dan kunnen ze het laten schoonmaken en het te koop zetten.'
'Niemand heeft iets aangeraakt?'
'We hebben er rondgekeken, natuurlijk, maar niks meegenomen. Alles is nog zoals het was, misschien alleen wat stoffig.'

De bewijskamer was een kast met een brandwerende deur en stalen wanden. Stryker draaide de deur van het slot, haalde een plastic mandje uit de kast, zocht tussen een tiental bewijszakjes, vond de sleutel en gaf die aan Virgil. Samen wandelden ze naar de uitgang van het stadhuis, waar iemand het houtwerk aan het schilderen was.
Toen ze buiten gehoorsafstand waren, zei Stryker: 'Hoor eens, je weet hoe het gaat op een sheriffkantoor. De helft van mijn mannen doet weleens een gooi naar mijn baan. Als ze een zwakke plek vermoeden, zit ik in de problemen. Dus doe wat nodig is. Als ik iets voor je kan doen, het maakt niet uit wat, laat het me weten. En als iemand je tegenwerkt, in of buiten het stadhuis, wil ik dat ook horen.'
'Oké, zal ik doen,' zei Virgil.

Ze liepen naar buiten, de zon in. Aan de overkant van de straat, een meter of vijftien van hen vandaan, liep een vrouw, slank, aantrekkelijk, niet al te groot, met lichtblond haar tot op haar schouders. Begin dertig, zo te zien? Virgil was te ver weg om het met zekerheid te kunnen zeggen, maar hij meende dat haar ogen groen waren. Ze stak haar hand op naar Stryker en hij stak zijn hand op naar haar, en toen bleef haar blik even op Virgil rusten – net die ene tel extra – voordat ze haar hoofd omdraaide en doorliep.
'Iets anders,' zei Stryker. 'We hebben hier een krant, en de eigenaar denkt dat hij de hoofdredacteur van *The New York Times* is. Hij heet Williamson. Hij volgt mijn onderzoek en zegt dat ik er een zootje van maak. Dus wees gewaarschuwd, voor het geval hij je benadert... en dat gaat hij zeker doen.'

Virgil knikte en zei zachtjes: 'Hoor eens, Jimmy, ik wil je gedachtegang niet verstoren, maar zie je dat kontje van die vrouw? Mijn god, waar komen die genen toch vandaan? Ik bedoel, man, dat is een kunstwerk! Dat is de Venus van Milo, en jullie hier zijn verdomme een stel barbaren!'
'Ja,' zei Stryker onaangedaan.
Virgil keek hem aan. 'Wat is er? Is ze soms met de burgemeester getrouwd? Kijk jij dan niet naar dat kontje?'
'Nee, eigenlijk niet,' zei Stryker. 'En ze is niet getrouwd. Ze is afgelopen februari gescheiden. Er wordt gezegd dat ze bijna rijp is voor de pluk.'
'Heb je haar al mee uit gevraagd?'
'Nee,' zei Stryker.
Ze keken haar allebei na toen ze de zijstraat passeerde en doorliep richting Main Street. 'Jimmy, je bent gescheiden,' zei Virgil. 'Ik weet dat je niet rouwt om je ex, want die zit in Chicago en je kon haar niet uitstaan. Ik bedoel, zelfs ík kon haar niet uitstaan, en ik heb haar maar één keer ontmoet! En nu loopt hier de vrouw met het op drie na beste kontje van de hele staat Minnesota voorbij, vlak voor je neus, met geen onaardige voorgevel ook, voor zover ik kan zien... ik bedoel, sorry dat ik het vraag en niet dat het me iets uitmaakt, maar je bent toch niet gay of zoiets?'
Stryker begon te grinniken. 'Nee.'
De vrouw wierp haar lichtblonde haar naar achter en keek nog even achterom voordat ze de stoep afstapte – net zoals alle vrouwen dat zouden weten, wist ze dat er over haar werd gepraat – waarop Virgil zich weer naar Stryker keerde om door te gaan met zijn opsomming van haar pluspunten, toen het hem opviel dat Stryker precies hetzelfde lichtblonde haar als de vrouw had, en diezelfde lichtgroene ogen.
Er begon Virgil iets te dagen.
'Het is je zus, hè?' vroeg hij.
'Jep.'
Ze keken de straat weer in, maar de vrouw werd aan het zicht onttrokken door een heg bij een bocht in de straat. Virgil zei: 'Hoor eens, Jimmy, wat ik zonet zei over haar kontje en alles...'
'Laat maar zitten,' zei Stryker. 'Joanie kan prima voor zichzelf zorgen. Als jij er maar voor zorgt dat je die klootzak pakt die mijn mensen vermoordt.'

4

In het Holiday Inn spreidde Virgil de twee dossiers uit over de bedden en het bureautje en begon hij op een blocnote een lijst van namen en een tijdschema te maken.
De sheriff had zelf als coördinator opgetreden en zijn hulpsheriff, die Larry Jensen heette, had de leiding over het onderzoek gekregen. Een vrouw die Margo Carr heette, had het forensisch onderzoek op de plaats delict gedaan en diverse hulpsheriffs hadden meegeholpen waar dat nodig was. De patholoog-anatoom werkte vanuit Worthington en leverde haar diensten aan de acht regio's van het zuidwesten van Minnesota. Haar rapport zag er degelijk uit, maar het onthulde weinig meer dan wat de eerste hulpsheriff had vastgesteld toen hij op de plaats delict aankwam: vier schoten, twee doden.
Carr, de forensisch deskundige, had alle vier de kogels gevonden, maar die waren zo misvormd dat het moeilijk zou worden om het gebruikte wapen erbij te vinden. De .357 was vrijwel zeker een revolver, of het moest een Desert Eagle – made in Israël – halfautomatisch pistool zijn, die .357-patronen aankon, maar die kwam je op de prairie zelden tegen. Dat er geen hulzen op de plaats delict waren gevonden, wees ook in de richting van een revolver, of van een heel zorgvuldige moordenaar.
Een zware .357 was geen fijn wapen om mee te schieten, door de sterke terugslag. Er waren genoeg exemplaren door de handen van politieambtenaren gegaan, maar dan van degenen die meer geïnteresseerd waren in effect dan in prettig schieten. Met een .357 kwam je gemakkelijk door een autoportier heen, wat het wapen populair maakte bij verkeersagenten en hulpsheriffs die vaak te maken hadden met aan voertuigen gerelateerde misdaden.
Iets om over na te denken.

Jensen en Carr hadden het in hun rapport allebei over de mogelijkheid dat de inbraak met drugs te maken had en dat het een poging was om medicijnen op recept uit het huis van de arts te stelen. Maar er waren twee dingen die dat tegenspraken: Gleason was al jaren met pensioen, en iemand die wist waar hij woonde, moest dat zeker hebben geweten; en Carr had in het

medicijnkastje een halfvol potje OxyContin op recept gevonden, overgebleven na een zware knieoperatie die Anna had ondergaan. Een medicijnenjunkie zou dat potje zeker hebben meegenomen.
In de portefeuille van Russell Gleason was honderddrieënveertig dollar gevonden, en in Anna's tas nog eens zeventig. Ook dat zou een junkie niet over het hoofd hebben gezien. Dus het was de moordenaar niet om geld te doen geweest, dacht Virgil.

De sheriff en zijn mensen hadden vijftig mensen gesproken in verband met de zaak, onder wie de huishoudster, alle buren, familie en vrienden, ex-collega's en leden van de golfclub. Er waren er een paar die de Gleasons niet erg mochten, maar dan op een kleinsteedse manier. Die zouden misschien een andere huisarts kiezen, of tegen Anna hebben gestemd bij haar herverkiezing in de regiocommissie, maar ze zouden de twee niet doodschieten.
Eén vraag bleef hem bezighouden: waarom was het licht in de tuin aangedaan? Het lijk, rechtop zittend in de tuin niet zo ver van de straat, zou op z'n laatst de volgende ochtend zijn gevonden. Als de moordenaar het licht uit had gelaten, had hij veel meer tijd gehad om weg te komen. Was het mogelijk dat hij die tijd niet nodig had, omdat hij van heel dichtbij kwam?

Virgil haalde een plattegrond bij de receptie en vroeg waar het huis van de Gleasons was. De receptionist was zo vriendelijk om met een pen de precieze plek te markeren. 'Als je hier de heuvel op loopt en dan rechts afslaat... geloof ik, of was het linksaf? Nee, rechtsaf. Hoe dan ook, als je deze straat inloopt, zie je een brievenbus met GLEASON. En het huis is roodachtig van kleur en tamelijk modern.'
'Bedankt.'
'Er wordt gezegd dat je van BM bent,' zei de receptionist. Hij was jong, had rossig haar en een gebruind gezicht. Hij leek een beetje op Billy the Kid.
'Jep,' zei Virgil. 'Ze hebben ons gevraagd nog eens naar de Gleason-zaak te kijken en met een paar nieuwe gezichtspunten te komen.'
'Al wat gevonden?'
'We hebben een paar theorieën,' zei Virgil. Hij glimlachte en trok zijn neus op. 'Daar kan ik niks over zeggen. Maar, weet je, je kunt me wel met iets anders helpen...'
'Ik?'
'Ja. Ik heb hier nu al een paar keer gegeten. Het eten is goed, hoor, maar je begrijpt wel wat ik bedoel. Kun je me een ander restaurant aanbevelen?'

Het prairieland rondom Bluestem was niet bepaald vlak; het was een verzameling van plateaus, variërend in hoogte, van elkaar gescheiden door kreekjes en sloten met wilgen, populieren en wilde pruimenbomen aan de waterkanten. De kreekjes en sloten kwamen uiteindelijk uit op breder water, kronkelende riviertjes vol U-bochten, een meter of tien diep, die soms eindigden in moerasland of ondiepe meren. Uit de plateaus rezen vrijstaande heuvelruggen en bulten op met rotsbodem die rood van kleur was en rotsen, die veelal met mos begroeid waren.

Het huis van de Gleasons stond op een van die bulten.
Virgil reed het parkeerterrein van het hotel af, sloeg links af, reed vijf of zes straten in noordelijke richting, het stadje in, kwam in Main Street, passeerde de winkels en sloeg af in oostelijke richting. Algauw zag hij de wijk waar de Gleasons hadden gewoond, in de verte, op een heuvelrug vol bomen, huizen met dakpannen en glas dat de zon weerkaatste. Hij stak Stark River over, keek in het troebele water en reed de heuvel op, langs enkele goed onderhouden ranches en splitlevelwoningen, allemaal met de open veranda's naar de rivier gekeerd. Toen hij boven was, sloeg hij rechts af en zag hij meteen de brievenbus van de Gleasons, precies op de plek die de receptionist had aangewezen.
Het huis was van roodhout en had veel ramen, en de vereiste veranda. Virgil reed door tot aan de garagedeur, stapte uit, dacht even aan wat Davenport hem had verteld over ongewapend een onbekend huis binnengaan, dacht toen: val dood, het leven is te kort om me daar druk over te maken, liep om het huis heen en keek door de ramen naar binnen.
Leuk huis.
Alles op één verdieping, met een kelder, een stuk of tien esdoorns in de ruime tuin, een gazon dat er redelijk verzorgd uitzag en een schuurtje met eromheen bloembedden vol lelies. De veranda keek uit in westelijke én in zuidelijke richting, over de rivier en het stadje erachter, tot aan de snelweg, een kleine twee kilometer verderop. Het zou leuk zijn om hier 's avonds te zitten, dacht Virgil, maar omdat het huis hoog op de heuvelrug stond, zou het er 's winters verdomde koud zijn. Dan blies de noordwestenwind recht je garage in.
Hij zag nu dat het mogelijk was om vrijwel ongezien naar het huis toe te lopen, zeker op een regenachtige avond. Als je je auto in een van de straten aan de rand van de stad zette, de brug overliep en de oever van Stark River volgde, kwam je vanzelf bij het huis van de Gleasons. Je hoefde alleen naar boven te lopen, een hoogteverschil van een meter of vijftien over een afstand van honderd meter, en je was er. En je kon via dezelfde

weg terug. Het licht uit de huizen zou waarschijnlijk genoeg zijn om te zien waar je liep, dus je had niet eens een zaklantaarn nodig.
Jammer.

Hij beëindigde zijn rondgang om het huis, haalde de sleutel uit zijn zak, draaide de voordeur van het slot en ging naar binnen. Het rook naar een plaats delict, naar het spul dat ze gebruiken om het bloed op te ruimen, met een of ander enzym. Hij betrad de stilte, voelde de aanwezigheid van stof, liep de gang door, langs de deur van de keuken, naar de woonkamer. De bank waarop Anna was doodgeschoten stond in een halfronde uitbouw aan de zijkant, die als een soort theatertje werd gebruikt, met de bank naar een breedbeeld-tv gekeerd. Het kogelgat zat in het kussen aan de uiterste linkerkant, naast een bijzettafeltje waarop de afstandsbediening, een paar tijdschriften, een kruiswoordpuzzelboekje, een houten beker met pennen en potloden en een paar boeken lagen. Dit was Anna's vaste plek geweest, dacht Virgil, want Russells plek was de leren fauteuil rechts van de bank, onder de leeslamp. De bloedvlekken op de rugleuning en zitting van de bank waren behandeld met het bloedoplossende enzym.
De andere behandelde bloedvlek zat bij de doorgang naar de eetkamer. Er zaten drie kogelgaten in de vloerbedekking. Virgil stond daar, in de stilte, en zag voor zich hoe het gebeurd moest zijn. Ze kenden de moordenaar... Anna zat ontspannen op haar plekje en had niet de moeite genomen om op te staan. Russell en de moordenaar hadden allebei gestaan, niet zo ver van elkaar vandaan. De moordenaar had zijn wapen getrokken, of had dat al in zijn hand gehad, had zich naar Anna omgedraaid en één keer op haar geschoten. Ze had niet de tijd gehad om weg te duiken. Russell was weggerend, had drie stappen kunnen doen en was toen in zijn rug geschoten. Maar ze kénden de moordenaar, dacht Virgil, dat kon niet anders. Anna had tv zitten kijken en vermoedelijk niet aan het gesprek deelgenomen. Als hij haar had gedwongen te gaan zitten, of te blijven zitten, zou ze naar de kamer gedraaid hebben gezeten, waar de moordenaar stond, en niet naar de tv.
Virgil boog zich over het bijzettafeltje en keek of Anna misschien nog een poging had gedaan een aanwijzing achter te laten, een neergekrabbelde naam of zoiets. Hij voelde zich nogal stompzinnig toen hij dat deed, maar hij wist dat hij zich nog veel dommer zou voelen als hij dat niet had gedaan en later bleek dat er iets gevonden was. Maar hij zag niets. De boeken waren een roman van Martha Grimes en een dunner boek met de titel *Openbaring*, wat inderdaad de Openbaring van Johannes was.

Virgil mompelde, tot niemand anders dan de geesten in huis: 'Toen zag ik een vaalgeel paard. De ruiter heette Dood, en het Dodenrijk vergezelde hem.'

Hij keek op het tafeltje onder Russells leeslamp, maar zag daar niets interessants. Langzaam liep hij weg van de plek waar het schieten had plaatsgevonden en ging hij de rest van het huis bekijken. De eetkamer kwam uit op een werkkamer met archiefkasten en een ouder model computer. De gang naast de werkkamer voerde naar de badkamer, die groot was maar waar geen douche of bad was, en drie grote slaapkamers, die elk een eigen badkamer hadden.
Hij ging de slaapkamer van het echtpaar binnen, keek om zich heen, raakte niets aan, en liep door de gang naar de keuken. Net toen hij die wilde binnengaan, hoorde hij buiten een auto. Hij liep naar de voordeur, zag een patrouillewagen van de sheriff achter zijn pick-up staan en een hulpsheriff die naar zijn nummerplaat keek.
Virgil liep de veranda op, zag de hand van de hulpsheriff naar zijn heup gaan en riep: 'Virgil Flowers, Bureau Misdaadbestrijding.' Verderop, bij het volgende huis op de heuvel, stond een man in de achtertuin, die met een verrekijker naar hem keek.
'Larry Jensen,' zei de hulpsheriff. 'Ik ben de tweede man van de sheriff en heb de leiding over het politieonderzoek.'
Jensen was ook weer zo'n lange, magere man met een gelooide gezichtshuid, droog, zandkleurig haar, cowboylaarzen en een zonnebril. Ze schudden elkaar de hand en Jensen vroeg: 'Nog iets interessants gezien?'
'Nee, niks. Maar ik wil later terugkomen om die archiefkasten door te nemen.'
'Je gaat je gang maar...' Jensen draaide zich om en zwaaide naar de man in de tuin ernaast. De man zwaaide terug. 'Hij dacht dat je een inbreker was,' zei Jensen.
'Jammer dat hij niet naar buiten heeft gekeken op de avond dat de Gleasons zijn vermoord,' zei Virgil.
'Zeg dat wel.'

Jensen, die een aardige vent bleek te zijn, nam Virgil weer mee het huis in en vertelde hoe de moorden volgens hem waren gepleegd, wat overeenkwam met Virgils ideeën. Ze namen de rest van het huis nog eens door, ook de kelder, en toen ze de trap op liepen zei Jensen: 'Ik heb het gevoel...' Hij aarzelde.
'Ja?'

'Ik heb het gevoel dat hier iets aan de hand is wat heel lang heeft liggen sudderen. Ik heb alle zakelijke papieren van de Gleasons van de afgelopen tien jaar doorgenomen, van allebei, en ik heb ongeveer iedereen gesproken die ze kenden, ook hun kinderen en hun partners. Ik heb het gevoel dat dit teruggaat tot iets waar wij niet van op de hoogte zijn. Ik bedoel, Russell was arts. Als hij nu eens iemand iets heeft aangedaan. Je weet wel, een medische fout. Als er ergens, lang geleden, iemand door zijn schuld is overleden, dat hij iemand het leven had kunnen redden maar dat niet heeft gedaan, de vrouw of de vader van iemand, dat ze daar jaren op hebben zitten broeden en er nu pas iets is geknapt? Ik bedoel, Russell is in zijn tijd als arts veel met de dood geconfronteerd, hij is jarenlang lijkschouwer van Stark County geweest, dus als er nu lang geleden gewoon iets is... gebeurd? Iets wat iedere arts kan overkomen?'
Virgil knikte. 'Dat is wel een heel diep gat...'
Jensen knikte ook. 'Toen ik erover nadacht, kwam ik tot de conclusie dat iedereen in Stark County dan een verdachte kan zijn. Dus daar schieten we niks mee op.'
'Ik heb een vraag voor je,' zei Virgil, 'maar die moet je niet persoonlijk opvatten.'
'Ga je gang.'
'Heeft de sheriffdienst ooit .357's verstrekt? Aan de hulpsheriffs?'
'Ah, twee zielen, één gedachte,' zei Jensen. 'Ja, we hebben .357's gehad, jaren geleden. We zijn op .40's overgeschakeld toen de FBI dat ook deed.'
'Wat is er met die .357's gebeurd?'
'Dat was voor mijn tijd. Voor zover ik weet konden de jongens ze kopen met korting. Sommigen hebben dat gedaan, anderen niet. Er zijn er ook een paar verdwenen, om je de waarheid te zeggen, we weten niet waarheen. De administratie was toen nog niet wat die moest zijn. Maar dat speelde twee sheriffs geleden, dus het heeft niks met Jim te maken.'
'Maar je hebt er wel aan gedacht,' zei Virgil.
'Natuurlijk.'

Ze praatten nog een kwartiertje en Jensen vertelde dat hij van plan was alle medische dossiers van Gleasons praktijk en die van het regionale ziekenhuis door te nemen. 'Volgens mij moet de aanleiding daar ergens te vinden zijn. Misschien gaat het om dezelfde man die Bill Judd heeft vermoord, als Judd echt dood is. Hij en Gleason waren praktisch even oud, dus er moet een verband zijn. Misschien heeft de dader al wel een nieuw slachtoffer op het oog, en zit hij nu te bedenken hoe hij het zal gaan aanpakken.'
'Twee zielen, één gedachte,' zei Virgil.

Virgil reed achter Jensen aan terug naar de stad en sloeg af toen Jensen doorreed naar het stadhuis. De receptionist had twee lunchgelegenheden voor hem gevonden, Ernhardt's Café en Johnnie's Pizza, beide in Main Street. Italiaans leek Virgil nogal machtig als lunch, dus besloot hij Ernhardt's te proberen.
Het café bleek een combinatie van een Duitse cafetaria en een bakkerij te zijn, waar onder andere koud vlees, versgebakken aardappelbrood, augurken en zuurkool op het menu stonden. Virgil koos voor rosbief op roggebrood, met grove mosterd en een augurk, en een flinke bak verse lichtgele aardappelsalade, en liep ermee naar een van de open zitjes tegenover de counter.
Ongeveer een minuut nadat hij was gaan zitten, kwam de zus van de sheriff het café binnen. Ze liet haar ogen even wennen aan het gedempte licht, groette de vrouw achter de counter, en bestelde een koffie en een salade. Toen ze Virgil aan zijn tafeltje zag zitten, knikte ze naar hem. Hij knikte terug en even later kwam ze met haar dienblad naar zijn tafeltje en nam ze tegenover hem plaats.
'Ga jij Jimmy's baan redden?' vroeg ze.
Ze was misschien geen volmaakte schoonheid – je zou kunnen zeggen dat haar wenkbrauwen iets te veel afliepen en dat haar mond een centimeter te breed was – maar ze zag er érg goed uit, en dat wist ze. Ze glimlachte toen ze het vroeg, maar haar groene ogen stonden serieus.
'Is het nodig dat die gered wordt?' vroeg Virgil.
'Misschien wel,' zei ze. 'Ik ben Joan Carson. Jimmy zei dat je een paar aardige dingen over mijn kontje te zeggen had.'
'Waarmee hij zich dieper in de problemen heeft gewerkt,' zei Virgil, maar ze bleef glimlachen en die aanblik beviel hem heel goed. 'Vertel me daar eens iets meer over. Over zijn baan.'
Ze haalde haar schouders op en begon aan haar salade. 'Dit is zijn tweede termijn. De meeste sheriffs redden het niet tot een derde. Zo gaat het nu eenmaal, neem ik aan. Na twee termijnen heb je genoeg mensen afgezeken om weggestemd te worden, want als je niet genoeg respect afdwingt, voelen ze zich niet meer verplicht om op je te stemmen.'
'Dwingt hij geen respect meer af?'
'Dat heeft hij altijd wel gedaan, tót de moorden,' zei ze. 'Jimmy doet het goed als sheriff en hij is fair tegen zijn mensen. Maar hij zit nu met deze moorden en heeft nog geen dader gepakt.'
'Heeft hij dat tegen je gezegd?' vroeg Virgil.
'Dat is algemeen bekend,' zei Joan. Ze prikte een rauwe uienring op haar vork, beet er de helft vanaf en wees met het resterende halve maantje naar

Virgil. 'Iedereen kent iedereen hier, en de hulpsheriffs praten hun mond voorbij. Niemand heeft enig idee wie de Gleasons vermoord kan hebben.'
'Wie kan het volgens jou gedaan hebben?'
'Al sla je me dood,' zei ze. 'Het is verdomme een mysterie, dát is het. Ik ken iedereen hier, letterlijk iedereen, en ik weet hoe de verhoudingen tussen de meeste mensen zijn, maar ik kan niemand bedenken die dit gedaan zou kunnen hebben. Echt niemand. Of misschien...' Ze viel stil.
'Misschien...'
Ze speelde even met haar haar, zoals vrouwen soms doen wanneer ze menen dat ze iets doms gaan zeggen. 'Maar dat is oneerlijk. De hoofdredacteur van de krant, Todd Williamson, woont hier pas een jaar of drie, vier, dus hem ken ik minder goed dan de anderen. Maar het zóú kunnen dat hij een of andere hersenkronkel had voordat hij hier kwam wonen, en dat we daar nooit iets van hebben gemerkt omdat we niet samen met hem zijn opgegroeid.'
'Dat is het?' vroeg Virgil.
'Ja, dat is het enige wat ik kan bedenken,' zei ze.
'Daar hebben we niks aan,' zei Virgil.
'Daarom zei ik al dat het niet eerlijk was. Maar als ik 's nachts in bed lig, laat ik iedereen ouder dan tien de revue passeren en probeer ik te bedenken wie het gedaan kan hebben. Misschien...'
'Ja?'
'Kan het zijn dat we met zo'n jonge, gestoorde sensatiekiller te maken hebben, iemand van de middelbare school die altijd heeft gefantaseerd over het vermoorden van mensen, en die om de een of andere reden de Gleasons daarvoor heeft uitgekozen? Je leest dat soort dingen weleens...'
'Ik hoop het,' zei Virgil. 'Als het zo iemand is, pak ik hem. Dan vertelt hij het vroeg of laat aan zijn vrienden en die verlinken hem dan.'

Virgils mobiele telefoon ging.
Hij haalde het toestel uit zijn zak en Joan zei: 'Irritant als je tijdens de lunch wordt gebeld.'
'Vind ik ook,' zei Virgil. Het was een lokaal nummer. Hij klapte het toestel open en zei: 'Hallo?'
'Virgil, Jim Stryker hier. Wist jij dat Bill Judd vijftien jaar geleden een bypassoperatie heeft ondergaan, en dat hij ook aan een hernia is geopereerd?'
'O ja?'
'Mijn forensische vriendin heeft in de kelder van Judds huis een spiraalvormig stuk roestvrijstalen draad gevonden, en ze is er honderd procent

zeker van dat dat gebruikt is om Judds borstbeen dicht te maken na de bypass. En ongeveer twintig centimeter ernaast vond ze een paar titanium schroeven en een stalen pen waarvan zij zegt dat ze uit Judds wervelkolom afkomstig zijn. Ze zegt dat er röntgenfoto's in zijn medisch dossier moeten zitten, die dat kunnen bevestigen, maar zij denkt dus dat hij het is. Wat ze ook heeft gevonden is een stuk van de achterkant van een schedel, ongeveer zo groot als een schoteltje, delen van twee knieschijven en botjes die zo te zien van de polsen en de enkels afkomstig zijn.'

'Dus hij is dood,' zei Virgil.

'Daar lijkt het wel op,' zei Stryker. 'DNA-onderzoek zal ons zekerheid verschaffen, als ze het tenminste nog uit het beenmerg kunnen halen. De brandexpert zegt dat er een versneller is gebruikt, vermoedelijk vijftig tot tachtig liter benzine, want hij beweert dat het vuur zich in een horizontale flits door het huis heeft verspreid, in plaats van dat het omhoog is gekropen. Waarmee hij bedoelt dat het sneller in de breedte dan in de hoogte heeft gebrand, en met al dat hout zou het juist andersom moeten zijn.'

'Hoe kan hij dat zien?'

'Al sla je me dood. Maar dat is zijn conclusie... dus we hebben een derde moord.'

'Huh,' zei Virgil.

'Wat huh?' vroeg Stryker.

'Ben jij daar nu, bij het huis?' vroeg Virgil.

'Ja, en ik ben hier nog wel even bezig.'

'Oké, ik zie je straks.'

Joan richtte haar vork op hem. 'Bill Judd?'

'Ja.' Virgil bette zijn lippen met zijn servet. 'Ze denken dat ze een paar stoffelijke resten hebben gevonden. Ik moet ernaartoe.'

'Als ik forensisch antropoloog was, zou ik met je meegaan om je te helpen,' zei ze. 'Helaas weet ik niks van forensisch onderzoek, of van antropologie, en van lijken hou ik ook niet.'

'Wat doe jij voor de kost?' vroeg Virgil.

'Ik beheer onze familieboerderij,' zei ze. 'Ruim vijfhonderd hectare graan en sojabonen ten noorden van de stad.'

'Dat is een allemachtig groot stuk land voor zo'n leuk vrouwtje als jij,' zei Virgil.

'Kus m'n...,' zei ze.

'Met genoegen, mevrouw,' zei Virgil. 'Heb je zin om vanavond naar Worthington te gaan? Bij Tijuana Jack's kun je lekker eten.'

'Misschien,' zei ze. 'Geef me je mobiele nummer. Ik moet eerst naar Sioux Falls om een paar machineonderdelen op te halen. Als ik op tijd terug ben... heb ik best trek in Mexicaans.'

Virgil, erg ingenomen met zichzelf, reed de stad uit, volgde de weg tot aan Buffalo Ridge, passeerde het hek van het staatspark en reed de heuvel op tot hij bij het huis van Judd kwam. Hij was verbaasd toen hij zag wat ervan over was. Bij de meeste branden brandde een deel van het huis uit, of bleven er in elk geval één of twee muren overeind staan. Van Judds huis was alleen de fundering over, een grote rechthoekige kuil vol zwartgeblakerd, verwrongen metaal, as en stenen.
Stryker en een van zijn hulpsheriffs, een oudere, dikke man met blond, krullend haar, waren in gesprek met een derde man, die een notitieboekje in zijn hand had. Een man in een pak stond in de kuil te staren, waar op de bodem drie mensen op hun knieën zaten alsof ze met een archeologische opgraving bezig waren.
Virgil liep ernaartoe, keek over de rand van het gat en herkende stukken riolering, een paar airconditioners, twee gasfornuizen, de restanten van wat ooit een open haard moest zijn geweest, drie boilers, een paar wastafels, drie wc's en een verwrongen kluwen leidingen. De drie op de bodem waren aan het werk naast de overblijfselen van een rolstoel. De man in het pak, dacht Virgil, moest Bill Judd junior zijn.

Virgil liep naar Stryker. 'Hoe is het in godsnaam mogelijk dat ze daar nog iets hebben kunnen vinden?'
'Dit is Todd Williamson, hoofdredacteur van de *Bluestem Record*,' zei Stryker, 'en dit is Big Curly Anderson.' De eerste introductie was een waarschuwing om op zijn woorden te passen.
'Ik heb gisteren Little Curly ontmoet...' zei Virgil terwijl hij de twee mannen de hand schudde. Die van Big Curly was klein en zacht, als van een vrouw. Williamsons hand daarentegen, was hard en eeltig, alsof hij zijn drukpers met een draaiwiel bediende.
'Dat is mijn zoon,' zei Big Curly.
'Om je vraag te beantwoorden,' vervolgde Stryker, 'we hebben gewoon geluk gehad. We zagen de rolstoel liggen en zijn daar in de buurt gaan zoeken, naar een lijk in eerste instantie, en toen vonden ze die stalen hechtdraad. Ze proberen er nu achter te komen hoe het mogelijk is dat de rolstoel boven op al die troep en as terecht is gekomen, en de stoffelijke resten van het lichaam eronder. Ze beginnen te geloven dat Judd zich in de kelder bevond en dat de rolstoel boven stond, op de eerste of tweede ver-

dieping, en dat hij in de kelder is gevallen toen het vuur de vloeren had verteerd.'
'Toeval?'
'Daar ziet het naar uit,' zei Stryker. 'Ik zou niet weten hoe je het anders moet noemen.'
'Werk jij mee aan deze zaak?' vroeg Williamson aan Virgil.
'Ik werk aan de Gleason-zaak,' zei Virgil. 'Onze contacten met de pers lopen óf via de plaatselijke sheriff, óf via de persvoorlichter van BM in St. Paul. Dus ik kan je weinig vertellen.'
'Zo doen we dat hier niet,' zei Williamson.
'Dat moet dan veranderd zijn, want ik ben van hier,' zei Virgil. 'Ik heb op de middelbare school tegen Jimmy hier gehonkbald, heb hem drie jaar lang het ene pak slaag na het andere gegeven.'
'Het stond zeven tegen twee, maar drie van die overwinningen waren puur geluk,' zei Stryker. 'De mensen hebben het er nog over. Dat ze nog nooit iemand hebben gezien die zo vaak achter elkaar geluk had.'
'Kus m'n...,' zei Virgil.
'Je hebt met Joan gepraat,' zei Stryker.

Virgil knikte naar de man bij de kuil. 'Dat is Judd junior toch?'
'Jep,' zei Stryker. 'Ik heb hem gebeld en hij is meteen gekomen.'
'Nadat hij bij de bank was geweest om het testament van zijn ouweheer te lezen, vermoed ik,' zei Big Curly.
'Hij staat op het punt mijn krant te erven,' zei Williamson zacht. 'Dat is geen goeie zaak. Ik moet ander werk gaan zoeken. Heeft iemand van jullie een drukpers?'

Ze bleven even naar Judd kijken en Virgil vroeg aan Big Curly: 'Hoe zit het met dat testament?'
Big Curly haalde zijn schouders op. 'Dat weet ik niet. Ik maakte maar een grapje.'
'Het is wel een idee,' zei Virgil tegen Stryker. 'Heb je al gezocht naar een testament?'
Stryker schudde zijn hoofd. 'Ik neem aan dat de bank het bewaart. Of Bob Turner heeft het. Turner was de advocaat van de oude man.'
'We zouden moeten kijken wat erin staat,' zei Virgil. 'Een gerechtelijk bevel vragen om zijn bankkluisje te openen, met zijn advocaat en zijn zoon erbij. Er kan iets interessants in staan.'
'En als hij al zijn geld aan George Feur heeft nagelaten?' vroeg Williamson.

Stryker glimlachte. 'Dan krijgt die ouwe junior een dubbele hartaanval, wed ik.'
'Wie is George Feur?'
'Een of andere maffe dominee die in de gevangenis Jezus heeft gevonden,' zei Stryker. 'Hij heeft een zogenaamd religieus bezinningscentrum vlak bij de grens met Dakota. Volgens de geruchten hier heeft hij geprobeerd Bill Judds ziel te redden.'
'Een gestoorde?'
'Hij gelooft in de puurheid van het blanke ras,' zei Stryker. 'Hij zegt dat Jezus een Romein was en dat de zwarten in Afrika woonden vanwege de vloek van Kaïn, dat ze allemaal terug naar Afrika moeten om daar de toorn van God te ondergaan in plaats van blanke vrouwen te verontreinigen en alle goeie baantjes bij Target in te pikken. Ongeveer eens per maand krijgen hij en zijn aanhangers een teken van God en dan houden ze een mars om hun ideeën te verkondigen. Hier, in Worthington, in Sioux Falls...'
Big Curly vervolgde: 'Hij zegt dat indianen het verloren volk van Israël zijn, dat het Joden zijn, en dat ze allemaal terug moeten naar Israël zodat wij de wederkomst van de Heer kunnen beleven. Hij is al een paar keer met indianen op de vuist gegaan.'
'En híj was Judd aan het bekeren?' vroeg Virgil, die dacht aan het boek *Openbaring* op het bijzettafeltje bij de Gleasons.
'Hij heeft rijke aanhangers nodig,' zei Williamson. 'Hoe moet hij anders aan de wapens komen om de goddeloze democraten van de troon te stoten en de zwarten terug naar Afrika te verschepen?'
'Aha.'
'En de Mexicanen terug naar Mexico, de Chinezen terug naar China, de indianen naar Israël, enzovoort, enzovoort,' zei Williamson. 'Ik heb ooit een special over hem geschreven, die is overgenomen door de *Associated Press*.'

'Nu zul je het krijgen,' mompelde Big Curly.
Virgil keek en zag dat Bill Judd junior hun kant op kwam lopen. Judd was een zwaargebouwde man met een dik gezicht, een slappe kalkoenennek, dunnend haar en zwarte priemoogjes. Hij moest tegen de zestig lopen, dacht Virgil.
Judd knikte naar Williamson, keek Virgil even aan en vroeg aan Stryker: 'Wat ga je hieraan doen, Jim? Als dat mijn vader is, daar beneden, en die knul van de brandweer heeft gelijk, hebben we het over moord. Wat ben je van plan daaraan te doen?'
'Die te onderzoeken,' zei Stryker.

‘Net zoals je de moord op de Gleasons hebt onderzocht?’ Judd schudde zijn hoofd en de huidplooien onder zijn kin dansten mee. ‘Doe me een lol, Jim. Je haalt BM erbij, hoor je me? Je haalt verdomme BM erbij of anders...’
Stryker knikte naar Virgil. ‘Mag ik je voorstellen aan Virgil Flowers, Bureau Misdaadbestrijding, Minnesota?’
Met een ruk keerde Judd zich naar Virgil. Hij nam hem eens goed op, zag Virgils T-shirt en zei: ‘Veel indruk maak je niet op me.’
Virgil glimlachte. ‘Ik voel me niet gauw beledigd door verdachten,’ zei hij. ‘Dat zijn er in de loop der jaren te veel geweest.’
‘Wat mag dat verdomme dan wel betekenen?’ vroeg Judd.
‘Nou, goed beschouwd ben je op dit moment onze enige verdachte,’ zei Virgil. ‘In een situatie als deze moet je je altijd afvragen: wie erft er? Als ik het goed heb begrepen is het antwoord op die vraag: jij.’
Judd bleef Virgil een paar seconden lang aankijken en keerde zich toen naar Williamson. ‘Dat hou je uit de krant.’
Williamson schudde zijn hoofd. ‘Ik werk niet voor jou, Bill. Ik werkte voor je vader, en nu werk ik voor de nalatenschap van je vader. Zodra die aan jou is toegekend, pak ik mijn biezen en ben ik hier weg. Maar tot het zover is, werk ik voor de nalatenschap van je vader.’
‘Dan kun je er maar beter voor zorgen dat je voor het eind van de week ander werk hebt,’ zei Judd.

Virgil zei tegen Judd: ‘We moeten je vaders testament inzien. Ik neem aan dat het zich in een kluisje in de bank bevindt? We gaan een gerechtelijk bevel vragen om dat kluisje te openen, aangezien het testament van belang voor het onderzoek is. En om te zien wat er nog meer in zit.’
Judd knikte. ‘Ik vind het best. Laten we Bob Turner gaan halen, bij de rechter langsgaan, dat kluisje openen en de zaak in beweging zetten.’
‘Mag ik mee?’ vroeg Williamson.
‘Nee,’ zei Stryker.
Williamson grinnikte. ‘Het was te proberen? Godsamme, wat is het hier warm.’

Op de terugweg naar hun auto’s bleven ze even bij de uitgebrande kuil staan en riep Stryker naar beneden: ‘Nog iets gevonden?’
Een gedrongen vrouw in een gele beschermende overall en met een filterkapje voor haar mond scheurde een papieren handdoek af, veegde het zweet van haar voorhoofd, deed de handdoek in een vuilniszak en zei: ‘Ik ben zo heet als een Spaanse peper.’
Daar werd even om gegrinnikt en ze vervolgde: ‘Nee, niks nieuws. Maar

we hebben de handwortelbeentjes en die zijn nog intact, want ze lagen onder een stuk staalplaat, die blijkbaar de ergste hitte heeft tegengehouden, dus ik heb goede hoop dat we er DNA uit kunnen halen. Als Bill Judd junior zo vriendelijk wil zijn ons een monster van hemzelf te geven, kunnen we hem identificeren.'
'Oké, regel het,' zei Stryker.
Ze liepen de heuvel af toen Big Curly zei: 'Daar zou ik wel een hapje van willen proeven', doelend op de vrouw in de gele overall.
Stryker knikte. 'Ik zal het aan mevrouw Curly doorgeven.'

Een van de beste én slechtste dingen van werken in een klein stadje was dat iedereen van álles op de hoogte was. De rechter wist bijna net zo veel over de zaak-Judd als Virgil, en had al een gerechtelijk bevel geschreven op de computer van zijn secretaresse. Hij printte het, gaf het aan Stryker en zei: 'Hier moet het mee lukken.'
Stryker belde de Wells Fargo-bank en sprak even met de manager, die zei dat hij hen verwachtte. Judds advocaat zei dat hij alvast naar de bank zou lopen.
'Oké, dan gaan we,' zei Stryker.

'Gaan' betekende in dit geval lopen, want de bank was drie straten verderop, twee blokken oudere woonhuizen en daarna een stukje Main Street. Ze kwamen langs een drogisterij waar door de open deur de geur van popcorn naar buiten kwam, toen Judd opeens bleef staan, snel terugliep en hen even later weer inhaalde met een papieren zak vol popcorn, die hij in zijn mond propte alsof hij uitgehongerd was. Ze kwamen ook langs de redactie van de krant, die was ondergebracht in een pand met twee kantoren, waarvan het ene Judd Enterprises heette en het andere William Judd Jr. Investments, en ten slotte langs een winkel die een combinatie van een kapperszaak en een schoonheidssalon was.
De thermometer op de klok boven de deur van de bank gaf aan dat het dertig graden was toen ze de hal binnenliepen. De bankmanager was een man met wit haar en een keurig getrimde snor, en ook de advocaat had wit haar en een keurige snor, en iets opzij van hen stond een man met een Mexicaans uiterlijk, in een T-shirt en spijkerbroek, met een zwarte snor, en een gereedschapskist naast zijn voeten. Stryker zou ook een man met wit haar en een keurige snor worden. Als ik mijn snor laat staan, dacht Virgil, zie ik er net zo uit als iedereen, een monocultuur van Germaans-Scandinavische blanken, waar nu een portie salsa aan werd toegevoegd, tot grote opluchting van iedereen.

De bankmanager wierp een blik op het gerechtelijk bevel en ging hen voor naar de kluisjes. Hij legde uit dat alleen Judd senior over de benodigde sleutel had beschikt en aangezien die niet in het uitgebrande huis was gevonden, ze het slot moesten openboren, wat later op rekening van de nalatenschap zou worden gezet. Het boren kostte drie minuten, waarna de Mexicaanse man twintig dollar van de manager kreeg, zijn gereedschap inpakte en vertrok.
De stalen kist was van een wat groter formaat; groot genoeg, dacht Virgil, voor drie gebraden kippen. De manager bracht de kist naar een privékamertje, maar aangezien er geen noodzaak tot privacy was, stonden ze allemaal om de tafel geschaard toen het deksel werd geopend.
'Grote genade,' zei Judd, met enig ontzag.
De kist was gevuld met papieren, waarvan het merendeel papiergeld was.
'Het is niet zo veel als je misschien denkt,' zei de manager nuchter, maar in zijn ogen fonkelde een lichtje. 'Biljetten van honderd, tienduizend dollar per bundeltje... vijftien, achttien, twintig stuks. Tweehonderdduizend dollar.'
'Waarom zou hij tweehonderdduizend dollar in contanten bewaren?' vroeg Virgil aan Judd.
'Hij hield niet van verrassingen,' zei Judd.
Ze legden de bundeltjes naast de kist, en Judd ging op een van de plastic stoeltjes naar het geld zitten staren terwijl de bankmanager en de advocaat de overige papieren en de rest doornamen: verzekeringspolissen, eigendomsakten, foto's en een paar doosjes met sieraden.

Dat was 's middags, toen er nog een paar andere dingen gebeurden, maar die bleken geen van alle belangrijk te zijn.

Die avond, in Tijuana Jack's, keek hij naar Joan Carson bij kaarslicht en vond hij dat ze er fantastisch uitzag. Ze droeg een jurk van dunne gebreide katoen in de kleur van ongebleekt linnen, en een halsketting van glazen kralen zo groot als knikkers, in een kleur die perfect bij haar ogen paste. Aan weerskanten van haar korte neusje zaten een paar sproetjes en voor het eerst viel het Virgil op dat er een hoekje van een van haar voortanden af was, wat haar een extra ondeugende uitstraling gaf.
Ze boog zich naar hem toe, waardoor de hals van haar jurk genoeg week om hem een blik op de bovenkant van haar borsten te gunnen, hoewel Virgil haar resoluut in de ogen bleef kijken, en ze fluisterde: 'Rotschoft?'
'Ja,' fluisterde Virgil terug, 'dat zei hij.' Hij lachte, vol en rollend, en zei: 'Judd junior zit aan tafel, naar die tweehonderdduizend dollar te staren,

met zijn neus er nog geen tien centimeter vandaan. Hij zit er bijna op te kwijlen. Dan zegt die advocaat, die Turner, alsof het een groot mysterie is: "Ik zie nergens een testament." Waarop Judd opspringt en schreeuwt: "De rotschoft!"'
Ze giechelde, haalde haar hand langs haar neus en haar ogen straalden van plezier.
Virgil vervolgde: 'Ik dacht even dat we hem tegen de grond moesten werken om te voorkomen dat hij Turner naar de strot vloog. Turner, die alsmaar zegt: "Ik heb het niet gedaan, ik heb het niet gedaan," en Judd, die vloekend door de kamer beent: "De schoft! De vuile rotschoft!" Ondertussen heeft de bankmanager zijn logboek erbij gepakt en blijkt dat Judd senior een week daarvoor in zijn kluisje is geweest. De vrouw die de kluisjes beheert wordt erbij geroepen en die bevestigt dat de oude man er was, dat hij geen privékamertje nodig had en dat hij alleen maar iets uit de kist wilde halen. Ze heeft gezien wat dat was, een dikke beige envelop, en nu denken we allemaal dat dit het enige echte testament was.'
'De rotschoft,' zei ze lachend. 'Ik zou er honderd dollar voor over hebben gehad om dat te zien. Wat zat er nog meer in die kist?'
'Juridische documenten, eigendomsakten en verzekeringspolissen. Het huis was verzekerd voor achthonderdduizend en met die tweehonderdduizend cash maakt dat een miljoen. Dat krijgt junior allemaal.'
'Senior was ook eigenaar van een pand in de stad.'
'Waar de krant is.'
'Ja, en hij had diverse percelen vruchtbaar land ten zuiden van de stad,' zei ze, 'die ook wel aardig wat zullen opbrengen.'
'En junior? Heeft hij iets van zichzelf?'
'Hij heeft een paar onderneminkjes gehad, maar die liepen meestal niet zo goed. Voor zover ik weet heeft hij alleen nog drie of vier Subways in stadjes in de buurt, en een stukje land langs de rivier, waar hij een of ander woonproject wilde starten... maar ja, er is hier nauwelijks vraag naar woningen. Hoezo?'
'Hij raakte helemaal opgewonden toen hij dat geld zag,' zei Virgil. 'En heel erg van streek toen hij te horen kreeg dat hij het niet binnen een week of twee zou krijgen. Ik bedoel, hij krijgt het wel, maar dat duurt een paar maanden, want dat moet via de notaris en zo. Maar het scheen hem erg van streek te maken.'
'Goed, hij mag dan een geldbeluste hufter zijn, maar zijn vader zou hij niet vermoorden, als je dat soms denkt,' zei Joan. 'Ik heb die twee regelmatig met elkaar in gesprek gezien, en dan waren ze altijd heel vriendelijk tegen elkaar.'

'Oké,' zei Virgil. 'Ik probeer alleen uit te vissen met wie ik te maken heb.'
'Maar ik kan je wel vertellen waaróm hij zo reageerde...'
'O ja?'
'De Judds zijn gewoon bezeten van geld. Dat is voor hen belangrijker dan al het andere in het leven. Als je kunt kiezen tussen aardig zijn en geld, kies je het geld. Als je kunt kiezen tussen moedig zijn en geld, kies je het geld. Vrienden en geld? Kies het geld. Zo zijn ze gewoon. Ze proberen het niet eens te verbergen. Pak het geld. Tweehonderdduizend dollar in contanten uit een kluis halen en voor Bill Judd junior op tafel neerleggen is net zoiets als in het bijzijn van de paus Jezus Christus uit een kist toveren.'
'Hard hoor, om dat over iemand te zeggen,' zei Virgil. 'Vooral dat laatste, over de paus.'
'Maar het is de waarheid,' zei Joan. Ze kneep haar ogen half dicht. 'Mag ik dit aan mijn vriendinnen vertellen?'
'Nou, laat me even nadenken,' zei Virgil. 'De enige getuigen waren je broer, de advocaat, de bankmanager, Judd, de dame van de kluisjes en ik. Hoe groot schat je de kans dat al die mensen hun mond houden?'
'Nul komma nul.'
'Goed dan,' zei Virgil. 'Als je maar niet zegt dat je het van mij hebt, oké? Dan zou je je broer in de problemen kunnen brengen. Misschien kun je zeggen dat je het van een van hun echtgenotes hebt?'
'Ik ken ze allebei, de vrouw van de bankmanager en die van de advocaat,' zei ze. 'Een van de twee zal zeker haar mond voorbij praten, en dan kan ik eraan toevoegen wat jij me allemaal hebt verteld.'
'Klinkt goed,' zei Virgil. 'Heb ik al gezegd dat ik je jurk mooi vind?'
'O ja? Ik heb hem zelf gemaakt, op de naaimachine. De stof heb ik in Des Moines gekocht.'
'Echt?'
'Probeer niet de domme jongen uit te hangen, Virgil,' zei ze. 'Deze jurk komt van Neiman Marcus in de Twin Cities.'

Virgil was opgegroeid in Marshall, Minnesota, een kleine honderd kilometer ten noorden van Bluestem in vogelvlucht, of honderddertig kilometer als die vogel er in een pick-up over de snelweg naartoe zou moeten. Zijn vader was dominee geweest van de grootste Lutherse kerk in de stad, totdat hij met pensioen was gegaan, en zijn moeder gaf techniek en fysica op Southwest Minnesota State University, totdat ook zij met pensioen was gegaan. Ze leefden allebei nog, speelden de hele zomer golf en hadden een vakantiehuisje in Fort Myers, zodat ze ook de hele winter konden golfen.

Joans vader was boer geweest. Hij had zich toentertijd laten betrekken bij Bill Judds plan om de jeruzalemartisjok tot een succes te maken.
'Ik herinner me niet alles,' vertelde Joan, 'want daar was ik toen nog te jong voor, maar mijn vader meende dat het niet goed ging met de prijzen van graan en sojabonen. Er was te veel concurrentie van de lagelonenlanden over de hele wereld. Hij dacht dat als ze een nieuw product konden verbouwen, dat olie kon vervangen... nou, je weet dat er in de jaren zeventig en tachtig werd gezegd dat we elk moment door de olie heen konden zijn, en dan zouden we allemaal de klos zijn.'
'Zoals nu.'
'Ja, zoals nu, met ethanol en graan voor vier dollar per kuub. Hoe dan ook, als je olie kon verbóúwen... ik denk dat hij ervan uitging dat ze niks te verliezen hadden. Maar het was natuurlijk allemaal onzin. Eén grote zwendel vanaf het eerste begin, bij elkaar verzonnen door een stel slimmeriken in Chicago en een paar wereldvreemde figuren zoals Bill Judd. Toen het allemaal fout liep, had Bill Judd daar geen last van. Hij was een egoïst van het zuiverste water. Maar de mensen die hij erbij had betrokken, zoals mijn vader, hadden er wel degelijk last van...'
Ze zuchtte en schudde haar hoofd. 'Veel mensen dachten dat mijn vader onder één hoedje met Judd speelde. Maar hij is een flink deel van zijn land kwijtgeraakt. Hij heeft het moeten verkopen voor een veel te lage prijs, midden in de grote recessie van halverwege de jaren tachtig. En toen hij al zijn schulden had afbetaald, heeft hij zijn .45 gepakt en zichzelf door zijn hoofd geschoten. In de achtertuin, op een zaterdagmiddag. Ik kan me nog goed herinneren dat ik mensen hoorde gillen, en dat mijn moeder in de woonkamer zat en eruitzag alsof zíj degene was die was omgekomen. Dat herinner ik me het meest: niet mijn vader, maar de blik in de ogen van mijn moeder.'
'Jimmy was er kapot van, neem ik aan? Vaders en zonen?'
'Ja.' Ze keek op, keek hem in de ogen. 'Je denkt toch niet dat Jimmy iets met de moord op Judd te maken heeft?'
Virgil schudde zijn hoofd. 'Natuurlijk niet... De Gleasons en Judd, hadden die iets met elkaar?'
'Ze kenden elkaar,' zei Joan. 'Je had hier een hecht groepje notabelen, rijkere mensen, zoals in de meeste kleinere steden. Artsen, advocaten, bankiers, vastgoedhandelaars. De mensen zeggen dat Judd sommigen van hen met investeringen heeft geholpen... maar de Gleasons hebben niks met de zwendel van de jeruzalemartisjok te maken gehad. Dan zou iedereen dat hebben geweten, want het is allemaal voor de rechter geweest.'
Virgil boog zich naar haar toe en ging zachter praten. 'Hoor eens, Joanie,

Jim en Larry Jensen en ik, we denken allemaal dat er een verband is tussen de moord op de Gleasons en die op Judd. Drie moorden in ruim drie weken tijd, allemaal gepleegd door iemand die wist wat hij deed, waar hij moest zijn en hoe hij moest wegkomen. Drie moorden die zelfs in dezelfde omstandigheden zijn gepleegd, toen het donker was en het regende. En dat nadat hier in geen tweeëntwintig jaar een moord is gepleegd.'
'Wat denk je van George Feur? De predikant?'
'Ik heb over hem horen praten...'
'Hij is iemand om in de gaten te houden,' zei ze. 'Ik heb dat ook tegen Jim gezegd, maar Jim zegt dat hij een alibi heeft. Er was die vrijdagavond een religieuze bijeenkomst en veel mensen zijn het hele weekend gebleven. Er zal heus wel iemand zijn die zal zeggen dat Feur daar al die tijd is geweest. Jim en Larry zeggen dat het moeilijk voor hem geweest moet zijn om er even tussenuit te piepen.'
'Hoe lang moet hij volgens jou nodig hebben gehad?'
'Nou, als hij...' Ze keek naar het plafond en haar lippen bewogen terwijl ze het uitrekende. 'Nou, als hij heen en terug is gereden, misschien een halfuur? Waarschijnlijk langer, als hij een stuk heeft gelopen, of als ze met elkaar hebben gepraat. Maar heel veel langer hoeft het feitelijk ook niet te zijn.'
'Als er daar veel mensen waren en iedereen denkt dat je misschien met iemand anders in gesprek bent, dat je nu eens hier en dan weer daar wordt gezien... kun je best een halfuurtje weg.'
'En misschien is een van zijn stomme aanhangers wel bereid hem een dienst te bewijzen. Maar als jullie denken dat de moorden op de Gleasons en Judd door dezelfde persoon zijn gepleegd... ik heb begrepen dat Feur probeerde Judds ziel te redden, dat ze het goed met elkaar konden vinden. Dus dat past dan niet in het plaatje.'
'Maar het ís een verband.'
'Dat is het...' begon ze. 'Feur is een gewelddadig mens. Dat was hij al toen hij jong was. Zijn ouweheer heeft hem misbruikt en toen hij in de twintig was, heeft hij winkels en misschien ook banken beroofd. Jim heeft de jacht op hem geopend na een beroving in Little America en heeft hem gearresteerd in het huis van zijn tante. Hij is de gevangenis in gegaan, is daar in aanraking gekomen met Jezus en al die andere onzin, de superioriteit van het blanke ras en dat soort dingen. Toen hij vrijkwam is hij naar het westen gegaan, naar Idaho, heeft daar voor dominee gestudeerd en een vergunning gekregen. Toen zijn tante overleed, is hij teruggekomen en heeft hij haar boerderij overgenomen. Iedereen hier dacht dat we hem nooit meer zouden zien.'

'Heeft hij weleens iemand neergeschoten?' vroeg Virgil. 'Is hij daar ooit van verdacht?'
'Voor zover ik weet niet. Maar ik weet wel dat hij bij zijn berovingen een wapen gebruikte.'

Op de terugweg naar Bluestem, op de I-90, zei Joan: 'Voor een smeris ben je heel openhartig. Ik ken elke smeris in Bluestem en ook een paar in Worthington, ben met sommige zelfs bevriend geweest, maar geen van allen is zo openhartig als jij... dat je me over de zaak en zo vertelt.'
'Een foutje in mijn karakter,' probeerde Virgil.
'Echt? Weet je wat ik me namelijk begon af te vragen? Neemt deze man me mee naar een chic Tex-Mex-restaurant en vertelt hij me dit allemaal met de bedoeling dat ik het overal ga rondbazuinen en dat er dan misschien mensen nerveus worden?'
'Ik ben diep geschokt dat je dat van me denkt,' zei Virgil.
'Je klinkt anders niet geschokt,' zei ze.
'Nou, weet je,' zei Virgil, en hij keek opzij, zag haar gezicht in het duister, 'je bent een stuk slimmer dan ik had verwacht.'
Ze begon te lachen en ze reden verder over de snelweg.

Later die avond zette Virgil zijn laptop aan, liet zijn vingers kraken en begon zijn verhaal te schrijven, een klein deel feiten en een hele hoop fictie. Fictie schrijven was iets heel anders dan over de natuur schrijven. Anders, omdat je erover moest nadenken, het zelf moest verzinnen in plaats van alleen verslag van een belevenis te doen. Hij staarde enige tijd naar het scherm en begon:

De moordenaar klom tegen de rivieroever op, tastte om zich heen in het duister en voelde zijn schoenzolen wegglijden op het natte gras. Aan het begin van de tuin bleef hij even staan, maar liep toen snel door naar de glazen schuifdeur aan de achterkant van het huis. Hij had de Gleasons zien thuiskomen, had de koplampen van hun auto van zo'n achthonderd meter afstand de heuvel op zien komen.
Hij keek door de natte ruit en zag Russell Gleason in de woonkamer staan, met zijn handen in zijn zakken, kijkend naar de tv. Zijn vrouw Anna kwam met een glas water in haar hand de keuken uit en ging op de bank zitten. Ze praatten met elkaar, maar door het tikken van de regendruppels op de capuchon van zijn jack kon de moordenaar niet verstaan wat er werd gezegd.
De moordenaar sloot zijn hand om de kolf van de revolver in zijn zak, een

.357, altijd schietklaar. Geen veiligheidspal, geen veer die slap kon worden en een patroon in alle kamers. Binnen lachte Gleason om iets en de moordenaar dacht: voor alles is een laatste keer.
De moordenaar trok zich terug in het duister en liep om het huis heen naar de voordeur. Gleason was erbij betrokken geweest, zat er tot over de oren in, en hij en Judd zouden ervoor boeten. Hij belde aan...

Virgil wreef zich over zijn kin en las wat hij had geschreven. Hij ging nu al in de fout, want hij had het steeds over 'de moordenaar', en in zijn schrijversoor klonk dat niet goed. Hij moest daar iets beters voor verzinnen. De persoonlijke voornaamwoorden 'hij' of 'zij' kon hij niet gebruiken, want hij wist nog niet zeker welke van de twee het was. En Gleason was dan misschien bij iets betrokken geweest – met Judd, tot over de oren – maar wat was dat?
Hij had geen idee.
Maar er moest een link zijn, een of ander verband.
Voordat hij zijn verhaal echter kon voltooien, moesten er veel meer vragen worden beantwoord. Waar kwam de moordenaar vandaan? Waar had hij of zij die revolver vandaan? Hoe had hij of zij ermee leren schieten? Waarom was Gleasons lijk de tuin in gesleept en waren de tuinlampen aangedaan? Had de moordenaar geweten dat er tuinverlichting was en waar de schakelaar zat, wat suggereerde dat hij het huis kende, of was het een spontane daad geweest? Waarom had hij Gleason in de ogen geschoten? Waarom was de moordenaar juist op dát moment naar de Gleasons toe gegaan?
Waarom had Stryker hem niet verteld dat zijn vader zich vanwege de jeruzalemartisjokzwendel van het leven had beroofd, en waarom had hij diens relatie met Judd verzwegen? Hoe was het hem, Virgil, gelukt om het op zijn allereerste dag in de stad met Strykers zus aan te leggen? En waarom had zij hem in de richting van Todd Williamson en George Feur gestuurd? Allemaal dingen die je moest weten als je een behoorlijk stuk fictie wilde schrijven.

5

Woensdagochtend.
Voor de deur van het stadhuis stonden vier dikke mannen in shirts met korte mouwen, die ophielden met praten en Virgil nakeken toen hij naar binnenging. Virgil stak zijn hand op naar de secretaresse, die een blik wierp op zijn oude Stones/Paris-T-shirt, haar hoofd schudde en zuchtte alsof er een zware last op haar schouders drukte.
Hij liep langs haar bureau en stak zijn hoofd om de hoek van de deur van Strykers kantoor. Stryker zat met zijn voeten op zijn bureau en een verdwaasde uitdrukking op zijn gezicht. Hij wees Virgil een stoel aan, wreef met zijn handen over zijn wangen en zei: 'Ah, shit.'
Virgil ging zitten. 'Wat is er aan de hand?'
Stryker liet zijn voeten op de vloer ploffen, draaide zijn stoel om, opende zijn kantoorkoelkastje, net groot genoeg voor twee sixpacks, en haalde er een flesje cola uit. 'Wil jij er ook een?'
'Nee, bedankt.'
'Ik krijg net een verdomd raar telefoontje,' zei Stryker, terwijl hij de dop van het flesje draaide. Hij liet de dop in de prullenbak vallen en nam een slok. 'Van een vrouw die in Roche woont... Weet je waar dat is?'
'Ja, net voorbij Dunn.'
'Precies. Een stadje zo groot als mijn lul. Ze heet Margaret Laymon en ze belde me net, een minuut of vijf geleden. Ze zegt dat haar dochter Jessica de biologische dochter van William Judd is. Ze wilde zich ervan overtuigen dat haar dochter krijgt wat haar toekomt, zoals ze het uitdrukte.'
Ze bleven elkaar even aankijken en toen zei Virgil: 'Jezus. Als er geen testament is en ze kan het bewijzen...'
Stryker knikte. '... krijgt Bill junior een hartaanval.'
'En nu vraag jij je af of er nog meer kleine Juddjes rondlopen.'
'Dat is inderdaad een interessante vraag, hoewel ik niet weet hoe we daarachter kunnen komen,' zei Stryker. 'Tenzij ze me opbellen en het me vertellen.'
'Huh. Ga je het aan junior vertellen?'
'Dat is niet aan mij,' zei Stryker. 'Ik heb tegen Margaret gezegd dat ze een advocaat in de arm moet nemen, zo snel mogelijk. Dat zou ze doen. Ik

neem aan dat ze, wat zal het zijn, het voor de rechter moet aantonen?'
'Geen idee. Ze zullen een DNA-test moeten doen, denk ik...'
'Dat is geen probleem, zegt ze. Maar ik zal je vertellen wat wel een probleem is.' Hij draaide zijn stoel in het rond, een hele slag, dacht na en zei: 'Van alle vrouwen die ik in mijn hele leven heb gewild, staat Jesse Laymon boven aan de lijst. We zijn twee keer uit geweest, maar geen derde keer. Ze wil iemand van een ruwer slag. Een stoere jongen.'
'Als in een slechte countrysong,' zei Virgil. De tweede al in twee dagen. Het wemelde ervan op de prairie.
'Maar het is waar,' zei Stryker, en hij nam nog een slok cola. 'Elke keer als ik haar zie, zit mijn hart in mijn keel, maar wat zij wil is zo'n gluiperd met inktzwarte ogen, die een beetje dope dealt, te veel drinkt, te hard rijdt en heel goed danst. Dat ben ik niet.'
'Tja... pech.'
'Ja.'

Ze zwegen enige tijd en dachten erover na, tot Virgil zei: 'Misschien wil ze je niet omdat je lul zo groot is als Roche.'
Stryker had net een slok cola genomen, verslikte zich en proestte het uit. 'Nu we het daarover hebben, wat deden Joanie en jij gisteravond om tien uur op haar veranda?'
Virgil lachte mee, maar niet te hard, geremd als hij werd door een heel licht schuldgevoel. Want Stryker en hij mochten dan bevriend zijn en ze zaten hier wel te lachen, maar in gedachten had hij broer en zus Stryker nog niet van zijn verdachtenlijst voor de moord op Judd geschrapt...

Na een tijdje zei Virgil: 'Ik ga met Todd Williamson praten, kijken of hij me een blik in zijn dossiers wil gunnen, als hij die heeft. Daarna ga ik George Feur opzoeken.'
Strykers wenkbrauwen gingen omhoog. 'Ben je iets over hem te weten gekomen?'
'Niks concreets,' zei Virgil. 'Ik wil alleen met hem praten, hem eens goed bekijken en hem misschien een beetje uit zijn tent lokken.'
'Als jij zegt "niks concreets"...'
'Feur is Bijbelfanaat en een vuile schoft, en hij probeerde Judd te bekeren,' zei Virgil. 'Bijbelfanaten slaan je het liefst om de oren met het boek *Openbaring*, en toen ik gisteren in het huis van de Gleasons was, zag ik het boek *Openbaring* op een tafeltje liggen, precies naast de plek waar Anna Gleason is doodgeschoten. Het zag er nieuw uit, dat boek.'
'O ja?' Stryker fronste zijn wenkbrauwen en boog zich over zijn bureau.

'Waarom is mij dat niet verteld?'
Virgil haalde zijn schouders op. 'Misschien is het niemand opgevallen. Jullie onderzoek werd gedaan voordat Judd werd vermoord, en Feurs naam is pas na de brand komen bovendrijven.'
'Toch hadden ze het niet mogen missen,' zei Stryker. 'Ik zal er met Larry en Margo over praten. Die hadden het moeten zien. Of het in elk geval in gedachten moeten houden.'
Virgil sprak hem niet tegen. 'Eigenlijk wel,' zei hij. 'Zeker als het gaat om iemand met Feurs verleden.'
'Je weet het van hem en mij, hè?' zei Stryker. 'Dat ik hem heb gepakt voor winkelroof toen ik hulpsheriff was? Hij heeft in Stillwater gezeten. Beweert dat ik hem erin heb geluisd.'
'Maar dat was niet zo?' vroeg Virgil.
'Nee, hij is gefilmd door de camera van een drankwinkel,' zei Stryker. 'Hij had een hoed op, ver over zijn ogen getrokken, maar ik herkende hem zodra ik de beelden zag. Ik ben hem uit zijn hol gaan roken en heb zijn wapen gevonden. We hadd.........en al genoeg bewijs, maar dat wapen deed er nog een schepje bovenop... Een oud ding met een 9-inch loop, en die was haarscherp op de beelden te zien.'
'Dus die arrestatie was terecht.'
'Jep. Toen... en nog steeds.'

'Iets anders,' zei Virgil. 'Als dit op de een of andere manier met Judds geld te maken heeft, zou je vriendin Jesse in de problemen kunnen komen, want dan kán ze voor iemand een doelwit worden.'
'Denk je dat echt?'
'Misschien, of misschien niet.' Virgil krabde aan zijn oor. 'Als zij zo'n stoere gluiperd bij zich in de buurt heeft, die denkt dat ze misschien miljonair wordt, kan hij zijn kans schoon zien om...'
'Man, daar heb ik helemaal niet aan gedacht,' zei Stryker. Hij leunde achterover in zijn stoel en zat even te wiebelen.
'Is het mogelijk dat Jesse of Margaret iets heeft bekokstoofd?' vroeg Virgil.
Stryker wreef zich over zijn kin. 'Margaret niet. Dat zie ik niet gebeuren. En Jesse niet doelbewust. Maar ik kan me wel voorstellen dat ze erover zou praten, dat ze iemand zit op te naaien en dat ze samen fantaseren over al dat geld... om vervolgens in de echte wereld te ontwaken en te merken dat haar vriendje er met de buit vandoor is.'
'Een mogelijkheid om in gedachten te houden,' zei Virgil.
'Zal ik zeker doen,' zei Stryker.

'En als ze er niets mee van doen heeft, tja, dan heeft ze misschien wel behoefte aan iemand die haar beschermt.'
Stryker stond op. 'Ik ga meteen naar haar toe. Wil je mee, of ga je naar Feur?'
'Ik ga eerst naar Feur,' zei Virgil, die merkte dat Stryker zo snel mogelijk de deur uit wilde. 'Ik hoor van jou wel wat Jesse heeft gezegd, en misschien ga ik later vandaag wel even met haar praten.'
'Oké,' zei Stryker. 'Pas goed op jezelf.'

Het weer was hetzelfde als de dag daarvoor, zonnig, af en toe een briesje, een julidag zo mooi als je je maar kon wensen. Vier tieners, twee jongens en twee meisjes, liepen een eindje voor hem uit op de stoep, de jongens in een spijkerbroek met een laag kruis, de meisjes met piercings in oren en neus, maar het had een kleinsteedse onschuld over zich, want ze deden wel stoer, maar af en toe vergaten ze dat en liepen ze hand in hand. Ze keken een paar keer achterom, ze wisten dat hij een smeris was.
Hoe mooi de dag ook was, de luchtvochtigheid was veel te hoog en er was een grote kans dat ze aan het eind van de middag storm en onweersbuien zouden krijgen. Als het warm genoeg werd, kon het in de namiddag flink tekeergaan, maar daar was niets aan te doen.
Virgil was op weg naar de *Bluestem Record*, maakte een tussenstop bij de drogisterij en kocht een zak popcorn. Toen hij bij de krantenredactie binnenkwam, legde Williamson net de laatste hand aan de editie die de volgende dag zou verschijnen.
Williamsons gezicht klaarde op toen hij Virgil zag binnenkomen. 'Ik had gehoopt dat ik je vanochtend zou zien. Ik heb je hotel gebeld, maar ze zeiden dat je al weg was.'
Virgil knikte. 'En ik had gehoopt dat ik jouw archief zou mogen zien, als je dat hebt. Knipsels en zo.'
'Dat kunnen we doen. Maar het zou verdomde ondankbaar van je zijn als je niet een paar vragen van me beantwoordt.'
'Vraag maar op,' zei Virgil.
'Gisteren leek je minder bereidwillig...'
'Ja, omdat er anderen bij waren,' zei Virgil. 'Ik praat met je, maar de deal is de volgende: ik praat *off the record* en je schrijft het op alsof God je alles heeft ingefluisterd. Ik kan je misschien niet alles vertellen, maar ik zal niet tegen je liegen.'
'Deal,' zei Williamson. Hij sloeg een paar toetsen van zijn computer aan, schakelde daarmee van zijn lay-outprogramma naar Word en vroeg: 'Denk je dat de .357 die voor de moorden is gebruikt er een was van de

serie die jaren geleden door de sheriffdienst werd gebruikt?'
'Ik heb geen idee,' zei Virgil. Williamson opende zijn mond om te protesteren, maar Virgil stak zijn hand op. 'Ik ontwijk de vraag niet, maar ik weet het echt niet. Het zijn geen wapens die tegenwoordig nog veel worden verkocht. De meeste mensen kiezen voor automatische handwapens, omdat ze die altijd op tv zien, en als je de vuurkracht van een revolver wilt, kun je voor een .44 Magnum of een .454 Casul kiezen. De .357 was vroeger een typisch politiewapen, wat de enige reden is dat iedereen nu dat verband legt. Er waren er een stel in gebruik bij de sheriffdienst en die zijn nu allemaal weg, dus misschien... wie weet?'
'Oké,' zei Williamson. 'Vraag twee: denk je dat de moordenaar van hier is?'
'Ja,' zei Virgil.
'Wil je dat toelichten?' vroeg Williamson.
'Nee.'
'Heb je al verdachten?'
'Op dit moment niet.'
'Ik krijg niet veel terug voor mijn knipsels,' zei Williamson.
'Hoe laat moet je de krant uiterlijk in elkaar hebben gezet?' vroeg Virgil. 'Hij verschijnt toch morgen?'
'Drie uur, op z'n laatst,' zei hij. 'Ik mail alles naar de drukkerij in Sioux Falls, en dan kan ik om elf uur de kranten ophalen. Als ik het om één minuut over drie doe, laten ze me wachten tot middernacht, of tot één uur, alleen om me te pesten.'
'Goed dan,' zei Virgil. 'Je kunt me om twee uur op mijn mobiel bellen. Misschien heb ik dan het verhaal voor je, misschien niet. Maar het is wel voorpaginanieuws.'
Williamsons wenkbrauwen gingen omhoog. 'De brand bij Judd is het voorpaginanieuws.'
'Dat is twee dagen oud,' zei Virgil. 'Iedereen weet ervan. Dit andere verhaal, daar weten maar een paar mensen van en je zou er de stad morgen echt mee wakker schudden, als je het erin krijgt. Maar als je mij als bron noemt, zeg ik gedurende de rest van het onderzoek geen woord meer tegen je.'
'Een gouden tip van God, hè?' Williamsons tong ging langs zijn onderlip: hij wilde het verhaal. 'Ik zal je het mortuarium laten zien. Zo noemen we het archief hier.'

Het 'mortuarium' was zo groot als een ruime slaapkamer, geschilderd in een kleur die het midden hield tussen vuilgroen en vuilbruin. Langs de wanden stonden eiken bibliotheekstellingen met enkele honderden houten

laden met een front van vijftien bij vijftien centimeter en ongeveer zestig centimeter diep, rondom een bureau met een oud model Dell-computer. Williamson klopte op een van de kasten en zei: 'We slaan alles op op naam en op onderwerp. Voor 1999, als er tientallen namen in het onderwerp zaten, noemden we alleen de vijf belangrijkste en zetten er een kruisreferentie naar het onderwerp bij. Als iemand bijvoorbeeld op de Landbouwbeurs een geit tentoonstelde en nummer drieëndertig op de lijst was, moest je onder Landbouwbeurs zoeken om zijn naam te vinden, omdat we hem niet op naam hadden opgeslagen. Na 1999 zijn we opgehouden met de knipsels en hebben we alles op cd gezet, met kruisreferenties met behulp van een computerprogramma. Dus van na 1999 zijn alle namen en onderwerpen te vinden.'
'Ook als je nummer drieëndertig op de lijst bent?'
'Met je geit, ja,' zei Williamson. 'Hoor eens, ik zou je graag laten zien hoe de computer werkt, maar daar ben je binnen vijf minuten achter en ik zit met mijn deadline. Ik heb de instructies op het bureau geplakt, aan de linkerkant. Succes.'
Hij deed een stap naar de deur maar aarzelde, alsof hij nog iets wilde zeggen, dus vroeg Virgil: 'Nog een vraag?'
'Hoe kun je het met Jim Stryker vinden?'
'Goed,' zei Virgil. 'We kennen elkaar al een tijdje.'
'Ja... van het honkbal,' zei Williamson. 'Maar op het stadhuis wordt gezegd dat ze jou echt door zijn strot hebben moeten duwen.'
'O ja, is dat zo?'
Williamson knikte. 'Misschien is het de gebruikelijk aanpak, maar er werd gezegd dat jij zijn... tekortkomingen aan het licht zou brengen.'
'Ik doe acht tot tien moorden per jaar,' zei Virgil. 'Jullie hebben hier in geen twintig jaar een moord gehad. Ik ben erin gespecialiseerd. Het kan geen kwaad om de hulp van een specialist in te roepen.'
Williamson grinnikte. 'Nou, op het stadhuis werd dat varkentje op een andere manier gewassen.'

Toen Williamson hem alleen had gelaten, liep hij een rondje door de kamer, keek naar de vergeelde etiketten op de laden en vormde zich een beeld van het systeem, met de namen hier en de onderwerpen daar. Er waren ook grotere mappen met foto's, voornamelijk originele van achttien bij vierentwintig, die gingen tot 2002; ze waren toen zeker op de digitale camera overgestapt, dacht Virgil. De foto's roken nog steeds naar ontwikkelaar, stopbad en fixeer, en de krantenknipsels naar sigarettenrook en oud papier.

Het fotodossier van Judd gaf een beeld van hem door de decennia heen en begon in de jaren veertig, met een jonge man in een licht pak, maar ook toen al met nietszeggende donkere ogen.
De knipsels van voor 1999 namen vier laden in beslag, honderden knisperende knipsels in grijze envelopjes. Judd junior had zijn eigen afdeling, maar die besloeg slechts een halve la. Het volume van twee levens, dacht Virgil.
De envelopjes bevatten gemiddeld acht tot tien knipsels. Zo te zien was Judd senior goed voor diverse krantenartikelen per week en beleefde hij zijn hoogtepunt in de jaren tachtig, tijdens de ophef over de jeruzalemartisjok.
Judd was uiteindelijk op tweeëndertig punten voor fraude voor de rechter gedaagd, door de procureur-generaal van Minnesota, op grond van bewijsmateriaal dat deels plaatselijk en deels in St. Paul was verkregen. De assistent-procureur die hem aanklaagde, had blijkbaar zijn eigen bewijsmateriaal niet begrepen, want hij was tijdens het proces in St. Paul met de grond gelijk gemaakt door Judds advocaten. De plaatselijke districtsprocureur en de sheriff waren in de daaropvolgende verkiezingen allebei weggestemd door woedende kiezers.
Na dit proces volgden er nog meer, over het ontduiken van federale en staatsbelasting, een juridische strijd die zich jarenlang voortsleepte, tot in 1995, toen de *Bluestem Record* meldde dat de juristen van beide partijen een akkoord hadden bereikt over een schikking waarover op grond van de belastingwet geen verdere mededelingen konden worden gedaan.
De envelopjes die niet over de jeruzalemartisjok gingen, bevatten algemene zakelijke berichten: hypotheken, verstrekt of afgesloten, vastgoed en land, gekocht of verkocht, het huis dat op Buffalo Ridge was gebouwd voor – werd er gezegd – vijfhonderdvijftigduizend dollar in 1960, met vijf badkamers, en andere rechtszaken, waarvan de meeste waren geschikt. Afgezien van het schandaal van de jeruzalemartisjok had dit het levensverhaal van iedere willekeurige inhalige, geldbeluste, nietsontziende zakenman kunnen zijn.
Judd junior was min of meer hetzelfde verhaal, maar dan zonder het schandaal en alles een paar treetjes lager: een onsympathieke, geldbeluste zakenman, maar dan zonder succes.
Virgil las ook het bericht over de zelfmoord van Mark Stryker, gepleegd na een familiepicknick, een detail dat nog niemand had genoemd. Er werd wel vermeld dat Stryker betrokken was geweest bij het schandaal van de jeruzalemartisjok en dat hij meer dan vijfhonderd hectare land van de familie had moeten verkopen om zijn schulden af te betalen.

Van de Gleasons had Anna het vaakst de krant gehaald, door haar zestien jaar in de regiocommissie. Ze had haar eigen laatje met berichten gekregen. In diverse daarvan werd Judd genoemd, maar het merendeel ging over beslissingen van de commissie over de herindeling van land en problemen met de afwatering. Russell Gleason had ook een paar envelopjes, de meeste uit de jaren zeventig en tachtig, toen hij als lijkschouwer werkte, voordat men op het districtssysteem was overgeschakeld. In het merendeel van die berichten was hij slechts de boodschapper die verklaarde dat er iemand dood was.
Virgil las ook de knipsels over Jim Stryker en Joan Carson. Joans scheiding was goed geweest voor drie middelgrote artikelen waarin alleen werd gezegd dat het huwelijk na vijf jaar onherstelbare schade had opgelopen en dat de rechter akkoord was gegaan met de schikking die de advocaten van beiden hadden voorgesteld. Alle sappige details waren eruit gelaten. Joan werd beschreven als een 'goed boerende farmer' die zowel een woonboerderij als een huis in Bluestem had. Virgil wist waar dat huis was, want hij had de avond daarvoor op haar veranda gestaan en een geslaagde poging gedaan een voorzichtig maar veelbelovend nachtkusje van haar los te krijgen terwijl hij zich op hetzelfde moment afvroeg of dat wel zo slim was.
Daarna ging hij op zoek naar de Laymons. Over Margaret was niets te vinden, maar Jesse was een keer gearresteerd in Worthington voor het in bezit hebben van een kleine hoeveelheid marihuana, en ze was getuige geweest van een knokpartij in een bar in Bluestem, waar iemand een man alle tanden uit zijn mond had geslagen. De man had aangifte gedaan, maar de zaak was nooit voor de rechter gekomen.
Ten slotte was het de beurt aan George Feur. Die bleek alleen in de computer te zitten, maar met vijftien hits, waaronder een artikel van Williamson, dat meer dan vijfduizend woorden telde.
Feur was, concludeerde Virgil toen hij alle computerdocumenten had gelezen, een klootzak van het zuiverste water.

Virgil verliet het gebouw van de krant, reed de stad uit en nam de I-90 naar het westen. De I-94, I-90, I-80, I-40, I-20 en I-10 lopen als de snaren van een countrygitaar dwars door het land, van de Oostkust naar de Westkust, met de Rocky Mountains als brug. Over de hele lengte wordt de I-90 diverse keren gekruist door andere snelwegen, maar van Tomah, Wisconsin, tot aan Billings, Montana, is hij helemaal zichzelf. Virgil had op allemaal gereden, zelfs meer dan eens.
Sommige mensen vinden dat dodelijk saai, maar Virgil, die op de prairie

was opgegroeid, hield ervan, net zoals zeelieden altijd naar de zee verlangden. Het prairieland golfde je tegemoet, met steden die langzaam op je af kwamen en weer achter je verdwenen, boerderijen en pick-ups en mensen die paardreden, en buffels, antilopes en prairiehonden. En stadjes, als waterdruppels, allemaal anders en allemaal hetzelfde.

Niet dat hij zo heel ver moest rijden, maar één of twee afslagen.
Feur woonde anderhalve kilometer van de grens met South Dakota, vijftien kilometer ten noorden van de I-90, op een stuk land met een oude, withouten boerderij, vier bijgebouwen van plaatstaal en een graansilo die een beetje naar rechts helde en wel een likje verf kon gebruiken. De gebouwen stonden te midden van knoestige eiken, buksbomen en populieren en werden omringd door rotsachtig prairieland.
De oprit voerde over een sloot met een mager stroompje water en langs een groot houten bord met de tekst GODS 15 HECTARE en daaronder VERBODEN TOEGANG. Toen Virgil het ranchhuis naderde, kwam er een jonge man met een jachtgeweer de veranda aan de voorkant oplopen.
'O shit,' zei Virgil. De afstand was nog groot genoeg om het onopgemerkt te kunnen doen, dus voelde hij onder zijn stoel, pakte zijn pistool en legde het op de zitting van de passagiersstoel. Terwijl hij vaart minderde en parkeerde, pakte hij het achteloos van de zitting alsof het een boek of een pen was en stak het in de zak van zijn jasje.
Toen hij uit de pick-up stapte, riep de man met het geweer: 'Wie ben jij?'
'Virgil Flowers, Bureau Misdaadbestrijding, Minnesota. Ik wil dominee Feur graag spreken.'
'Heb je een afspraak?' vroeg de man. Hij was een jaar of vijfentwintig en had het gejaagde uiterlijk van iemand die altijd honger heeft geleden.
'Nee.'
'Dan moet je maar een andere keer terugkomen,' zei de man. 'Hij heeft het nogal druk.'
'Ik praat liever nu met hem,' zei Virgil. 'Want als ik helemaal terug moet rijden naar Bluestem en weer hierheen, dan kom ik wel met een huiszoekingsbevel en vijf hulpsheriffs, en halen we de hele tent overhoop.'
'Daar is geen aanleiding voor.' Nog steeds dat geweer; het werd niet echt op hem gericht, maar het was er wel.
'Denk je dat dat een rechter in Stark County ene reet kan schelen?' vroeg Virgil.
De man bleef hem even aankijken alsof hij inventariseerde welke rechters hij in het verleden had ontmoet, en zei toen: 'Wacht hier.'

Vanaf de weg was het niet goed zichtbaar geweest, maar Feurs huis en de bijgebouwen stonden op een helling die in het oosten verder opliep en in westelijke richting afliep naar de weg. In noordelijke en zuidelijke richting kon je eindeloos ver kijken, dus hadden ze hem al kunnen zien aankomen toen hij acht kilometer terug de secundaire weg opkwam.
Virgil keek om zich heen en zag talloze bandensporen en geplet gras aan de zijkant van het erf, wat hem deed denken aan een geïmproviseerd parkeerterrein op een plattelandsbazaar. Er hadden daar een heleboel auto's gestaan, allemaal op hetzelfde moment. Een gebedsbijeenkomst? Het bijgebouw links van hem was een halfronde hangar uit de tijd van de Koreaanse oorlog, gemaakt van staalplaat. Met een geweer zou je er wel doorheen komen, maar een pistoolkogel zou er waarschijnlijk op afketsen.
Een houten Jezus, gezaagd uit de stam van een populier door iemand die redelijk handig met een kettingzaag moest zijn, keek vanaf de andere kant van het erf op hem neer, met zijn ene arm geheven alsof hij Feurs huis zegende.

De man met het geweer kwam – nu zonder zijn geweer – de veranda op.
'Je kunt binnenkomen,' zei hij.
'Dank je.' Virgil knikte naar hem, liep de drie treden van de veranda op, zei: 'Na jou,' en volgde de man het huis in.
Feur zat in een schommelstoel in de hoek van de woonkamer te roken, en dronk iets wat eruitzag als thee, uit een porseleinen kopje. Een kleine man met donkere ogen, een zwarte baard en een puntige, door de zon verbrande neus. Hij was helemaal in het zwart gekleed, had glimmende zwarte laarzen aan en in een film zou hij de duivel gespeeld kunnen hebben. Er hingen twee prenten aan de muur, allebei van Jezus, met donkere ogen en donker haar, op een ervan aan het kruis.
'Meneer Flower?' zei Feur. 'Kunt u zich legitimeren?'
Virgil glimlachte, haalde zijn pasje uit zijn borstzak en hield het hem voor.
Feur keek ernaar zonder het aan te raken, zei: 'Flowers,' knikte naar de bank en zei: 'Neemt u plaats. U bent toevallig geen familie van Rusty Flowers?'
'Nee, die naam zegt me niks,' zei Virgil. Hij trok zijn jasje een stukje op om te voorkomen dat hij boven op zijn pistool ging zitten en liet zich op de bank zakken.
'Ik weet niet eens of het wel een echte naam is,' zei Feur. Hij was jonger dan Virgil had verwacht... ongeveer van dezelfde leeftijd als Stryker, een jaar of vijfendertig, maar door zijn getekende gezicht leek hij wel tien jaar ouder. 'Ik stond een keer op een brug over de Dubuque, in Iowa, en toen

zag ik een sleepboot die *Rusty Flowers* heette. Ik heb me vaak afgevraagd of dat iemand was, of dat iemand die naam gewoon heeft verzonnen.'
Het bleef even stil en toen vroeg Feur: 'En, wat kan ik voor u doen?'
'U weet waarschijnlijk dat Bill Judd is omgekomen bij de brand in zijn huis,' zei Virgil.
'Dat heb ik gehoord,' zei Feur. Hij zuchtte, waarbij nog wat rook uit zijn mond kwam, en drukte zijn sigaret uit in een aluminium asbak. 'Hij was een slecht mens, hoewel hij zich ten slotte tot de Heer heeft gewend. Maar veel te laat. De laatste keer dat ik hem zag, had hij Jezus nog niet tot zich toegelaten, was hij niet bereid die laatste stap te doen. Ik vermoed dat de brand in meneer Judds huis slechts een voorproefje was van het vuur dat hem nu verteert.'
'Daar weet ik niks van,' zei Virgil.
'Ik wel,' zei Feur, en in zijn donkere ogen fonkelde iets wat men als humor zou kunnen zien. 'Wat heeft de dood van meneer Judd met mij te maken?'
'Ik hoopte op een openbaring,' zei Virgil.
'En u denkt dat ik u die kan geven?'
'Daar hoopte ik op,' zei Virgil. 'De mensen zeggen dat u ze op straat uitdeelt.'
'Ah, het boek *Openbaring*. Natuurlijk.' Hij keek langs Virgil naar de man met het geweer en zei: 'Trevor, wil jij een boek voor meneer Flowers gaan halen?' En tegen Virgil: 'Het doet me deugd als een man van de wet een goed boek leest.'
Virgil wachtte tot de man met het geweer de kamer uit was en zei: 'Trevor?'
Feur haalde zijn schouders op. 'Wat kun je eraan doen? Je moeder geeft je een naam, dus dan noem je je zo.'

Ze wachtten en Virgil vroeg quasi-achteloos: 'Waar is dat geweer voor nodig?'
'Er zijn mensen die niet blij zijn met wat wij zeggen,' zei Feur. 'Er zijn zelfs mensen die me dood wensen. Dus doen we een beroep op ons aloude recht op zelfverdediging.'
'Ik heb begrepen dat u ooit een probleem met Jim Stryker hebt gehad,' zei Virgil.
'We hadden onze meningsverschillen. Hij heeft me naar de gevangenis gestuurd voor een winkelroof, en ik zeg niet dat ik het niet heb gedaan. Maar ik zal u iets anders zeggen: hij is iemand die een hoop haat en woede in zich heeft. Je ziet het niet, maar het is er wel degelijk. Als die andere moorden niet waren gepleegd, die op de Gleasons, als alleen Judd was ver-

moord, zou ik zeggen dat Stryker een plaats boven aan jullie verdachtenlijst verdient. Het kan nog steeds, hoewel ik me moeilijk kan voorstellen dat hij de Gleasons zou hebben vermoord. Ik zou niet weten waarom hij dat zou doen.'

Trevor kwam terug en gaf Feur een in rood linnen gebonden boek. Feur keek ernaar en zei: 'Wie komt het toe de zegels te verbreken en het boek te openen?'
Hij gaf het boek aan Virgil, die het aanpakte en vroeg: 'Hoeveel van deze hebt u uitgedeeld?'
'Een paar honderd, denk ik,' zei Feur. 'We geven ook andere boeken uit. We gaan ervan uit dat de Bijbel voor de meeste mensen gemakkelijker in kleine porties te verteren is. Maar u bent hier niet naartoe gekomen voor een gratis boek, meneer Flowers. Wat wilt u van me?'
'Dit boek, wel degelijk,' zei Virgil, terwijl hij het aan alle kanten bekeek. Het zag er precies hetzelfde uit als het boek dat hij in het huis van de Gleasons had zien liggen. 'Ik was hier om de moord op het echtpaar Gleason te onderzoeken, niet die op Judd, maar ik doe nu beide zaken. En ik heb tussen beide zaken pas één verband kunnen ontdekken.'
Feurs wenkbrauwen gingen omhoog. 'Gaat u me vertellen wat dat is?'
'Ja. Dat bent u.'
'Ik?' Feur kneep zijn ogen een stukje toe. 'Meent u dat?'
'Iedereen weet dat u met Judd in gesprek bent geweest. Dat hebt u me net zelf verteld. Toen ik in het huis van de Gleasons was om rond te kijken, vond ik daar, precies naast de plek waar mevrouw Gleason had gezeten, een exemplaar van uw boek *Openbaring*. Wat ik nu wil weten is het volgende: hoe goed kende u het echtpaar Gleason? Hoe goed kende u Judd, en wat was uw relatie met deze drie mensen?'
Feur leunde achterover in zijn stoel en hield zijn handen op. Hij had kleine, vrouwelijke handen, maar eeltig en vol lijnen. 'Ik heb meneer Judd maar een paar keer gesproken. Hij had belangstelling voor enkele van onze ideeën, maar niet voor allemaal. Ik had gehoopt hem tot de Heer te kunnen brengen én, als ik eerlijk ben, hem zo ver te krijgen dat hij ons financieel zou steunen. Toen hij omkwam, had hij dat nog niet gedaan. Zijn zoon is, voor zover ik dat kan zeggen, geen knip voor zijn neus waard. Dat is mijn relatie met meneer Judd. Met de Gleasons heb ik nooit kennisgemaakt voor zover ik weet, heb ze zelfs nooit ontmoet. Ik heb geen idee hoe ons boek *Openbaring* daar terecht is gekomen. Tenzij de sheriff het daar heeft neergelegd. De sheriff mag mij niet. Hij mag ons allemaal niet. In zijn hart is hij een politicus, en politici wensen de waarheid niet langer te horen.'

‘Ja, nou...’ Virgil bleef hem even aankijken, keek toen op naar de andere man en zei: ‘Trevor, ga een bijbel voor me halen, wil je?’
Trevor keek naar Feur, die knikte. Trevor liep naar wat waarschijnlijk de eetkamer was en kwam terug met een in leer gebonden bijbel. Virgil hield hem Feur voor en zei: ‘Leg uw hand erop en zweer dat u niets van doen hebt gehad met de dood van Judd of de dood van de Gleasons.’
‘U nadert het punt dat u me heel erg begint te irriteren, meneer Flowers,’ zei Feur.
‘O ja? Waarom?’
‘Omdat u niet op me overkomt als een gelovige en dit een cynische manier is om mij op de kast te krijgen,’ zei Feur.
‘Dat ziet u dan verkeerd, want ik ben wél een gelovige,’ zei Virgil. ‘Misschien geen gelovige in uw stijl, maar wel degelijk een gelovige. Nou, leg uw hand op de Bijbel, of wilt u dat niet...’
Feur nam de Bijbel tussen zijn kleine handen, keek naar het plafond en zei: ‘Ik zweer op dit boek, en op mijn eeuwig levende ziel, dat ik niets te maken heb gehad met de moord op Bill Judd of met de moord op meneer en mevrouw Gleason. Ik zweer dat ik hier geen woordspelletje speel, dat er geen dubbelzinnigheden zitten in wat ik zeg, dat ik deze moorden niet heb gepleegd en er geen opdracht toe heb gegeven.’ Hij keek Virgil aan en besloot: ‘Amen.’
‘Amen,’ zei Virgil. Hij duwde zich omhoog van de bank en zei: ‘Nou, dan ga ik maar weer eens.’
‘Dat was alles?’
‘Misschien. Ik wil nog steeds weten waar dat boek *Openbaring* vandaan is gekomen. Als ik dat te weten kom, kom ik misschien terug.’
‘En zult u beoordeeld worden naar uw daden,’ zei Feur.
‘Openbaring 20:12,’ zei Virgil.
Feur hield zijn hoofd schuin. ‘Bent u een wedergeborene?’
‘Ik ben de zoon van een dominee,’ zei Virgil. ‘Wij lazen voor het avondeten in de Bijbel, elke dag van mijn leven, totdat ik ging studeren, meneer Feur. Dat soort bijbeltraining krijg je niet in Stillwater.’
‘Misschien niet,’ zei Feur. ‘Maar ik had één boek in mijn cel, de King James-bijbel. Toen ik opgesloten zat, had ik alleen dat ene boek en las ik er elke dag twintig uur in. Daarna, toen ik moest werken, las ik er elke avond vier uur in, drieënhalfjaar lang, daar, tussen de homoseksuelen, de schandknapen en de kinderverkrachters. Dat soort bijbeltraining hebt ú niet gehad.’
Virgil ging weer zitten. ‘*Openbaring* is uw favoriete tekst?’
‘Ja. Het is de...’ Feurs blik ging naar het licht dat door de ramen op de vloer

viel, '... het is de krachtigste tekst die ik ooit heb gelezen. Het was echt een openbaring voor me.'
'Zelf denk ik dat het boek *Job* het belangrijkste Bijbelboek is,' zei Virgil. 'De vraag waarom God het goed vindt dat het kwaad bestaat.'
Feur boog zich naar voren, was een en al aandacht. 'Job spreekt over de wereld zoals die is. *Openbaring* vertelt ons wat ons te wachten staat. Ik ben niet echt van deze wereld, meneer Flowers, niet helemaal. Een deel van deze wereld is uit mij verdwenen, uit mijn geest gebrand.'
'We zijn allemaal van deze wereld, dominee,' zei Virgil. 'We lopen allemaal op deze zelfde aarde en doen daar onze dingetjes.'
Feur keek hem glimlachend aan, schudde toen zijn hoofd en zei tegen Trevor: 'Laat meneer Flowers uit. En geef hem een van onze nikkerbrochures mee.'

Op de terugweg naar de stad ging Virgils mobiele telefoon over. Hij keek op het dashboardklokje: 14.01 uur. Williamson, van de krant. Hij klapte zijn telefoon open en zei: 'Ja?'
'Todd Williamson. Je had nieuws voor me.'
'Dit komt uit de lucht vallen, zomaar, uit het niets. Je kunt een gerucht laten bevestigen door ene mevrouw Margaret Laymon of door haar dochter Jesse. Jesse, is ons verteld, is de biologische dochter van Bill Judd senior.'
Het bleef even stil aan de andere kant. Toen riep Williamson: 'Neuk me in mijn gat met een cactus!' wat Virgil wel een prairie-achtige reactie van hem vond.

6

Toen Williamson had opgehangen, toetste Virgil het mobiele nummer van Stryker in, aarzelde een moment en drukte op het groene knopje. Na vijf seconden gaf Stryker antwoord. Uit het achtergrondgeruis maakte Virgil op dat hij ook op de weg zat.

'Heb je de Laymons gesproken?' vroeg Virgil.

'Ja,' zei Stryker. 'Seks en geld op het platteland. Ze spreken de waarheid. Ze zijn met een advocaat in Worthington gaan praten en spannen voor het districtsgerechtshof een geding aan voor een deel van de erfenis. Margaret zegt dat Jesse akkoord gaat met een DNA-test.'

'Waar ben je nu?' vroeg Virgil.

'Op weg naar kantoor.'

'Zit je hart in je keel?'

'Ik wilde dat ik mijn mond had gehouden,' zei Stryker. 'Straks bazuin je het in heel Bluestem rond. Aan de andere kant heb ik Joanie om jou in het gareel te houden.'

'Hoor eens, ik zit op de I-90, kom net bij Feur vandaan. Waar niet veel over te melden valt, trouwens. Dus... vertel me hoe ik bij de Laymons kom en geef me hun telefoonnummer.'

Dat George Feur bereid was geweest om op de Bijbel te zweren, en zo uitgebreid, had Virgil op aangename wijze verrast. Feur had iets van een fanaticus, en fanatici, wat je ook nog meer over die lui kon zeggen, namen het Woord van God niet licht op. Wel interessant was dat hij had ontkend dat hij de Gleasons kende. Dat hoefde niet waar te zijn...

Het stadje Roche had ooit een bar en een benzinestation met een winkeltje. Nu waren er alleen nog twee oude, verlaten bedrijfsgebouwen die langzaam maar zeker door de aarde werden opgeslokt, en een twaalftal huizen, waarvan sommige keurig waren onderhouden en andere niet. Een bloementuin hier, een ongemaaid gazon daar, druivenranken, oude hekken van draadgaas, roestige tuinschommels, een splinternieuwe boomhut, een ingestorte kippenren, afgedankte landbouwwerktuigen uit de eerste helft van de vorige eeuw, en dat allemaal aan de oevers van de Billie Coulee,

een kreek die, afhankelijk van het seizoen, op Stark River uitkwam.
Een witte hond met grote flaporen zat midden op de weg toen Virgil twintig minuten na zijn telefoontje met Stryker kwam aanrijden. De hond bekeek de voorkant van Virgils pick-up, kwam tot de conclusie dat die niet van iemand in het stadje was, kwam overeind en slenterde opzij, zonder de pick-up uit het oog te verliezen.
Het huis van moeder en dochter Laymon stond aan de linkerkant van de hoofdstraat, een wit houten huis van één verdieping met een donker puntdak, een gemetselde schoorsteen, en een ondiepe veranda met een wit geschilderde balustrade aan de voorkant. Op de balustrade stonden oranje stenen potten met geraniums en aan weerszijden van de treden groeiden stokrozen.
Naast het huis was een moestuin, in keurige perken verdeeld en onlangs gewied. De bladeren van de mais hadden bruine randjes en de kolven leken klaar om gegeten te worden. Daarachter vier rijen aardappelplanten, veertig centimeter van elkaar, en komkommer- en pompoenstruiken aan weerszijden van de mais. De perken waren afgezet met afrikaantjes, die, wist Virgil, bedoeld waren om mieren en andere insecten uit de buurt te houden.
Zijn ouders hadden ook nog steeds een moestuintje en deden het ook zo, de perkjes afzetten met afrikaantjes.
Virgil parkeerde en toen hij uitstapte, blafte de witte hond naar hem, maar één keer, waarna hij aarzelend begon te kwispelen. Virgil grijnsde naar hem: een waakhond, maar geen al te fanatieke. Een blonde vrouw kwam de veranda op. Ze was gekleed voor kantoor, in een witte blouse en een zwarte pantalon. 'U moet meneer Flowers zijn,' zei ze.

Moeder en dochter leken niet erg op elkaar. Margaret, de vrouw die de veranda op was gekomen, was in de vijftig, schatte Virgil, en droeg standaard kantoorkleding van Target of Penney's. Ze was ongeveer vijfenzestig kilo, wat aan de dikke kant, met een flinke boezem, kort, met veel lak bespoten haar, een bril met kunststof montuur en het gegroefde gezicht van iemand die te veel in de wind heeft gelopen. Ze was vroeger mooi geweest en dat was ze, voor haar leeftijd, nog steeds.
Haar dochter was vrijwel haar tegenpool, met lang, donker haar, ogen die bijna zwart waren, slank, met hoge jukbeenderen en een vierkante kin. Ze was gekleed in een spijkerbroek, cowboylaarzen en een wit T-shirt zonder opdruk. Ze had een paar piercings in haar oren en droeg zilveren oorbellen in de vorm van halve maantjes. Ze stond in de woonkamer, naast een oude piano. Tegen de piano leunde een elektrische gitaar, aangesloten op

een oefenversterkertje. In de raamkozijnen stonden potten met viooltjes. Virgil kwam de woonkamer in, moest even wennen aan het gedempte licht, en Jesse zei: 'O, hallo. Hou je van rockmuziek?'
'Ja,' zei Virgil. Hij herkende haar. Hij had haar op de avond van de brand bij het huis van Bill Judd senior gezien. Met een blikje bier in haar hand.
'Hij lijkt op zo'n surfknul, vind je ook niet?' zei Jesse tegen haar moeder.
'Deze meneer is van de politie,' zei haar moeder droog. 'Misschien zou je dat in gedachten moeten houden.'
'Smerissen neuken ook, net als iedereen,' zei Jesse terwijl ze op de oude bank plofte en glimlachend naar hem opkeek. 'Als ze dat niet deden, waar komen die vervelende jochies dan vandaan die je altijd bij monstertruck-races ziet?'
'Jesse!' riep haar moeder.
'Je wordt bedankt,' zei Virgil. Jesse had haar moeder geprovoceerd en haar moeder had gedaan alsof ze geschokt was. Maar dat was ze niet echt, zag Virgil; het was gewoon een spelletje tussen moeder en dochter. 'Als het ooit zo ver komt dat ik een paar vervelende jochies verwek, zal ik er een Jesse noemen, oké?'
Ze lachte en vroeg: 'Wil je een cola?'
'Nee, bedankt,' zei Virgil. 'Ik wil alleen even praten.'
'Dat zou ik maar doen. De krant heeft net gebeld, dus morgenochtend weet iedereen van Fairmont tot aan Sioux Falls het...'

Haar moeder was thuis toen Judds huis plat brandde, en ze had geen idee waar ze was toen de Gleasons werden vermoord. Jesse was op weg geweest naar een bar in Bluestem toen ze de brand zag en alle pick-ups de heuvel op had zien rijden.
'Is dat voldoende?' vroeg Jesse.
'Als je nog niet in die bar was geweest, waar had je dat biertje dan vandaan, toen ik je op de heuvel zag?'
Ze knikte naar de keuken. 'Uit de koelkast.'
'Dus je hebt een blikje bier gepakt en bent de heuvel op gelopen om naar de brand te kijken?'
'Ja, natuurlijk,' zei ze. 'Wat dacht jij dan? Je hebt zeker nooit in een klein stadje gewoond.'
'Jawel,' zei hij, 'en ik begrijp wat je bedoelt.'

'De mensen die zijn vermoord,' zei Virgil tegen Margaret, 'de Gleasons en Judd, waren van dezelfde leeftijd en ze kenden elkaar. Wat ik me afvraag, is of er misschien lang geleden iets is gebeurd wat nu pas tot een uitbar-

sting is gekomen. Iets wat iemand echt heel boos heeft gemaakt, dertig of veertig jaar geleden, en wat uiteindelijk tot deze moorden heeft geleid.'
Jesse keek naar haar moeder en Margaret haalde haar schouders op. 'Ik had een stormachtige verhouding met Bill Judd, maar het enige wat daaruit is voortgekomen, is dit meisje...' Ze knikte naar Jesse. 'Ik ben altijd dol op haar geweest, vanaf de allereerste dag. De eerste achttien jaar heeft Bill me elke maand een cheque gestuurd om de kosten van haar opvoeding te dekken, dus op dat punt had ik eigenlijk ook weinig te klagen.'
'Nam u het hem kwalijk dat hij niet met u getrouwd is?'
'Hij heeft me nooit een aanzoek gedaan, wat wel zo beleefd zou zijn geweest,' zei Margaret, 'maar ik zou het toch niet hebben gedaan. Hij kon aangenaam gezelschap zijn, maar hij was vijfentwintig jaar ouder dan ik en hij kon ook een gemene klootzak zijn. En dan bedoel ik echt, gewelddadig gemeen.'
'Hoe lang bent u met hem omgegaan?'
'O, ongeveer een jaar. Maar ik was niet de enige, heb ik gemerkt. Bill wipte alles wat hij plat kon krijgen.' Ze glimlachte, hield haar hoofd schuin en vroeg: 'Hebt u zijn schoonzus al gesproken? Zij kan u ongetwijfeld meer vertellen over die tijd.'
'Ik wist niet van het bestaan van een schoonzus. Hoe heet ze?'
'Betsy Carlson,' zei Margaret. 'De zus van zijn vrouw. Ze woont in een bejaardenhuis, al... jeetje, vijfentwintig of dertig jaar. Ik denk dat Bill dat ook betaalde.'
'U associeerde zijn seksleven met zijn schoonzus,' zei Virgil. 'Was er iets tussen die twee?'
'Ja,' zei ze gortdroog, alsof je twee bakstenen tegen elkaar sloeg.
'Vóórdat zijn vrouw overleed, of daarna?'
'Als u het mij vraagt, zou ik zeggen: voordat hij met zijn vrouw trouwde, tijdens zijn huwelijk en na haar dood,' zei Margaret.
'Waaraan is zijn vrouw overleden?'
'Een hartaanval,' zei ze. 'Op tweeëndertigjarige leeftijd.'
'Is het zeker dat het een hartaanval was? U zei net dat hij gemeen en gewelddadig kon zijn.'
'Dit was vóór die toestand met de jeruzalemartisjok, en voordat iedereen de pest aan hem kreeg, dus er werd nog niet zo negatief over hem gepraat als later wel werd gedaan. De officiële lezing was dat het een myocardiaal infarct was, dus ik neem aan dat het dat was.'
'Hm,' zei Virgil, en hij dacht: Russell Gleason was de lijkschouwer.Hij wendde zich tot Jesse. 'Hoe lang wist je al dat Bill Judd je vader was?'
Het puntje van haar tong kwam uit haar mond en ging over haar onderlip

terwijl ze nadacht. 'Hm, zeker wist ik het de dag na de brand. Mama heeft me in een stoel gezet en heeft het me verteld. Maar ik hield het al langer voor mogelijk, trok mijn conclusies uit de dingen die in de loop der jaren waren gezegd. Ik wist dat het iemand van hier moest zijn. Toen mama tegen me begon te praten over verantwoordelijkheid, ook als je plezier aan het maken was, viel zijn naam een paar keer. En ik zie er min of meer uit als een Judd.'
'Dus eigenlijk weet je het al een tijdje.'
'Ja, maar het heeft me nooit erg beziggehouden,' zei ze. 'Iedereen vond hem een hufter, hij zag eruit als een hufter en zijn zoon is ook een hufter, dus waarom zou ik het willen weten? Ik heb er niet eens aan gedacht toen hij in die brand was omgekomen, totdat mama tegen me zei dat ik wat praktischer moest zijn.'
'Een deel van de erfenis moest opeisen, bedoel je,' zei Virgil.
'Ja, daar komt het op neer,' zei Jesse, en ze glimlachte.
'Kennen jullie George Feur?'
'Ik weet wie hij is, maar ik heb hem nooit gesproken,' zei Jesse. Margaret schudde haar hoofd.

'Vertel me eens,' zei Virgil, 'hoe was het in die tijd, toen Judd zijn wilde haren nog had? Ik hoor al die geruchten...'

Judd was met talloze vrouwen uit de omgeving naar bed geweest, vertelde Margaret. Talloze, letterlijk, omdat niemand wist hoeveel. Maar het waren er zeker veel geweest. 'Hij deed het graag met drie meisjes tegelijk, als hij ze tenminste zo gek kon krijgen. Ze zeggen dat hij het dan eerst met een van de meisjes deed, daarna toekeek terwijl ze het met elkaar deden en dan weer in de stemming was om het met het volgende meisje te doen. En zo gingen ze dan maar door...'
'Mama!' riep Jesse geschokt.
Margaret haalde haar schouders op. 'Zo ging het in die tijd, schat. Ik heb zelf nooit meegedaan aan dat groepsgedoe; ik hield het bij een op een. Maar weet je, als het zo'n avond was en ik had wat gedronken, had het weinig gescheeld of ik was met een paar van die meisjes in bed beland. Ik bedoel, we waren hippies... alles mocht, we hadden de Beatles, de Stones en de oorlog in Vietnam, en we rookten hasjiesj.' Ze stak haar hand uit en raakte Virgils Stones-T-shirt aan. 'Oudere mensen als wij wóónden in dat soort T-shirts.'
'Deden er weleens andere mannen mee?' vroeg Virgil.
'Ik heb het nooit meegemaakt... maar het zou kunnen, neem ik aan,' zei ze.

'Maakt dat iets uit?'
'Iemand heeft de oude Judd naar zijn kelder gesleept om hem te vermoorden,' zei Virgil. Zijn oogleden zakten een stukje, maar hij bleef Jesse observeren. 'Dan denk je eerder aan een man dan aan een vrouw. Of het moet een sterke vrouw geweest zijn.'
'Zie je nou,' zei Margaret tegen Jesse. 'Ziet eruit als een surfer, denkt als een smeris.'
'Van de andere vrouwen uit deze omgeving, kent u daar iemand van?' vroeg Virgil.
'Betsy Carlson was er een. Ik ken er nog twee, maar... ik kan maar van één de naam geven. Michelle Garber, die tegenwoordig in Worthington woont. Ze staat in het telefoonboek.'
Virgil schreef de namen in zijn notitieboekje. 'Waarom wilt u niet zeggen wie die andere vrouw is?'
'Omdat ze gelukkig getrouwd is en ik haar niet in de problemen wil brengen,' zei Margaret. 'Wat zeker gaat gebeuren, als het bekend zou worden.'
'En als haar man erachter is gekomen en híj de moordenaar is?' vroeg Virgil.
'Hij is het niet,' zei Margaret op koele, vastberaden toon. 'Ik weet zeker dat hij er niets van weet, en ik vertel niet wie het is.'
Jesses mond bleef even openstaan, en toen zei ze tegen haar moeder: 'Dat meen je niet.'
'Weet jij wie het is?' vroeg Virgil aan Jesse.
'Ik heb het net geraden,' zei ze.
'Je houdt je mond, hoor je?' zei Margaret.
'Als blijkt dat hij de dader is,' zei Virgil, 'ga ik mijn uiterste best doen om jullie allebei achter de tralies te krijgen. Dat begrijpen jullie toch wel, hè?'
'Hij is het niet,' zei Margaret.
Jesse schudde haar hoofd en zei: 'Nee, echt niet.'

Toen Margaret zei dat er veel vrouwen uit de buurt aan hadden meegedaan, vroeg Virgil zich af of er ook vrouwen van buiten de buurt waren geweest.
'Er waren een paar beroeps uit Minneapolis,' zei Margaret. 'Dat werd gezegd. Ik geloof dat een van onze vrouwen iets had opgelopen wat we hier amper kennen. Wat dan weer afkomstig zou zijn van een vrouw die hij uit een striptent op Hennepin Avenue in Minneapolis had meegebracht.'
En waarvoor ze een arts als Gleason nodig zou hebben gehad, dacht Virgil. 'Was dat toevallig die Garber?' Hij keek in zijn notitieboekje. 'Michelle Garber?'

'Nee, nee... ik weet niet wie het was. Ik weet niet eens of het wel waar was. Het was maar een gerucht. Maar misschien weet Michelle wie het was. Ze was vaker bij Bill dan ik, was ook een stuk wilder dan ik. Misschien kan ze u wel meer namen geven. Het was een grote groep, dus wie weet?'
Virgil tikte met zijn notitieboekje tegen zijn kin, keek Margaret aan en zei: 'Het klinkt alsof Judd er geen genoeg van kon krijgen.'
'Mochten ze op zoek zijn naar iets om op zijn grafsteen te zetten,' zei ze, 'dan zijn dat de juiste woorden: "nooit genoeg". Hij had nooit genoeg geld, nooit genoeg land, nooit genoeg macht en nooit genoeg vrouwen. Een beest, dat was het.'
'Hij was wel mijn vader,' zei Jesse bedachtzaam.
'Nou, beesten hebben ook hun aantrekkelijke kanten,' zei Margaret. 'Hij wist bij mij zeker de juiste snaar te raken. In elk geval een tijdje.'

Toen ze klaar waren, excuseerde Margaret zich en haastte ze zich naar de badkamer. Jesse liet Virgil uit. Ze bleven even voor de deur staan kijken naar de witte hond die midden op straat zat. 'Dat is Righteous,' zei ze. Toen legde ze haar hand op zijn borstkas, op zijn oude Stones-T-shirt, en vroeg: 'Ben je echt een muziekliefhebber?'
'Ja,' zei Virgil. 'En ik dans de sterren van de hemel.'
'Waar hou je zoal van?'
'Ach, je weet wel, oude muziek, nieuwe muziek... ik vind alternatieve rock wel leuk. Ik luisterde ook graag naar rap, maar dat is zo commercieel geworden...'
'Muziek is het enige wat me nog kan opwinden, afgezien van seks,' zei Jesse. Ze floot, een scherp, hoog geluid, waarop Righteous zich overeind hees en naar hen toe kwam wandelen. 'Ik wilde dat Jimmy Stryker van dat soort dingen hield. Hij wil me zo graag dat de bloeddruppels op zijn voorhoofd staan als we met elkaar praten. Maar hij is zo... zo verdomde braaf. Hij luistert nog steeds naar oude country, Bocephus, Pre-Cephus en Re-Cephus, of hoe ze die gast ook noemen.'
'Het is een goeie kerel, Jim. En ik denk niet dat je je met hem zou vervelen.' Virgil schonk haar een flauw glimlachje. 'Misschien houdt hij je in het begin, laten we zeggen de eerstvolgende tien jaar, wel zo druk bezig dat je geen tijd hebt om aan muziek te denken.'
'Hm.' De hond kwam de treden van de veranda op en Jesse krabde hem op zijn kop, tussen zijn flaporen. 'Misschien geef ik hem wel een kans. Of misschien toch maar beter van niet, nu ik een rijke vrouw word.'
'Je bent nog niet rijk, meisje,' zei Virgil. 'En áls je het wordt, gaat dat nog

lange tijd duren. Misschien kan Jimmy je helpen de tussentijd op te vullen? Je zult merken dat hij veel goede kanten heeft.'
'Ik ken al wel een slechte kant van hem,' zei ze.
'O ja?'
'Het gebeurde een jaar of vijf, zes geleden, toen hij nog hulpsheriff was. Er werd gevochten in Bad Boy's, en hij kwam binnen om er een eind aan te maken. Een van de vechtjassen raakte hem, gewoon, een stomp, helemaal niet zo hard, en Jim... Jim heeft die gast helemaal verrot geslagen. Maar dan ook écht! Hij heeft hem geboeid, hem naar de patrouillewagen gesleept, met zijn hoofd over de grond, hem achterin gegooid, waarbij hij zijn hoofd tegen de portierpost stootte... veel, veel ruwer dan nodig was.'
'Twee dingen,' zei Virgil. 'Smerissen houden er niet van geslagen te worden, zeker niet als ze zich in een massa zuiplappen begeven. Als je niet snel handelt, duikt de hele bende boven op je. Als je wordt geslagen, sla je terug en werk je je belager tegen de grond, met je hand op de kolf van je pistool, en kijk je de anderen recht aan, alsof je verwacht dat er iemand een wapen wil trekken. Je blijft ze aankijken totdat ze weer nuchter zijn.'
'Maar toch... en wat is het tweede? Je zei dat er twee dingen waren.'
'Misschien sloofde hij zich uit voor iemand in het publiek,' zei Virgil. 'Er zijn jongens die denken dat ze met de harde aanpak indruk op vrouwen maken. Dat hopen ze dan.'
Jesse knikte. 'Ja, dat ken ik. Maar ik geloof niet dat Jim daar toen op uit was.' Ze dacht er even over na en zei: 'Ik raakte er wel een beetje opgewonden van.'

Virgil belde Judd junior op kantoor toen hij terugreed over de I-90. De vrouw die opnam, zei dat Judd net de deur uit liep en dat ze hem zou roepen. Na een minuut kreeg hij Judd aan de lijn. 'Wat is er?'
'Je hebt een tante in een verpleeghuis in Sioux Falls,' zei Virgil. 'Ik ben in de buurt, dus ik dacht even bij haar langs te gaan. Kun je me vertellen hoe dat verpleeghuis heet?'
'Waarom wil je haar spreken?' vroeg Judd.
'Nou, er zijn drie moorden gepleegd,' zei Virgil. 'Alle drie de slachtoffers zijn oudere mensen en ik begin me af te vragen of we de oorzaak niet in het verleden moeten zoeken. Dus lijkt het me zinnig om met mensen te praten die je vader en de Gleasons vroeger hebben gekend.'
Judd moest er even over nadenken, blijkbaar, en na een minuut zei hij met tegenzin: 'Dat is een idee. Het verpleeghuis heet Grunewald. Het ligt iets ten noorden van Sioux Falls, ten noorden van de I-90.'
Virgil prentte de aanwijzingen in zijn geheugen en toen hij het gesprek

had beëindigd, kwam hij tot de conclusie dat Judd het nieuws over Jesse Laymons claim nog niet had vernomen. Daar had hij te kalm en te zakelijk voor geklonken. Virgil vroeg zich af of Williamson, nu zijn krant was verschenen, rondliep met het valse plan om Judd het nieuws op een onverwacht moment in zijn maag te splitsen. Of wilde hij hem in het ongewisse laten en doen alsof er niets aan de hand was, totdat iemand tegen Judd zei: 'Zeg, Bill...'

Het verpleeghuis Grunewald stond op een van de twee vrijwel identieke heuvels anderhalve kilometer ten noorden van de I-90, een kilometer of vijftien van de grens met Minnesota, met een geasfalteerde weg die dwars door het dal liep. Beide heuvels waren mooi bebost, met glooiende gazons onder de bomen. Het verpleeghuis stond op de rechterheuvel, een breed bakstenen gebouw, drie verdiepingen hoog, met veel witte accenten. Op de linkerheuvel alleen lichte, vierkante stenen in nette rijen: een begraafplaats.
Leuk, dacht Virgil. De bewoners van Grunewald konden elke dag uit het raam kijken en hun eigen toekomst zien. Virgil zette de pick-up op het parkeerterrein voor bezoekers en ging naar binnen.
Het Grunewald leek een ziekenhuis, of een hotel, met een balie voor de receptie en een lobby met comfortabele fauteuils. Naast de balie was een cadeauwinkeltje waar je ook snoepgoed, frisdrank, vrouwen- en familiebladen en ijsjes kon kopen. Achter de balie was een grote zwarte vrouw in Somalische kledij aan het werk.
Ze knikte naar Virgil, die haar zijn legitimatie liet zien en vroeg of hij met Betsy Carlson mocht praten. De wenkbrauwen van de vrouw gingen omhoog en ze zei: 'Ze krijgt niet veel bezoek... u zult het aan dokter Burke moeten vragen.'

Burke was een levendige, kale man met een hoekkantoor in de gang naast de receptie. Hij hoorde Virgils verzoek aan, haalde zijn schouders op en zei: 'Ja hoor, ga uw gang.'
'Hoe is haar toestand?'
'Ze is... beschadigd. Moeilijk te zeggen waardoor. Het kan genetisch zijn, slechte bedrading als het ware, of misschien heeft ze medicijnen gebruikt en daar slecht op gereageerd, of ze kan een vergiftiging hebben opgelopen in haar directe leefomgeving. Ze is op een boerderij opgegroeid. In haar tijd werden daar talloze schadelijke chemicaliën gebruikt... ze spoten er DDT in het rond alsof het regenwater was. Dus het is moeilijk te zeggen. Ze is niet gek, maar ze is er niet altijd bij met haar gedachten. Haar herin-

neringen lopen door elkaar heen, maar ze heeft er heel veel. Lichamelijk is ze nooit erg actief geweest en hier is dat nog minder geworden, dus haar benen willen niet erg meer. Nou, dat is het wel zo'n beetje.'

Met die woorden bracht hij Virgil naar de deur van zijn kantoor, riep naar de Somalische vrouw achter de balie dat ze iemand met hem mee moest sturen, glimlachte naar Virgil en wenste hem veel succes.
Virgils begeleidster was een verpleegster van in de vijftig, met rode appelwangen en in haar hand een plastic tas met een inhoud waar Virgil maar liever niet naar vroeg. Ze passeerden een paar deuren die met een sleutel geopend moesten worden en Virgil vroeg: 'Wordt iedereen achter slot en grendel gehouden?'
'Nee. We hebben een gesloten afdeling voor alzheimerpatiënten, omdat ze voortdurend verdwalen, en omdat de jongere patiënten weleens agressief kunnen zijn. Maar die deuren...' Ze wees met haar duim over haar schouder, '... zitten maar aan één kant op slot en zijn bedoeld om mensen buiten te houden. Jaren geleden, toen we ze nog niet op slot deden, kwam er steeds een heel vriendelijke man op bezoek. Om de paar dagen. Algauw bleek dat hij hier kwam om enkele van onze patiënten te mishandelen.'
'Fijne kerel.'
'Toen we begonnen te vermoeden wat er aan de hand was, hebben we een paar videocamera's geplaatst en hebben we hem kunnen betrappen.' Ze keek Virgil opgewekt glimlachend aan. 'Enkele van onze verplegers van de gesloten afdeling hebben hem naar beneden gebracht, waar de politie hem stond op te wachten. Maar hij verzette zich onderweg, raakte in gevecht met de verplegers, zodat hij nogal beschadigd was toen ze in de lobby kwamen. Die zien we hier nooit meer terug, ook niet als hij uit de gevangenis komt.'
'Vervelend, als ze zich verzetten,' zei Virgil.
'Ja, slecht plan,' beaamde ze.

Ze troffen Betsy Carlson in een stoel bij de tv, waarop een man met 's werelds scherpste mes, dat gegarandeerd nooit bot werd, uien en kool sneed. 'Daar zit ze,' zei de verpleegster. Ze legde haar hand op Virgils mouw en zei: 'Ze is soms wat halsstarrig, dus het is het beste om aardig tegen haar te zijn. Als u haar te veel onder druk zet, wordt ze koppig en zegt ze niets meer.'
'Dokter Burke zei dat haar geheugen een rommeltje is.'
'Ja, maar de herinneringen aan dingen van langer geleden zijn over het

algemeen beter dan de meer recente. Ze weet niet wat voor dag het vandaag is, maar wel wat ze in 1962 deed. En ze vindt het leuk om erover te praten. Nog iets anders... ze heeft soms waanvoorstellingen. Ze ziet beestjes in haar eten.'
'En die zitten er niet in?'
'Alstublieft! Niet alleen beestjes, maar ook mensen. Ze ziet gezichten van mensen in de knoesten van bomen. We zijn als de dood dat ze op een dag de Maagd Maria in een roestvlek ziet en we twee dagen later met tienduizend pelgrims in de tuin zitten.' Ze wachtte even en zei toen: 'Het zal haar goed doen dat u haar komt opzoeken... maar ze zal voortdurend uw naam vergeten en vragen wie u bent.'

Betsy Carlson was in haar fauteuil geïnstalleerd met een plaid om haar benen. Je kon zien dat ze ooit een heel mooie vrouw was geweest, met hoge jukbeenderen, een elegant, ovalen gezicht en een lichte huid die nu werd getekend door duizenden ondiepe rimpeltjes. Haar haar was kortgeknipt en haar lichtbruine ogen keken glazig en vredig voor zich uit. Er kwam een vage glimlach om haar mond toen Virgil naast haar ging zitten.
'Betsy, er is bezoek voor je,' zei de verpleegster.
Ze keek Virgil enige tijd aan, begreep duidelijk niet wie hij was, fronste haar wenkbrauwen en vroeg: 'Wie ben jij?'
'Ik ben Virgil Flowers, van de politie in Minnesota.'
'Ik heb niks gedaan,' zei ze. 'Ik ben al die tijd hier geweest.'
'Dat weten we,' zei Virgil. De verpleegster knikte naar hem en liep weg met haar plastic tas. 'Ik wil graag met u praten over Bluestem en een paar dingen die daar zijn gebeurd.'
'Bluestem. Gesticht in 1886 door de Chicago en Northwestern Spoorwegmaatschappij. Mijn overgrootvader was een van de eerste kolonisten. Amos Carlson. Zijn vader heeft in de Grote Opstand tegen de indianen gevochten. Mijn vader had tweehonderdvijftig hectare land in het Stafford Township, het beste land van Stark County. Hij is omgekomen bij een auto-ongeluk op de County 16 tijdens een sneeuwstorm. Zijn schedel werd verbrijzeld. De dag daarna werd ik geboren. Mijn moeder zei altijd dat ik een bijzonder kind was, een geschenk van God. De dood sloeg toe in ons gezin, en meteen daarna kwam er nieuw leven, allemaal binnen één dag tijd. Hoe heette je ook alweer?'
Virgil stelde zich opnieuw voor en begon haar te vragen naar haar herinneringen aan Bluestem, aan Bill Judd en haar zus, en aan de tijd dat haar zus de hartaanval had gekregen.
Ze herinnerde zich de dag van de hartaanval. 'Mijn zus dronk te veel. Dan

kreeg ze ruzie met Bill en liepen ze het hele huis bij elkaar te schreeuwen. Meestal ging het over geld... hij had geld genoeg, maar hij weigerde het uit te geven. Op de dag van haar hartaanval had ze ook gedronken, maar ze hadden geen ruziegemaakt. Ze voelde zich 's morgens al niet goed, misschien omdat ze de avond daarvoor te veel had gedronken. Hoe dan ook, ze had het plan opgevat om de inrichting van de woonkamer te veranderen. We sleepten de bank en de fauteuils de kamer door, zetten de oude piano op een andere plek, en we waren bijna klaar toen ze ineens riep: "O mijn god!" en ze in elkaar zakte. Ik vroeg haar wat er aan de hand was en ze zei: "Ik heb zo'n pijn, Betsy, ik heb zo'n pijn. Ga de dokter halen, alsjeblieft, ga de dokter halen." Dus rende ik het huis uit om de dokter te halen...'

'Dokter Gleason?'

Er kwam een vage blik in haar ogen; ze leek in verwarring gebracht, en ten slotte zei ze: 'Nee, ik geloof niet dat het dokter Gleason was. Volgens mij hadden we dokter Gleason toen nog niet. Dat was pas later.'

'Herinnert u zich wie het dan wel was?'

'Ik heb het geweten. Maar nu je Gleason noemt, raak ik helemaal in de war. Ik, eh... ik weet het niet meer.'

Ze wist van alles over mestkarren en wat voor leuke dingen je daarmee kon doen, over tomaten wecken en hoe dat was veranderd toen de eerste vriezers kwamen, over piano spelen met haar zus, en over de dag dat haar zus met Bill Judd trouwde.

'In de Lutherse kerk. Ik was bruidsmeisje. Alle bruidsmeisjes waren in het geel en hadden een boeketje gele rozen in hun hand. Maar Bill Judd... Bill was een slecht mens. Hij was als kind al slecht. Hij pikte van alles, loog er dan over en gaf de schuld aan andere kinderen. Weet je wat hij pikte?'

'Nee, dat weet ik niet,' zei Virgil.

'Geld. Hij was niet zoals andere kinderen, die misschien snoep pikten, of het speelgoed van iemand. Als hij bij ons thuis was, ging hij altijd op zoek naar wisselgeld. Mijn moeder hield hem scherp in de gaten toen ze het eenmaal wist. Hij was door en door slecht, toen al.'

Er liepen twee traantjes over haar wangen en ze zei: 'Nadat mijn zus was gestorven, zijn er allerlei problemen geweest. Bill gaf nergens meer om. Zij had hem altijd in het gareel weten te houden, maar nadat ze was gestorven, kon niets hem nog tegenhouden.'

Ze begon te huilen en een verpleegster kwam met een vragende blik hun kant op lopen.

'Voelt u zich wel goed?' vroeg Virgil.

'Bill heeft slechte dingen gedaan, heel slechte dingen,' zei ze. Haar ogen klaarden iets op en ze zei: 'Mannen deugen niet.'

'Ik wilde u niet van streek maken,' zei Virgil. 'Maar ik probeer erachter te komen wie er in die tijd misschien al een enorme hekel aan Bill Judd begon te krijgen. En aan Russell Gleason...'
'Alles oké hier?' vroeg de verpleegster.
'Ze is een beetje van streek,' zei Virgil.
'Het is zo tijd voor haar dutje,' zei de verpleegster.
Betsy Carlson keek Virgil aan en zei: 'Russell Gleason was er voor de man in de maan. Daar ging het om. De man in de maan. Bill had iets vreselijks gedaan en dat wisten we allemaal. Russell wist het ook. En Jerry. Jerry wist er ook van.'
'Wie is Jerry?'
Ze barstte nu echt in snikken uit, en haar hele lichaam schokte. 'Ik denk dat u een eind aan het gesprek moet maken,' zei de verpleegster. 'Dit gaat niet goed.'
'Ik wilde alleen...'
'U maakt haar ernstig van streek, dát doet u,' zei de verpleegster. En tegen Betsy zei ze: 'Het is oké, Betsy. Deze meneer gaat nu weg. Het komt allemaal weer goed. We gaan zo een Milky Way halen en dan ga je je dutje doen. Ga je mee, je Milky Way halen?'
'Nee, niet de Melkweg,' zei Betsy tegen Virgil, zonder acht te slaan op de verpleegster. 'Het was de man in de maan, en hij is hier. De man in de maan is hier. Ik heb hem gezien.'
Ze begon weer te snikken. De verpleegster keek Virgil aan en zei: 'Wegwezen.'
Virgil knikte, maar deed nog een laatste poging. 'Betsy? Weet je hoe hij heet, de man in de maan?'
Betsy keek op en vroeg: 'Wat? Wie ben jij?'

Op weg naar buiten bleef Virgil bij de balie staan en vroeg hij aan de vrouw of het gebruikelijk was dat het bezoek een gastenlijst tekende.
'Nee, nog niet. Misschien komt dat nog.'
'Kunt u zich herinneren of er iemand bij Betsy Carlson op bezoek is geweest?'
'Weet je, dat kan ik inderdaad. Ik kan je niet vertellen wie het was of hoe hij eruitzag. Het enige wat ik me herinner is dat ze een keer bezoek had, omdat dat zo uitzonderlijk was. Maar dat is... tja, jaren geleden.'
'Ik ben bezig met een moordonderzoek in Bluestem,' zei Virgil. 'De moord op ene Bill Judd, die Betsy's zwager was. Weet u of Judd voor haar verblijf hier betaalde?'

De vrouw schudde haar hoofd. 'Dat zou je aan dokter Burke moeten vragen. Maar voor zover ik heb begrepen, tussen jou en mij, heeft Betsy een stukje land geërfd van haar ouders, en toen ze hier kwam wonen, hebben ze dat in een trust gestopt. Volgens mij is dat alles wat ze heeft.'

7

Worthington lag een kilometer of vijftig ten oosten van Bluestem, als een zoveelste puist aan de I-90. Onderweg belde hij Joan Carson op haar mobiel, maar waar ze ook was, ze antwoordde niet, dus sprak hij een bericht in. 'Met Virgil. Ik hoop om een uur of zes terug te zijn, als je zin hebt om een hapje te eten. Ik zou het leuk vinden om je vanavond te zien. Ik vind dat we, eh... een heel leuke start hebben gemaakt... Nou ja, laat het me maar weten.' Ik had haar bloemen moeten sturen, bedacht hij.
In Worthington stopte hij bij een coffeeshop, nam zijn laptop mee, haalde een kop koffie, logde in op het net en zocht een plattegrond van de stad. Worthington was twee keer zo groot als Bluestem, maar het kostte hem nog geen minuut om zich te oriënteren en Evening Street te vinden.
Hij nam zijn koffie mee naar de auto, reed naar de westkant van de stad, kruiste Evening Street, gokte dat hij linksaf moest en bleek goed gegokt te hebben. Even later stopte hij voor Michelle Garbers huis, een vooroorlogs houten huis in Cape Cod-stijl, lichtgeel van kleur, met groene luiken voor de ramen en twee dakkapellen boven de voordeur. Een garage met een plat dak, voor één auto, was er later aangebouwd, aan de linkerkant, waardoor het een asymmetrische aanblik bood. Maar het kon beter asymmetrisch lijken, dan dat je het in de winters van Minnesota zonder garage moest doen. Garber, had Margaret Laymon gezegd, was gescheiden. En ja, Virgil mocht Margarets naam noemen als hij haar vertelde wie hij was.

Garbers huis deed verlaten aan. Virgil klopte op de voordeur, kreeg geen reactie en keek op zijn horloge. Hopelijk was ze niet geëmigreerd. Bij het huis van de buren stond een fiets naast de treden van de veranda, dus liep Virgil die op en klopte hij daar op de voordeur. Een slaperige tienerjongen deed open en krabde aan zijn ribbenkast. 'Ja?'
'Hallo. Weet je of mevrouw Garber van hiernaast er is? Ik bedoel, er is niemand thuis, maar ze is niet op vakantie of zoiets?'
'Nee. Ze geeft les op de zomerschool.' Hij draaide zich om, wilde het huis weer in lopen, zag blijkbaar een klok, draaide zich weer om en zei: 'Over tien tot twintig minuten komt ze thuis, lopend. Ze doet alles lopend.'
Virgil ging in de pick-up zitten, zette zijn laptop aan en keek of hij ergens

op een open netwerk kon inloggen. Toen hij niets vond, trok hij zijn cameratas achter de stoel vandaan en haalde hij het handboek van zijn Nikon-camera eruit.
Die verdomde dingen waren computers met een lens erop, maar als hij een paar behoorlijke foto's bij zijn artikelen kon leveren, was dat een sterk verkoopargument. Een nog beter verkoopargument waren getekende of geschilderde illustraties. Vooral geschilderde illustraties waren erg in bij de betere bladen. Hij had op school een cursus botanisch tekenen gedaan en erover gedacht in Mankato naar de kunstacademie te gaan. Misschien kon hij daar iets van waarde leren, en als dat niet het geval was, kon hij er in elk geval een paar keer per week naar blote vrouwen kijken.
Zijn gedachten dwaalden van het Nikon-handboek af naar Joan Carson. Misschien kon het iets worden met haar, ook al was het maar tijdelijk...
Een lichte opwinding maakte zich van hem meester toen hij aan het eind van de straat Michelle Garber zag lopen. Ze was gekleed in een zwarte pantalon en een witte blouse met een rond kraagje, en een grote canvas tas hing aan een hengsel over haar schouder. Met haar korte donkere haar en haar smalle schouders zag ze er niet uit als een orgiebeest.
'Shit,' vroeg Virgil zich hardop af, 'hoe ziet een orgiebeest er eigenlijk uit?'

Garber keek zijn kant op toen ze haar huis naderde en hij de cameratas op de vloer van de pick-up zette en uitstapte om zich aan haar voor te stellen.
'Mevrouw Garber? Ik ben Virgil Flowers van het Bureau Misdaadbestrijding van de staat Minnesota. Ik zou graag even met u willen praten.'
Midden op de stoep bleef ze staan. 'Waarover?'
'Over Bill Judd. U hebt waarschijnlijk gehoord dat hij een paar dagen geleden in een brand is omgekomen?'
'Ja, daar weet ik van,' zei ze.
'Wij denken dat hij is vermoord,' zei Virgil. 'En omdat er nóg een paar mensen zijn vermoord...'
'De Gleasons.'
'Precies,' zei Virgil. 'Daarom beginnen we ons af te vragen of we de... oorsprong van het hele gebeuren niet in Judds verleden moeten zoeken. Alle drie de slachtoffers zijn oudere mensen, en daarom proberen we in contact te komen met mensen die Judd vroeger hebben gekend.'
Ze bleef hem even aankijken, met de scherpe, sceptische blik van een mus, en vroeg: 'Hoe bent u aan mijn naam gekomen?'
'Van Magaret Laymon. Ze heeft gezegd dat ik haar naam mocht noemen.'
Er kwam een droevige glimlach om Garbers mond, en ze zei: 'Nou, kom dan maar binnen. Wilt u een kopje koffie? Ik heb alleen oploskoffie.'

Virgil bedankte. 'Ik heb net koffie op. Maar ik heb een tijdje in mijn auto zitten wachten, dus als ik uw toilet even zou mogen gebruiken...'
Een oude smerissentruc, dacht Virgil toen hij in haar toilet stond. Hij hoefde helemaal niet zo nodig, maar als iemand je eenmaal in zijn wc heeft toegelaten, is die meestal ook bereid met je te praten.

Ze zaten in de woonkamer, in het zachte licht dat door de crèmekleurige vitrages viel, Virgil op de bank en Garber in een fauteuil die naar de tv gekeerd stond. Zodoende keek ze hem half van opzij aan toen ze zei: 'Als u hier via Margaret terecht bent gekomen, neem ik aan dat u weet wat Bill en wij in het verleden hebben uitgespookt.'
'Ja, daar heeft ze me uitvoerig over verteld,' zei Virgil. 'Ik maak geen notities over de... details. Ik wil niemand in de problemen brengen. Maar ik wil wel weten of er toen misschien iets gebeurd is wat pas veel later tot deze moorden kan hebben geleid. Een of andere gewelddaad, iets op het seksuele vlak, chantage, geld, een machtskwestie... iets wat misschien jarenlang heeft liggen broeien en nu pas tot een uitbarsting is gekomen. En dan zou het ook nog iets moeten zijn waarbij zowel Judd als de Gleasons betrokken zijn geweest.'
'Hoeveel namen heeft Margaret u gegeven?' vroeg Garber.
'Alleen die van u. Ze zei dat ze nog iemand kende, maar ze wilde me de naam niet geven omdat ik een goed huwelijk in gevaar zou brengen als ik daar vragen ging stellen.'
'En toen hebt u niet verder aangedrongen?' vroeg ze.
'Tja, het is ons helaas niet toegestaan getuigen te martelen,' zei Virgil.
Ze knikte en zei: 'Hoor eens, eigenlijk drink ik nooit koffie als ik thuiskom van school. Meestal neem ik een glaasje wijn. Drinkt u een glaasje met me mee? Ik weet dat u dienst hebt...'
'Mijn dienst kan de pot op,' zei Virgil. 'Ik lust wel een glas wijn.'
Garber stond op, liep naar de keuken, rommelde er wat en kwam even later terug met twee glazen en een halve fles witte wijn. Ze trok de rubberen stop uit de hals, schonk Virgils glas vol en goot de rest in haar eigen glas.
'Ik kan maar één ding bedenken,' zei Garber toen ze het schenkritueel had voltooid. 'Bill was voortdurend de hort op nadat zijn vrouw was overleden, hoewel het gerucht ging dat hij dat ook al deed toen ze nog leefde, dat hij regelmatig naar Minneapolis ging... voor betaalde seks.'
'En wat is dat ene ding?' Virgil nam een slokje wijn, die zo licht was dat er bijna geen smaak aan zat.
'Abortus,' zei Garber.
'Abortus?'

'Daar begonnen ze in de jaren zeventig pas mee, is het niet?' zei ze. 'Bills vrouw overleed in het begin van de jaren zestig, als ik het goed heb. Hoe dan ook, hij was geen liefhebber van condooms, of kapotjes, zoals we ze toen noemden. En het was niet eenvoudig om hier in de streek een abortus te krijgen. Er werd gezegd dat Russell Gleason weleens een paar mensen uit de brand heeft geholpen. Waaronder Bill.'
'Hm. Ik zie alleen niet hoe dat tot een moord zou kunnen leiden. Ik bedoel, dan hebben we het over iemand, over een kind dat er niet meer is. Tenzij...'
'Tenzij de anti-abortusbeweging op iemand heeft ingepraat,' zei Garber. 'Iemand die al jarenlang spijt heeft van haar beslissing en die om haar ongeboren kindje zit te treuren. Misschien heeft Judd haar wel tot die abortus gedwongen, heeft Gleason die voor hem gedaan, en heeft zij al die jaren alleen thuisgezeten, zonder kinderen, terwijl ze dacht aan het kind dat ze gehad zou kunnen hebben.'
Virgil leunde achterover. 'U zou bij de politie moeten gaan. Dit is het beste idee dat ik tot nu toe heb gehoord.'
'Nou, als het iets moet zijn wat in het verleden is gebeurd...' zei ze. 'Als mijn vader had geweten waar ik me allemaal mee inliet, zou hij waarschijnlijk hebben ingegrepen. In die tijd in elk geval wel. Maar we zijn nu allemaal ouder, de meisjes die met Bill omgingen, en onze ouders zijn inmiddels overleden, of veel te oud om een moord te plegen.' Ze nam een flinke slok wijn, op een haastige, krampachtige manier, waardoor Virgil dacht dat ze mogelijk een drankprobleem had.
'Margaret vertelde me dat er soms een soort... groepsbijeenkomsten in Judds huis werden gehouden,' zei Virgil, naarstig zoekend naar het juiste woord. Ordinaire seksorgieën, bedoelde hij natuurlijk gewoon. 'Ze zei dat ze niet wist wie daaraan meededen, omdat zij het altijd alleen met Judd had gedaan. Kunt u me misschien vertellen of er aan die bijeenkomsten naast Judd nog meer mannen deelnamen? Dan heb ik het vooral over jonge getrouwde mannen. Nodigde hij misschien ook paren uit, of alleen ongebonden vrouwen? Ik zou me kunnen voorstellen dat iemand die terugkijkt naar die tijd, zich weleens heel erg misbruikt zou kunnen voelen.'
Garber bleef Virgil even aankijken en zei toen: 'Als je alle details van het gebeuren op een rij zet, klinkt het inderdaad nogal erg. Maar weet u, tóén vonden we het vooral opwindend, en vies ook, maar op de goede manier. Ik moest bijna overgeven van de zenuwen als ik ernaartoe ging, maar ik kon nauwelijks wachten tot ik er was.'
'Dus er waren meer mannen?'
'In ieder geval één. Barry Johnson. Hij was er vaak.' Ze nam nog een slok wijn, waarna haar glas bijna leeg was. 'Hij was de baas van het postkantoor

in Bluestem. Je zou het niet van hem verwachten, hij met zo'n functie bij de posterijen. Maar die baan had Bill voor hem geregeld, bij de regiocommissie.'

'Hadden hij en Judd ook op een homoseksuele manier contact met elkaar?'

'O nee, nee, absoluut niet,' zei ze. 'Meestal waren er alleen twee vrouwen en twee mannen, en dan lagen we daar te drinken, en soms bracht iemand een beetje marihuana mee, maar veel verder dan dat ging het niet. Of soms waren er drie vrouwen, dan deden we, u weet wel, dingen met elkaar en keken de mannen toe. Dat vonden ze opwindend. Maar ik heb ze nooit iets met elkaar zien doen.'

'Waar is Johnson nu?'

Ze hield haar hoofd schuin en zei: 'Dat zou ik moeten weten, maar ik weet het niet.' Ze dronk het laatste restje wijn uit haar glas en vervolgde: 'Ik denk dat hij ergens in het midden van de jaren tachtig is weggegaan. Bill begon oud te worden en die feestjes bij hem thuis waren toen al afgelopen. Ik heb weleens gehoord dat Barry naar Californië is gegaan. Of naar Florida. Misschien kan iemand op het postkantoor het u vertellen.'

Ze stond weer op en zei: 'Excuseer me even.' Ze liep naar de keuken, rommelde er weer wat, en na een korte stilte hoorde Virgil een gedempte *plop*. Kort daarna kwam ze de kamer in en schonk haar glas nog eens vol.

'Ik heb ook een vraag voor u,' zei ze. 'Wat kan er toen in hemelsnaam gebeurd zijn, en denk dan aan het allerergste, dat Barry ertoe heeft gebracht om terug te komen en hier mensen te vermoorden? En iets anders: hoe kan Barry door de stad lopen zonder gezien te worden? Talloze mensen zouden hem onmiddellijk herkennen en iedereen zou het erover hebben. Hij kan het nooit gedaan hebben, of hij moet onzichtbaar geweest zijn.'

Virgil knikte. 'Goed punt. Waar het om gaat is dat we niet weten wat er is gebeurd. Maar als hij en Judd nu eens iets heel ergs hebben gedaan, iemand hebben vermoord bijvoorbeeld...'

'Maar Bill had niet lang meer te leven. Hooguit nog een paar weken. Waarom zou iemand al die jaren wachten en nu ineens terugkomen om hem te vermoorden?' Ze schudde haar hoofd. 'Weet u, volgens mij zijn dit geen moorden om iets stil te houden. Dit klinkt mij in de oren als wraak. En wraak door iemand die je niet opmerkt, omdat iedereen hem kan zien. Begrijpt u wat ik bedoel? Dat de dader iemand is die je elke dag ziet en dat hij daarom niet opvalt.'

Ze gaf hem de namen van nog drie vrouwen die vroeger bij Judd over de vloer kwamen. Twee van de drie woonden niet meer in deze streek; de ene was naar St. Paul verhuisd en de andere was naar Fargo in het noorden gegaan. De derde woonde nog in Bluestem, maar ze was gescheiden en heel dik geworden. 'Die zie ik geen drie mensen vermoorden. Ze mag blij zijn als ze lopend de hoek van de straat haalt.'

'Hm. Iets anders: hebt u weleens gehoord van iemand die "de man in de maan" wordt genoemd?'

Ze keek hem verbaasd aan en schudde haar hoofd. 'Nee. Wie zou dat moeten zijn?'

'Dat weet ik niet. Maar ik zou het graag willen weten.'

Ze praatten nog een paar minuten en toen vroeg Virgil: 'Verder nog iets?'

Ze schonk een derde glas wijn in, begon aardig aangeschoten te raken en nam niet meer de moeite de fles in de koelkast terug te zetten. 'Werkt u samen met Jim Stryker?'

'Ja, dat klopt.'

Ze bleef hem even aankijken en zei toen: 'Ik heb een keer gehoord, lang geleden, dat zijn moeder, Laura, mogelijk ook met Bill Judd naar bed ging. En dat zou gebeurd zijn toen ze getrouwd was. Mark Stryker, Jims vader, was zo iemand die met zich liet sollen, en dat deden de mensen dan ook. Ik zeg niet dat het er iets mee te maken heeft, maar toen Mark een eind aan zijn leven maakte, werd er gezegd dat hij dat niet alleen had gedaan omdat hij een stuk land was kwijtgeraakt. Dat hij had ontdekt dat Laura met Bill naar bed ging en zij niet van plan was daarmee op te houden.'

'Is dat zo?'

'Dat is wat ik heb gehoord. Maar ik weet niet hoe de Gleasons daar dan in zouden passen. Hoe dan ook...' Haar blik ging weer in de richting van de fles.

'Dank u wel,' zei Virgil, en hij stond op. 'U bent heel behulpzaam geweest.'

'Als ik terug kon naar die tijd...' Haar stem stierf weg.

'Ja?'

'Zou ik het meteen doen,' zei ze. Virgil besefte dat ze aardig dronken begon te worden.

'Ik zou zo boven op die berg mensen duiken. Ik heb in mijn hele verdomde leven nooit zo veel plezier gehad als toen.'

Een wrang besef voor een lerares van in de vijftig, dacht Virgil toen hij terugreed naar Bluestem. Zou het nog kunnen? Een commune van oudere rockers aan de Westkust? Een seniorenversie van de vrije liefde? Met veel drank?

Hij haalde Joan Carson thuis op en nam haar mee naar McDonald's: Big Macs, friet, gebakken bonen en milkshakes.
'Ik voel de cholesterol naar mijn hart kruipen,' zei ze. 'Straks val ik dood neer op het parkeerterrein.' Maar ze ging wel door met eten.
'Ach, het is goed voor je,' zei Virgil terwijl hij nog een paar frietjes in zijn mond propte. 'Eet dit tot je veertigste en dan de rest van je leven alleen nog maar groente.'
'Ik krijg er slaap van,' zei ze.
'Ik had gehoopt dat je me zou meenemen naar de farm,' zei Virgil.
Ze keek hem aan. 'Waarvoor?'
'Nou, je weet wel, om me te laten zien wat je zoal doet.'
Ze haalde haar schouders op. 'Ik vind het best. Weet je iets van farms?'
'Ik heb in Marshall op een farm gewerkt,' zei Virgil. 'Zo'n grote coöperatie van Hostess. In de oogsttijd plukte ik Ding Dongs en Ho Ho's... Twinkies deden we niet; die groeiden alleen langs Red River. We stopten ze in doosjes en stuurden ze naar de 7-Elevens. Hard maar eerlijk werk. Van mijn loon kocht ik BB's, zodat we thuis te eten hadden. Nu zijn de meeste plaatselijke arbeidskrachten eruit gewerkt door illegalen.'
Ze bleef hem tien seconden aankijken en zei: 'Je bent buitengewoon bedreven in het uit je nek ouwehoeren, heb ik gemerkt.'

De Stryker-farm zag eruit als een toekomstige archeologische opgraving: een vervallen farmhuis, een erf vol afgedankte landbouwmachines, een paar autowrakken en een windmolen zonder wieken. Hij lag een paar honderd meter van de weg, te midden van groepjes populieren, aan de voet van een steil oplopende heuvel die vooral uit rood rotsgesteente bestond. Maar het land aan de voet van de heuvel, rondom de gebouwen, helemaal tot aan Bluestem en aan de andere kant – echt – tot aan Kansas City, was van de allerzwartste aarde waarop zeeën van mais, graan en sojabonen golfden.
Tussen de vervallen gebouwen viel de schuur wel op, want die zag er groot en solide uit. 'Die is voor de landbouwmachines,' zei Joan. 'We houden er geen vee in. Een van de buren – je kunt zijn farm niet zien; die is anderhalve kilometer verderop – huurt de hooizolder als hij ruimtegebrek heeft.'
Het huis, een meter of dertig van de schuur aan de andere kant van het modderige erf, zag eruit als een stal. Het was een van die ouderwetse houten bouwsels die je op de prairie veel tegenkwam, daterend van rond 1900, zonder veranda, met een fornuis dat op kolen of hout brandde en een handpomp in de achtertuin, en het deed nu dienst als woonhuis annex kantoor. De eerste verdieping, die niet verwarmd werd, was afgetimmerd met isolatiemateriaal en triplex om het warmteverlies in de winter tegen te gaan,

vertelde Joan. De voorraden waren van de kelder naar de vroegere slaapkamer aan de achterkant verplaatst en de kelder zelf was alleen nog een donker hol met rottende planken vol glazen weckpotten langs de muur.
'Op eBay brengen die potten nog wel twintig dollar per stuk op,' zei Joan.
'Waarom verkoop je ze dan niet?'
'Omdat ik geen vierhonderd dollar nodig heb.'

Op de begane grond was een eenvoudig keukentje met een kookplaat, een magnetron, een aanrecht met spoelbak en stromend water afkomstig van een elektrische pomp, en een tafel met zes stoelen eromheen. De woonkamer werd gedomineerd door twee oude, doorgezakte banken, een salontafel en een vloer vol moddersporen die de knechten er hadden achtergelaten. Op de tafel in de voormalige eetkamer stond een oudere computer met een Hewlett-Packard-printer ernaast en tegen de gepleisterde muur stonden twee dossierkasten, beide met vier laden.
'Met de betere wegen van tegenwoordig had het weinig zin om hier te gaan wonen,' vertelde Joan, die hem rondleidde. 'Dan had ik alles hiernaartoe moeten verhuizen en zou ik in bijna totale afzondering wonen. Als je geen vee te verzorgen hebt, is er een groot deel van de tijd weinig te doen. In de winter doe je het onderhoud en in de zomer een beetje sproeien en maaien... maar in feite doe je weinig meer dan kijken hoe je mais, graan en sojabonen groeien. Toen ik jong was hadden we al van die Star Wars-landbouwmachines, en een boerin kon in de gekoelde cabine van een John Deere naar rockmuziek op een cassettedeck luisteren terwijl ze in haar eentje de hele oogst binnenhaalde. Negentig procent van het werk bestaat uit knoppen indrukken en hendels overhalen. Het is niet nodig dat ik hier woon. Ik bedoel, zó simpel is het natuurlijk niet, maar het scheelt niet veel.'
'Dus toen ben je in de stad gaan wonen,' zei Virgil.
'Nou, kijk eens om je heen,' zei ze, en ze gebaarde naar de horizon. 'Als je die kant op kijkt, zie je daar nog één huis staan, maar daar woont niemand. Het is hier hartstikke eenzaam. En mijn vader heeft zich op het achtererf door zijn hoofd geschoten, wat me nog steeds de kriebels geeft als ik hier op donkere winteravonden ben.'
'Het ziet er nu best mooi uit,' zei Virgil. De zon zakte naar de horizon, er schoven een paar pluizige wolkjes langs de lichtblauwe hemel en er stond net genoeg wind om de bladeren van de eindeloze zee van mais zachtjes te laten ruisen.
'Kom,' zei Joan, 'dan zal ik je laten zien waarom het huis zo ver van de weg staat. We moeten opschieten, anders is het te donker. En neem je camera mee.'

Virgil liep naar de pick-up, pakte zijn Nikon, zette er een lange zoomlens met beeldstabilisator op en ging haar achterna, langs de schuur en een rottende bouwval die ooit een varkenshok was geweest, een oude perenboom en een paar appelbomen, heuvelafwaarts richting een kreekje. Een paadje, uitgesleten door de voeten die er hadden gelopen, voerde langs de oever van de kreek naar de heuvel. Toen ze die dichter naderden, zag Virgil dat het water van de kreek uit een grote barst in de heuvelwand kwam en dat daar een brede, ondiepe watertank was gemaakt. Al het water wat over de rand van de tank stroomde, kwam in de kreek terecht.
'Dit is zo'n beetje het enige water dat we hier hebben,' zei Joan. 'Het is hier wat droger dan verder naar het oosten. Kom mee.'
Ze ging hem voor, door de opening de heuvel in, een smalle grot van rotsgesteente, die verderop een meter of zes breed werd en licht opliep, terwijl het water naast hen omlaag kletterde. Een paar keer liepen ze er zo dicht langs dat ze de koele druppels op hun gezicht en handen voelden.
'Blijf doorlopen...'

Boven aan de canyon, nadat ze zo'n tweehonderd meter dwars door de heuvel hadden gelopen, was een natuurlijk rotsplateau met een meertje dat ongeveer twintig meter breed was en werd gevoed door het water dat langs de rotswand erachter omlaag stroomde. Een paar magere boompjes probeerden in leven te blijven op het dunne laagje aarde, en de modderige oever achter het meertje was omringd door kattenstaarten. 'Mooi,' zei Virgil.
'Dit is dé geologische ontdekking van de familie Stryker,' zei ze. 'We zwommen hier altijd toen we jong waren. 's Avonds, als de zon in de canyon scheen, was daarvoor het beste moment, want 's ochtends is het hier donker en koud.
Virgil liep naar de waterkant, hurkte neer en stak zijn hand in het water. Het was aangenaam koel, maar niet ijskoud, zei hij tegen haar.
'Omdat het in de zon langs de rotswand stroomt,' zei Joan. 'In het najaar valt de bron vrijwel droog en zie je alleen een lichte streep op de rotswand. Het meertje valt nooit droog; daar is het te diep voor, een meter of zes, waar jij nu staat, maar soms zakt het peil zo ver dat er geen water uit stroomt. Vroeger was hier een leiding die uitkwam op de watertank beneden. Maar goed, daarom hebben ze deze plek voor de farm gekozen, omdat je het hele jaar door water had zonder er al te veel moeite voor te hoeven doen, je hoeft het alleen maar om te leiden. Anders was mijn overgrootvader de farm waarschijnlijk dichter aan de weg begonnen.'
Virgil nam een foto van haar terwijl ze op een rots aan de waterkant van

het meertje stond en zei: 'Dit moet een geweldige plek geweest zijn toen jullie jong waren.'
'Dat was het zeker. Als er meer mensen in de buurt hadden gewoond, was het perfect geweest.'

Ze zaten op de rots in de laatste avondzon en Virgil legde haar uit hoe de Nikon werkte. Een koperwiek kwam over het water aanvliegen, maakte een paar capriolen boven de kattenstaarten en Virgil nam er een paar foto's van. Ze praatten over hun jeugd in de kleine stad, over hun schooltijd, over rockmuziek en stickies roken, over de prijs van ethanol uit mais en over hun ouders. 'Mijn moeder woont schuin tegenover me, amper één straat verderop,' zei Joan. 'Die weet inmiddels dat jij gisteravond aan me stond te foezelen.'
'Alleen tieners foezelen,' zei Virgil. 'Ik gaf blijk van lichamelijke genegenheid.'
'Hm,' zei ze. 'Het voelde toch echt als foezelen.'
'Ik zou graag de tijd nemen om het eens goed te doen,' zei Virgil. 'Maar met de Gleason-zaak, en met Judd...'
Ze praatten nog wat over de zaak en Virgil vroeg: 'Dus jouw ouders waren vroeger bevriend met Judd? Denk je dat jouw moeder misschien iets weet over wat er toen gebeurd kan zijn? Er moet toch iets zijn. En wie is verdomme de man in de maan?'
'Als we mijn moeder met Betsy Carlson laten praten,' zei Joan, 'kan zij het misschien uit haar krijgen.'
'Dat kunnen we doen,' zei Virgil. 'Zou ze dat voor me willen doen, denk je?'
'Vast wel. Maar ik vraag me af of ze jóú daar nog wel binnenlaten. Ze zullen het niet leuk vinden dat Betsy helemaal van streek was nadat ze met jou had gepraat.' Ze stond op, sloeg het zitvlak van haar broek af en geeuwde. 'We moeten terug voordat het donker is. En ik moet mijn lonen doen; het is morgen betaaldag.'

Virgil zette haar af bij haar huis in de stad, waar ze nog een paar minuten op de veranda stonden. Ze bood hem een kop koffie aan, maar hij wilde wat research op het net doen, en zij moest haar lonen doen. 'Heb je morgenavond iets?' vroeg Virgil. 'Misschien kunnen we naar Marshall gaan, naar een restaurant met kaarslicht en wijn.'
'Dat zou ik leuk vinden.'
'Bel je moeder,' zei Virgil. 'Vraag of ze bereid is naar Sioux Falls te gaan om met Betsy te praten.'

'Oké.' Ze keek naar de vallende avond, de huizen met de grote achtertuinen, hoorde een kind lachen, niet ver weg, en zag de eerste vuurvliegjes. 'Wat een heerlijke avond,' zei ze. 'Als het in Minnesota altijd juli was, zou je er een hek omheen moeten zetten om de mensen weg te houden.'

Virgil schreef die avond nog een stukje fictie, creëerde personages die hij Joan en Jim Stryker noemde, en zichzelf, die hij Homer noemde. Homer zag er fantastisch uit en was zwaargeschapen, wat hem misschien later in het verhaal van pas zou komen. Hij glimlachte in het licht van het beeldscherm en dacht erover na. Het moest lichtvoetig, vond hij...
Hij schreef:

Ho.er had het gevoel dat hij in de richting van de Strykers werd gestuurd. .aar als de Strykers iets .et de .oorden te .aken hadden, waaro. hadden ze Ho.er dan ingeschakeld? Ze .oesten op de hoogte zijn van Ho.ers staat van dienst als het o. het oplossen van .oordzaken ging. Als Ji. Stryker zelf de leiding had gehouden, zou hij .isschien niet herkozen worden, .aar dat was nog altijd beter dan dertig jaar cel in Bayport.
Er was over abortus gesproken, en abortus zou voor Feur natuurlijk een zwaarwegend punt zijn. Goddeloze, co..unistische fe.inisten die .et kleerhangers in onze vrouwen zaten te wroeten. Was het .ogelijk dat een of andere volgeling van George Feur de Gleasons had ver.oord, en dat hij zich tijdens een van Feurs bijeenko.sten, waar Bill Judd bij was, had versproken? Dat hij iets had gezegd wat Judd tot een op.erking of .isschien zelfs een beschuldiging had gebracht? En als dat zo was, hoe zou Ho.er die persoon dan .oeten vinden, gezien het gebrek aan concreet bewijs?
Ho.er lag op zijn bed, .et zijn handen achter zijn hoofd, nadat hij alle vier de kussens op de grond had gegooid, en dacht aan de .an in de .aan. En wie was Jerry? Jerry was daar geweest voor de .an in de .aan. En voor de seks. Als de voor.alige directeur van de posterijen niet door de stad sloop, was het dan .ogelijk dat een van de andere sekspartners over de schreef was gegaan? Ook dat kon .et religie te .aken hebben, en aangewakkerd zijn door Feur.
Anna Gleason. Wat had zij al die jaren gedaan? Was ze .et Feur het bed in gedoken? Ze waren van dezelfde leeftijd.
Virgil keek op het beeldscherm wat hij had getypt. Godverdomme, dat klotetoetsenbord van zijn laptop. De 'm' deed het ineens niet meer!
Geërgerd sloot hij de laptop af, dacht zijn gebruikelijke twee minuten aan God, daarna nog tien seconden aan waar hij in een stadje als dit een andere laptop vandaan moest halen, en viel in slaap.

8

Moonie lag op zijn rug in het gras, in de achtertuin, een stickie te roken. Hij blies een rookwolk naar de hemel, zag de maan langs het zwerk schuiven, onder de gloed van de Melkweg, en dacht na over zijn vraag.

Het aantal noodzakelijke moorden nam toe. Emotionele problemen had hij daar niet mee, maar de risico's namen evenredig toe. Moonie zag dat in. De twee moorden die nog gepleegd moesten worden, op Jerry Johnstone en Roman Schmidt, waren een erezaak, zo simpel was het. Die waren noodzakelijk en onontkoombaar, en hij had ze al veel te lang uitgesteld. Als hij ze nu niet pleegde, zouden zijn slachtoffers misschien voor altijd aan hem ontsnappen.

Moonie blies nog een rookwolk naar de hemel. Als hij deze eremoorden eenmaal had gepleegd, als het besef tot hem doordrong dat zijn taak was volbracht en hij weer met plezier aan zijn herinneringen kon denken... dan was het tijd om uit te rusten. Slapen had hij nooit goed gekund – vier uur per nacht als het meezat – en meer dan dertig jaar slaapgebrek had hem heel getergd gemaakt. Of misschien werd hij gewoon gek.

Een van de twee.

Het maakte geen verschil.

Nog twee moorden, een dringende noodzaak. Een derde moord, die op Virgil Flowers, zou noodzakelijk kúnnen worden, omdat Flowers opzettelijk angst zaaide in de stad. De mensen durfden niet meer te praten, deden hun deuren op slot, of praatten alleen met de ketting op de deur.

Misschien, heel misschien, dacht Moonie, werkten de drugs averechts. De uitvoering van de moorden was uitstekend geweest, maar nu leek de strategie niet goed. Judd had de laatste moeten zijn. Had de laatste kúnnen zijn. Moonie had hem alleen vermoord omdat hij zich niet langer had kunnen beheersen. En omdat de oude man met de dag dementer werd. Het zou geen zin hebben om hem te vermoorden als hij niet meer wist waaróm hij werd vermoord.

Best moeilijk, een meervoudige moord.

En Flowers?
Flowers zou een puur zakelijke aangelegenheid zijn; hij was te competent, vormde een gevaar.
Flowers was ook een charismatische verschijning, zoals hij midden in de nacht in een donderbui Bluestem was komen binnenrijden en bijna als vanzelf op de moord op Judd was gestuit. Daarna had hij, in plaats van echt onderzoek te doen, te wroeten, mensen onder druk te zetten en te intimideren, zich een weg door de stad... geouwehoerd, anders kon hij het niet formuleren. Hij had met iedereen gepraat, leugens verteld en verhalen opgehangen... had zelfs de receptionist van het Holiday Inn in vertrouwen genomen. En al ouwehoerend had hij onrust in de stad veroorzaakt. Golven van onrust die zich verder door Stark County uitbreidden. In plaats van te wachten totdat er iets officieels zou gebeuren, met politiewagens en teams van de forensische dienst, begonnen mensen zich dingen af te vragen, en er waren er al die naar het verleden keken...
Dat kon hij nu niet gebruiken.

Dus was de grote vraag voor Moonie, nu hij hier na zijn werk in de achtertuin lag, geholpen door zijn stickie, met de Melkweg boven hem, of hij Flowers nu moest vermoorden, en dan pas Jerry Johnstone of Roman Schmidt, of eerst Johnstone en Schmidt, en dan Flowers alleen als het absoluut noodzakelijk was.
Flowers vermoorden zou een hele klus worden. Het was moeilijk te zeggen waar hij op een bepaald moment uithing, wat inhield dat hij de plek waar hij de moord ging plegen vooraf niet kon verkennen. En hem gewoon volgen was uitgesloten, want als hij het zelf niet merkte, zou iemand anders dat wel doen.
Ergens met Flowers afspreken en hem dan vermoorden kon ook niet, want iemand zou van die afspraak op de hoogte zijn. Dat was het probleem in stadjes als Bluestem: er waren overal ogen en oren. Je kon niet gewoon ergens rondhangen zonder op te vallen en – erger nog – zonder gezien te worden door mensen die wisten wie je was en die zich afvroegen waaróm je daar rondhing. Wanneer je op straat liep, zag je de gordijnen bewegen, voelde je de blikken vanuit de huizen op je rug, loerden de honden op je vanuit de voortuin en keken ze je na.
Er bestond een oud grapje over stadjes als Bluestem: als je in je auto door de stad reed, hoefde je geen richting aan te geven, omdat iedereen al wist waar je naartoe ging...

Flowers.
Hij kon Flowers in het Holiday Inn vermoorden. Wachten tot het licht in zijn kamer uitgaat, een paar steentjes tegen de glazen schuifdeur gooien, wachten totdat hij naar buiten kijkt en hem met een geweer doodschieten. Met als enige probleem hoe hij ongezien weg moest komen. Oké, hij kon het parkeerterrein over rennen, achter de Dairy Queen langs, die dan gesloten zou zijn, het smalle straatje achter de winkels in, uit het zicht in het duister.
Mogelijk... maar er stond daar een straatlantaarn. Kon hij vooraf de lamp kapot schieten met een .22? Ja, dat kon hij doen. Maar als iemand je zag of zelfs maar een glimp van je opving, was er een kans dat iemand je lichaamsbouw of je manier van lopen of rennen herkende... De mensen wisten hier werkelijk alles van je.
Misschien kon hij Flowers ergens naartoe lokken, maar dat moest dan wel op een indirecte manier gebeuren. Flowers moest denken dat hij zelf iemand op de hielen zat, en als hij dan in de val was getrapt... BENG! En dan, daarna, zou de pleuris uitbreken en zou heel Bluestem overspoeld worden door politiemensen van BM.
Iets om over na te denken.

Johnstone en Schmidt waren een andere zaak.
Als hij die twee niet vermoordde, zou hij nooit rust vinden. Hun dood was voor hem een essentiële levensbehoefte. Johnstone zou niet moeilijker zijn dan Judd. Johnstone was een oude man met een oud, mager nekje. Een touw eromheen was genoeg. Of een mes, of een hamer. Hij hoefde zijn ogen er niet per se uit te schieten... die kon hij er ook met een mes uithalen, hoewel hij het geluid van een pistool wel heel mooi vond. Hij kon naar Johnstones huis gaan als het donker was, en zachtjes op de zijdeur kloppen. Johnstone zou zeker opendoen. Maar zou hij eerst het verandalicht aandoen? Misschien moest hij de gloeilamp losdraaien.
Johnstone woonde in dezelfde buurt waar de Gleasons hadden gewoond. Naar het huis van de Gleasons sluipen was kinderspel geweest, maar nu de atmosfeer was veranderd, zou het misschien niet zo eenvoudig zijn. Iedereen die werd betrapt terwijl hij door Bluestem sloop, het maakte niet uit waar, zou onder een vergrootglas worden gelegd. En als ze Moonie onder een vergrootglas legden, zou er in heel Bluestem niemand zijn die hem een alibi kon verschaffen, die zou zeggen: ‘Jep, we hebben samen naar de brand staan kijken.’
En als je geen alibi had, zouden ze zich in je vastbijten.

Schmidt zou in sommige opzichten gemakkelijker en in andere opzichten moeilijker worden. Ten eerste woonde hij buiten de stad. Hij hoefde zich er alleen van te overtuigen dat de Schmidts thuis waren en de tuin in te rijden, voorbij de tuinlampen, tot aan de keukendeur. Eerst Roman doodschieten en dan zijn vrouw, die oud en traag was.
Maar Roman had thuis een revolver en hij was een sterke kerel, zelfs op zijn leeftijd, dus hij moest snel gedood worden, voordat hij in de gaten had wat hem te wachten stond.
Hoewel Moonie het leuk zou vinden als hij nog een paar minuten met Roman kon praten, terwijl Roman wist dat hij ging sterven en zijn vrouw misschien al dood was, om de haat in zijn ogen te zien doven. En dan...

Als hij Schmidt eerst deed, zou Johnstone, die al een moeilijk doelwit was, een nog moeilijker doelwit worden. Iedereen zou op zijn hoede zijn. Maar Johnstone móést eraan, en hij had nog maar twee weken voordat de maan gedraaid zou zijn.

Daarna, als hij Johnstone en Schmidt had gedaan, zou het mogelijk en draaglijk zijn om zich een tijdje koest te houden voordat hij de zakelijke moorden zou plegen, één per keer... misschien met een tijdje rust ertussen. Of hij kon iets heel ingewikkelds bedenken, waardoor het zou lijken alsof ze door een ongeluk waren omgekomen.
Wanneer hij alle noodzakelijke moorden achter de rug had, zou hij dan nog kunnen stoppen? Misschien niet, maar als het er dan alleen om ging zijn moordlust te bevredigen, moorden puur om recreatieve redenen en geestelijk welzijn, kon hij die ook ergens anders plegen, als hij er de tijd voor kreeg. In Minneapolis, Des Moines en Omaha. Moorden en weg-wezen...

Huh.
Door de marihuana kon hij niet echt helder nadenken, maar het was wel lekker spul, want het gaf het huidige moment extra kleur en bracht de sterren tot leven.
Hij moest zich concentreren. Tactiek. Strategie.
Moonie blies nog een rookwolk naar de hemel, keek naar de maan, zag de vuurvliegjes hun vrolijke capriolen uithalen en dacht na, dacht na... Ten slotte plukte hij een bloem uit het overvolle bloemperk en begon hij in het licht dat uit zijn slaapkamerraam in de tuin viel een voor een de bloemblaadjes uit te trekken en liet hij God de beslissing voor hem nemen.
Johnstone, Flowers, Schmidt, Johnstone, Flowers, Schmidt...
De bloem had aardig wat blaadjes, maar bood slechts één uitkomst.

Roman Schmidt lag te slapen, maar toen de auto zijn oprit opreed, gingen zijn ogen open. Hij woonde zo ver buiten de stad dat het diverse keren per jaar voorkwam dat automobilisten zijn oprit gebruikten om hun auto te keren en terug te rijden naar de stad.

Dan streek het licht van de koplampen over zijn huis, over de gordijnen van de slaapkamer, en werd hij daar wakker van. Toen hij nog sheriff was, betekende dit meestal dat er iemand slecht nieuws kwam melden, en nadat hij was opgehouden met werken, was hij die reactie van meteen wakker worden nooit meer kwijtgeraakt.

Maar hij was nu een oude man die de slaap vaak maar moeilijk kon vatten. Dus was hij blij met de keren dat dat wel lukte en kreeg hij flink de pest in wanneer iemand hem onnodig uit zijn welverdiende slaap wekte.

In tegenstelling tot de meeste auto's, keerde deze niet om. Hij bleef doorrijden, sneller dan Schmidt gewend was, aan de banden op het grind te horen helemaal tot aan de keukendeur. Hij stak zijn hand uit en draaide het klokje naar zich toe: 1.30 uur.

Wat krijgen we verdomme nou?

Zijn vrouw kreunde en Schmidt zei: 'Ik ga wel kijken,' maar ze zei niets terug en hij vermoedde dat ze niet echt wakker was geworden. Hij stond op, trok de onderste la van zijn nachtkastje open, stak zijn hand erin, vond de .357 en hield die naast zijn been toen hij in zijn T-shirt en boxershort in het donker naar de keukendeur liep.

Er werd op de deur geklopt. Slecht nieuws. Er werd altijd zacht geklopt als ze slecht nieuws hadden. Hij dacht aan zijn zoon in Minneapolis, en zijn dochters in Albert Lea en Santa Fe. God sta me bij, dacht hij toen hij door het raampje keek en een hulpsheriff met een ernstig gezicht voor de deur zag staan. Ik krijg verdomme een hartaanval als een van mijn kinderen...

Er werd nog een keer geklopt. Hij deed het licht op de veranda aan, zag het bekende gezicht, voelde zijn hart bonzen, opende de deur en liet zijn bezorgdheid de vrije loop. 'Wat is er aan de hand?'

'Dit,' zei Moonie. De revolver kwam omhoog.

'Nee,' zei Schmidt, en Moonie schoot hem in zijn hart.

'Roman! Roman!' gilde Gloria Schmidt, tastend naar de schakelaar van het bedlampje. Ze vond die net op tijd om de loop van de revolver en het gezicht erachter te zien.

'Jij?' vroeg ze.

Moonie schoot haar één keer in het voorhoofd en ze viel achterover op het bed, hartstikke dood.

Schmidt lag op zijn rug, dood, maar hij zou in het hiernamaals nog steeds ogen hebben. Moonie deed de keukendeur dicht om het geluid zo veel mogelijk te dempen, draaide zich om en loste nog twee schoten, dwars door Schmidts halfopen ogen. Daarna deed hij de keukendeur open en luisterde.
Krekels en kikkers.
Verder niks. Hij had de tijd om het netjes af te werken.

9

Virgil hield van de vroege ochtenduren in de zomer, wanneer er nog wat kou in de lucht zat maar je kon voelen dat de warmte al over de horizon kwam. De ideale tijd om te gaan vissen. De ideale tijd om wat dan ook buitenshuis te doen.

Om iets na halfzes stond hij op, schoof de gordijnen opzij en zag het parkeerterrein met daarachter de oranje bovenste helft van de zon aan de horizon. Een blauwe lucht. Geen wolkje te zien. Uitstekend.

Hij ging op de grond zitten, deed vijftig sit-ups, daarna vijftig push-ups, trok een T-shirt, een korte broek en sportschoenen aan en liep de deur uit. Soms, in Mankato, nam hij zijn iPod mee en luisterde hij tijdens het lopen naar oude, klassieke rockmuziek zoals Aerosmith. Het probleem van joggen met muziek was echter dat je dan niet kon nadenken. Soms was dat prima. Maar vandaag moest hij nadenken.

Hij had dingen te doen, moest mensen opzoeken en plannen maken.

Teruggaan naar Sioux Falls om in het verpleeghuis nog eens met Betsy Carlson te praten. Laura Stryker, Joans moeder, meenemen, als ze wilde... om Laura zelf ook op een sluwe manier uit te horen en te zien wat hij te weten kon komen over Judd en zijn liefdesleven. Kijken of hij haar zo ver kon krijgen dat ze hem vertelde over de zelfmoord van haar man en het effect dat zijn dood op Jim en Joan had gehad.

Wat hem een licht schuldgevoel bezorgde, maar hij was tenslotte een smeris, dus meer dan licht was het niet.

Hij rende het stadje door, heen en terug langs de woonhuizen en winkels, totdat hij op zijn horloge zag dat het 6.15 uur was, wat betekende dat hij ongeveer acht kilometer had gelopen. In een rustig tempo jogde hij terug naar het hotel, trok de laatste twee straten een sprintje en kwam flink transpirerend de lobby binnen.

Hij moest nog veel meer doen: historische research in het archief van de krant, de dikke vrouw opzoeken van wie Michelle Garber, de drankzuchtige lerares, had gezegd dat ze vroeger met Judd naar bed was geweest. Een of ander excuus bedenken, hoe halfslachtig en doorzichtig ook, om Joan zo ver te krijgen dat ze nog een keer naar de farm gingen, om dan

met haar naar de hooizolder te gaan. De extra deken uit de kast van het Holiday Inn pikken om die op het hooi te leggen.
Garber had het gehad over de baas van de posterijen, die met Judd en de meisjes het bed had gedeeld, en ze had gelijk gehad: het was uitgesloten dat er iemand van buiten naar Bluestem was gekomen om de moorden te plegen. Een onbekende zou hier zeker opvallen, net als een onbekende auto die hier te vaak kwam. En een man – of vrouw – die hier terugkwam na jarenlang te zijn weggeweest, zou onmiddellijk worden herkend, en iedereen zou erover praten. Misschien zag hij iets over het hoofd, maar hij geloofde stellig dat de moordenaar zich nog geen kilometer van hem vandaan in het stadje bevond...
De douche was heerlijk. Zelfs het ontbijt smaakte hem uitstekend. Het had de start van een volmaakte dag kunnen zijn, als om 6.45 uur, toen er nog twee gebraden worstjes op zijn bord lagen, zijn mobiele telefoon niet was gegaan.

Stryker, hijgend: 'Ah, jezus christus, Virgil, we hebben er weer een. Twee!'
'Wie zijn het?'
'Roman Schmidt en zijn vrouw,' kreunde Stryker. 'Kun je hiernaartoe komen?'
'Wacht even, rustig aan. Roman Schmidt... ken ik die naam niet?'
'Hij was hier sheriff, drie sheriffs vóór mij. Dertig jaar geleden. Jezus, Virgil, heel Bluestem komt in opstand als de mensen dit horen.'
'Hoe ziet het lijk eruit?' vroeg Virgil.
'Net als het vorige. Overeind gezet met een boomtak. Het is zo verdomde... het ziet er afschuwelijk uit.'

Virgil kreeg te horen hoe hij naar het huis van de Schmidts moest rijden en legde vijftien dollar naast zijn bord. Toen hij naar de uitgang van het hotel liep, stamelde de receptionist met een bleek gezicht: 'Heb je het al gehoord?'
'O man...'

Hij liep naar buiten en stapte in zijn pick-up. Hij klapte zijn telefoon open, zocht in de telefoonlijst en drukte op een knop. Na een minuut zei Lucas Davenport, zijn baas: 'Ik hoop voor jou dat het dringend is. Dat je me verdomme niet vanuit je vissersbootje belt.'
'Luister, we hebben twee nieuwe slachtoffers,' zei Virgil.
'O man...' Davenport lag in bed, in St. Paul. 'Dezelfde dader?'
'Ja. Hij zet zijn slachtoffers rechtop in de tuin. Maar het is nog erger. Het

gaat hier om Roman Schmidt, een voormalige sheriff, en zijn vrouw. Stryker zegt dat de mensen in paniek de straat op zullen gaan. En aangezien dit het totaal op vijf brengt, zullen de media zich erop storten.'
Het bleef even stil aan de andere kant van de lijn, en toen zei Davenport: 'Ja. En?'
'En? En wat?'
'Wat kan ik hieraan doen om amper zeven uur 's ochtends?' vroeg Davenport.
'Ik ging ervan uit dat je het wilde weten,' zei Virgil.
'Ja, dat is ook zo... maar pas om halftien,' zei Davenport. 'Om zeven uur 's ochtends, nog vóór zeven uur, is het jouw probleem.'
'Bedankt,' zei Virgil. 'Hoor eens, werkt die Sandy nog steeds voor jou?'
'Parttime.'
'Kan ik haar bellen?' vroeg Virgil. 'Kan ze wat werk voor me doen?'
'Ja. Bel me na negen uur, dan krijg je haar mobiele nummer van me,' zei Davenport. 'Ze zit 's ochtends op school.'
'En de pers? Hoe pak ik die aan?'
'Trek een schoon overhemd aan, zeg dat je een aantal sporen volgt, maar dat je daar om veiligheidsredenen niet over kunt praten, dat alle staats- en lokale autoriteiten nauw samenwerken en, eh... dat je verwacht dat de zaak snel tot een oplossing zal worden gebracht,' zei Davenport.
'Bedankt, baas.'
'Virgil, ik heb je niet daarnaartoe gestuurd om de onbenul uit te hangen,' zei Davenport. 'Handel het af, regel het met de pers en meld je bij mij als alles in kannen en kruiken is. Ik volg je vorderingen via Channel Three.'

Als Virgil al een slechte ochtend had, dan had Roman Schmidt een nog veel slechtere. De moordenaar had een boomtak in de oprit gestoken en Schmidt met zijn oren aan het gevorkte uiteinde gehangen. De tak was stevig genoeg om het lijk overeind te houden, maar door de zwaartekracht was Schmidts mond opengegaan en hing zijn tong eruit. Het gezicht, de oogkassen en de mond zaten vol krioelende vliegen.
Hij zat met zijn benen gespreid en zijn penis hing uit de open gulp van zijn boxershort.
'Provocerend,' zei Virgil, die met zijn handen in de zakken van zijn spijkerbroek toekeek. 'Is de familie al op de hoogte?'
'Er is niet veel familie, voor zover we weten... misschien een paar neven en nichten. Ik weet niet eens of ze kinderen hadden.'
Virgil en Stryker stonden een meter of vijf van het lijk en Virgil zag twee sporen door het grind lopen, vanaf het huis naar de parkeerplek bij

de achterkant. 'Waar is hij vermoord?' vroeg hij.
'Net achter de achterdeur,' zei Stryker. 'De eerste kogel heeft hem laag in het hart getroffen en is een stukje hoger uit zijn rug gekomen. Volgens mij heeft de dader op de deur geklopt, is een treetje lager gaan staan toen Roman de deur opendeed, en BENG! Hartstikke dood. We weten dat hij heeft opengedaan, want de kogel is niet door de deur gegaan. Gloria was in de slaapkamer. Zo te zien lagen ze al een tijdje te slapen. Nadat de dader haar had vermoord, heeft hij Roman door zijn ogen geschoten. Er zitten twee kogelgaten in de keukenvloer, een stukje achter de deur.'
Romans lijk was gevonden door de krantenbezorger. Virgil was de vijfde politieman ter plekke. Als eerste waren er twee man van de nachtpatrouille gearriveerd, kort daarna kwam Big Curly, omdat hij maar anderhalve kilometer verderop woonde en de oproep op zijn scanner had gehoord, toen kwam Stryker en ten slotte Virgil. Er arriveerden nu meer hulpsheriffs op de plaats delict, die de tuin afzetten en het verkeer op de snelweg doorwuifden. De forensische dienst was aan de late kant, maar kon elk moment arriveren.
'Heb je sporen van verzet gevonden?'
'Nee, maar dat kan nog gebeuren,' zei Stryker. 'We hebben wel even binnen gekeken, maar ik heb vrijwel meteen iedereen naar buiten gestuurd om te voorkomen dat er sporen worden gewist.'
Big Curly kwam aanlopen. 'Ik heb overgegeven,' zei hij.
'Gaat het?' vroeg Virgil.
'Ik heb ze mijn hele leven gekend,' zei Big Curly. 'Ze woonden drie huizen verderop in de straat waar ik ben opgegroeid. Vijftig jaar lang heb ik Roman en Gloria elke dag gedag gezegd.'
'Ga even ergens zitten en neem een kop koffie,' zei Virgil. 'Zolang de forensische dienst er nog niet is, kunnen we toch niet veel doen.'
'Oké,' zei Big Curly. Hij wilde weglopen, draaide zich weer om en zei: 'Weet je, Jim, Roman hield van zijn wapens. Een la van zijn nachtkastje stond open. Ik durf te wedden dat hij daar een handwapen bewaarde. En als er 's nachts iemand heeft aangebeld, toen hij al lag te slapen, weet ik zeker dat hij het bij zich heeft gestoken toen hij naar de deur liep. Het kan zijn dat de moordenaar het heeft meegenomen.'
Stryker knikte en Virgil zei: 'Goed gezien.'
Curly liep weg en Virgil vervolgde: 'Jullie gaan ervan uit dat de moordenaar een man is, hè?'
Strykers wenkbrauwen gingen omhoog. 'Denk jij dan dat het een vrouw is?'
'Ik had het nog even opengelaten. Het zijn allemaal oude mensen en die

wegen niet veel, maar ze zijn wel versleept. Ik denk dat jullie gelijk hebben... dat het een man is.'
'Maar...?'
'Een sterke vrouw zou ze kunnen verslepen, zolang ze niet bang hoefde te zijn dat ze ze pijn doet, en dat hoefde ze niet, want ze waren al dood. Maar neem nu eens iemand van Schmidts generatie. Hij staat op, pakt zijn wapen, loopt naar de deur, ziet wie het is, herkent hem, doet open en wordt doodgeschoten.'
Stryker keek hem verbaasd aan. 'En een vrouw zou dat niet kunnen doen?'
'Jawel... maar Roman zou de deur niet hebben opengedaan terwijl zijn geval half uit zijn onderbroek hing. Die zou gezegd hebben: "Wacht, ik trek even iets aan", en zou dan zijn broek hebben aangetrokken en daarna pas de deur hebben opengedaan.'
Stryker bleef hem enige tijd aankijken en zei toen: 'Soms vermoed ik dat je slimmer bent dan ik.'
'En een betere honkballer,' zei Virgil. 'Maar we komen er niet veel verder mee dan bij wat jullie al aannamen. Daar schieten we niet veel mee op.'

'Over opschieten gesproken,' zei Virgil, 'heb je al iets van Jesse gehoord?'
Even verdween het onderwerp Roman Schmidt uit Strykers gedachten. 'Vuile schoft, je hebt in mijn liefdesleven zitten wroeten.'
'En?' Zoals Davenport.
'Het wordt zeer gewaardeerd.' Stryker wilde in lachen uitbarsten, herinnerde zich waar hij was en hield zich in. 'Ze belde me gisteravond op en zei: "Jimmy, wil je nog een kansje met me wagen?" en ik zei: "Ja", of zoiets. Of ik mompelde maar wat, maar waar het op neerkomt is dat ik vanavond met haar naar Tijuana Jack's zou gaan.'
'En dat gaat nu niet door?'
'Natuurlijk gaat het niet door,' zei Stryker, met een zijdelingse blik op Schmidt. 'Als ik vanavond met haar uit zou gaan, en iemand van hier zou me zien, dan ben ik er geweest, politiek gezien. Dat zou het einde van mijn baan betekenen. De mensen verlangen van me dat ik vierentwintig uur per dag door de stad rij en op zoek ben naar de moordenaar van Roman.'
Virgil keek om zich heen, overtuigde zich ervan dat niemand hen hoorde en zei: 'Dat is gelul, Jim. Niet dat ze dat niet zullen denken, maar jij vindt de moordenaar heus niet als je de hele nacht door de stad gaat rijden. Wil je een goede raad van me?'
Stryker haalde zijn schouders op. 'Hangt ervan af.'
'Ga met haar naar Brookings. Of naar Marshall. Dat is ongeveer een uur rijden. Dan hebben jullie de tijd om met elkaar te praten. Vertel haar

meteen hoe de vork in de steel zit, waarom jullie zo ver weg gaan. Ze maakt een heel intelligente indruk, dus ze zal het zeker begrijpen. En ze zal inzien dat jij een risico voor haar neemt.'
'Ik zal erover nadenken,' zei Stryker.
'En wees niet te aardig voor haar,' zei Virgil. 'Ze houdt van een ruw randje. Combineer aardig met een stukje sheriffhardheid.'
'Doe jij het zo met Joanie?'
'Joanie en ik opereren op hoog niveau,' zei Virgil. 'Jij niet. Dus doe wat ik zeg.' Hij keek om naar Schmidt, die met die vork achter zijn oren in het grind zat. 'Is dit niet het meest gestoorde wat je ooit hebt gezien?'
'Als ik die klootzak vind, schiet ik hem dood,' zei Stryker.
'Goed zo, jongen,' zei Virgil. 'Laad je maar op.'

Kort daarna zei Virgil: 'Ik ga terug naar de stad. Zodra ik van de forensische dienst naar binnen mag, wil ik het weten. Misschien kunnen we iets vinden wat verklaart wat er aan de hand is. Als er iets is, zal het op papier staan. Ik denk niet dat onze man DNA achterlaat.'
'Wat ga je doen?'
'Historische research,' zei Virgil.
Hij reed terug naar de stad, parkeerde de pick-up, pakte het koffertje met zijn laptop en liep naar het kantoor van de krant. Er zat een briefje op de binnenkant van de ruit van de deur geplakt: BEN OP REPORTAGE, STRAKS TERUG. Het zag eruit alsof het in grote haast was geschreven. Hij was Williamson waarschijnlijk voorbijgereden toen hij terugreed naar de stad en de journalist op weg was naar het huis van de Schmidts.
Geërgerd rammelde hij aan de deurknop en tot zijn verbazing gaf die mee. Hij had even een visioen van Williamson die op zijn rug op de vloer van de redactie lag, met twee bloederige gaten op de plek waar zijn ogen hadden gezeten. Hij deed de deur open; er was niemand. Hij moest echt die dossiers bekijken...
Hij deed de deur achter zich dicht, trok het briefje eraf en liet het op de grond vallen. Nee, hij had geen briefje gezien, en de deur was open. Op de counter lag een stapel nieuwe kranten, met een geldbusje ernaast. De kop op de voorpagina luidde: NIEUWE CLAIM ERFENIS JUDD.
Dat zou wel een paar kranten verkopen, dacht Virgil.

In het archief pakte hij de knipseldossiers van alle namen die hij tot nu toe had: de Judds, de Gleasons, de Schmidts, de hele familie Stryker, de Laymons en George Feur.
Judds vrouw had Linda geheten, en toen ze was overleden, in 1966, was

dat hét nieuws van de week geweest, op de voorpagina in een 72 punts kop. Ze was met spoed naar het ziekenhuis gebracht, meldde het artikel, maar was bij aankomst dood verklaard door een arts die Long heette. Er was een autopsie gedaan en vastgesteld dat de doodsoorzaak een verwijding van de aorta was. Het knipsel over de autopsie meldde dat de lijkschouwer, Thomas McNally, had verklaard dat: 'toen de verwijding tot een scheuring had geleid, er geen redden meer aan was. Ze is binnen een minuut of twee doodgebloed.'

Judd was omschreven als 'van streek'.

Dat was een iets ander verhaal dan wat Margaret Laymon hem had verteld, die het als een hartaanval had beschreven, maar het kwam dicht genoeg in de buurt.

Hij las verder in het dossier van Judd, maar na de dood van Linda Judd bevatte het vooral zakelijk nieuws, tot aan het schandaal met de jeruzalem-artisjok.

Hij zette de la terug en begon aan die van Roman Schmidt, die nog meer knipsels had dan Judd senior, en vond een paar links met Russell Gleason. Gleason had af en toe opgetreden als lijkschouwer, wisselde de functie blijkbaar af met Thomas McNally. Het was niet ongebruikelijk in kleine stadjes, wist Virgil, dat de plaatselijke artsen deze functie om de beurt onbetaald voor hun rekening namen.

Roman Schmidt en Gleason hadden samengewerkt in vijftien tot twintig verkeersongelukken, bij een ongeluk waarbij iemand in het jachtseizoen per ongeluk was doodgeschoten, bij een man die door een hert was gedood, oude mensen die dood in hun huis waren aangetroffen, diverse verdrinkingsdoden en omgekomen kinderen, een 'wonderbaby', een kind dat met zijn arm in een dorsmachine terecht was gekomen en was doodgebloed, en diverse andere gruwelijke ongelukken op farms, waaronder een man die in tweeën was gespleten door de band van een tractor die over hem heen was gereden.

Maar Virgil kwam in geen van deze knipsels Judds naam tegen.

Het dossier van de Laymons had hij al doorgenomen, maar hij vond nergens iets wat erop wees dat Margaret Laymon een verhouding met Judd had gehad. Garber, de drankzuchtige lerares, had helemaal geen dossier, tot Virgils verbazing, en Betsy Carlson, Judds schoonzus, evenmin. Zou er niet ergens een artikel over haar moeten zijn van toen haar zus was overleden? Zij was daar immers getuige van geweest. Of misschien was het zoals Williamson had gezegd, dat alleen de belangrijkste namen waren bewaard, en dat zij gewoon niet belangrijk genoeg was geweest? Dat moest hij Williamson vragen, want een beetje vreemd was het wel.

Het Stryker-dossier was behoorlijk groot. Er was uitgebreid verslag gedaan over de zelfmoord van Mark Stryker, maar daarin werd vooral gesproken over het gezin Stryker van voor Marks dood. Over Laura Stryker stond vermeld dat ze als kantoormanager bij State Farm had gewerkt. Virgil zocht het dossier van State Farm Verzekeringen op en las dat het regiokantoor eigendom van Bill Judd senior was geweest.
Hm. Daar had niemand iets over gezegd. Hij kon uit de knipsels niet opmaken wanneer ze daar was begonnen, of wanneer ze er was weggegaan...

Het was warm en benauwd in het archief, en na een tijdje leunde Virgil achterover in zijn stoel en deed zijn ogen dicht. Hij wekte Homer en schreef in gedachten een stukje fictie.

Laura Stryker rolde weg van Bill Judd, allebei nahijgend van de seks en glanzend van het zweet, zwaaide haar benen uit bed en zette haar voeten op de grond. Ze twijfelde er niet meer aan: haar leven met Mark was oersaai. Aardige man, maar niet waar zij behoefte aan had. 'Ik ga het hem vertellen,' zei ze terwijl ze haar slipje aantrok.
'Ah, doe dat nou niet. Je weet dat dit niet eeuwig zal duren. We vermaken ons gewoon een beetje, schatje.'
'Dit heeft niets met jou te maken, Bill. Het gaat nu eens om mij, en ik ga het hem vertellen...'

Nieuwe poging.

Mark Stryker, in de keuken, trillend van woede en onmacht. 'Ik pik het niet langer! Ik heb in mijn leven al veel te veel geslikt. Maar dít pik ik niet. Ik ga het tegen de kinderen zeggen, tegen je ouders, tegen iedereen die het maar wil horen. Je gaat niet alleen bij mij weg, maar je vertrekt ook uit Bluestem. Want ik ga ervoor zorgen dat je niet meer normaal over straat kunt lopen...'
'Ik had dit op een beschaafde manier...'
'Beschaafd, mijn reet!' riep Mark Stryker, met een schrille stem van woede. 'Dit is de laatste keer dat je de kinderen te zien krijgt. We hebben hier op de farm geen behoefte aan hoeren...'
Hij draaide zich om, liep naar buiten en riep achterom: 'Ik weet wat je hebt gedaan, vuile hoer. Ik wist het al lang...'
Laura voelde zowel woede als angst in zich oplaaien, want ze had niet aan de kinderen gedacht. Mark was buiten, stond over de heg naar de heuvel

te staren, nog steeds buiten zinnen van woede. Het pistool was onder handbereik, in de la van het aanrecht, achter de handdoeken, en de clip in de la ernaast. Het kostte nauwelijks tijd om de clip in de kolf te slaan en de slede achteruit te trekken... Het pistool voelde warm aan in haar hand, en Mark was in de tuin...

'Ik heb hem vermoord... ik weet niet wat ik moet doen. Ik heb hem doodgeschoten in de tuin.'
'Jezus christus, Laura...'
'Je moet me helpen.' Ze huilde niet maar was volledig de kluts kwijt. 'Je móét zeggen dat het zelfmoord was. Ik wil de kinderen niet kwijt...'
'Jezus christus, Laura...'
'Je belt Russ Gleason en zegt tegen hem... Ik weet het van zijn abortuspraktijken... Je zegt tegen hem dat Mark zelfmoord heeft gepleegd...'

Virgil geeuwde en deed zijn ogen open. Fictie. Maar het verhaal was geboren en begon zelfs ergens op te lijken... Het bracht in elk geval de doden bij elkaar.
En toen dacht hij: als het nu eens niet om de mannen ging, maar om hun vrouwen? Stel dat Gloria Schmidt en Anna Gleason met Judd naar bed waren geweest, dat iemand hen nu ging vermoorden, en dat hun mannen waren vermoord, door de ogen waren geschoten om te symboliseren dat ze blind waren geweest, of bereid waren geweest de andere kant op te kijken... En als Laura Stryker nu eens niet de dader was, maar het volgende slachtoffer?

Twee uur lang zat hij in het archief, aantekeningen in zijn laptop te typen en na te denken. Om de paar minuten hoorde hij de buitendeur opengaan, een muntje in het geldbusje vallen en de deur weer dichtgaan. Eén keer hoorde hij wel de deur open- en dichtgaan maar geen muntje vallen, en was hij bijna het archief uit gerend om te zien wie er een krant pikte, maar hij was toch maar bij zijn knipsels gebleven.
Toen hij klaar was, wist hij veel meer dan toen hij was begonnen, hoewel geen nieuwe dingen die hij direct met de moorden in verband kon brengen. Het was mogelijk dat iedereen had geweten dat Judd met de vrouwen van Bluestem in bed dook, en soms met wel meer dan een, maar de krant had het nooit gehaald.
Het kostte hem tien minuten om alle knipsels weer in de enveloppen te doen en zijn laptop af te sluiten. Daarna liep hij het kantoorvertrek in, raapte het briefje van de vloer, plakte het weer op de ruit en ging naar buiten.
Laura Stryker.

Hij belde Joan. 'Heb je het gehoord van Roman Schmidt?'
'Ja.' Haar stem klonk gedempt. 'Virgil, dit is afschuwelijk. Helemaal los van het feit dat Jim zijn baan gaat kwijtraken, is dit een afschuwelijke zaak.'
'Nou, als we de dader pakken, blijft Jim misschien wel aan,' zei Virgil.
'Dat zal dan snel moeten gebeuren,' zei ze. 'Heb je al enig idee?'
'We hadden het erover dat we met je moeder naar Sioux Falls zouden gaan. Denk je dat we dat nu kunnen doen?'
'Ik zal haar bellen. Wil je dat ik meega?'
Hij aarzelde even en zei: 'Als je dat wilt.'
'Ik ga haar nu bellen. Over twee minuten bel ik je terug.'

Laura was graag bereid om mee te gaan. Virgil reed naar Joans huis en belde aan. Ze deed meteen open. 'Ik kom net thuis,' zei ze. 'Ik was op de farm. Ik wil even iets aantrekken wat niet naar aarde ruikt. Misschien is er nog tijd voor een snelle douche. Ik heb tegen mijn moeder gezegd dat we over twintig minuten bij haar zijn.'
'Ik wil met alle plezier je rug wassen,' zei Virgil.
'Goed idee,' zei ze. 'Ik kan nooit bij dat ene plekje in het midden, dus dat is al acht jaar vuil.'
'Wat is er acht jaar geleden dan gebeurd?'
'Toen ben ik getrouwd,' zei ze.

Ze liep de gang in, naar de slaapkamer aan de achterkant, en riep: 'Er staat cola in de koelkast en er is oploskoffie, die je in de magnetron kunt zetten.'
Virgil rommelde wat in de keuken, keek om zich heen en deed de koelkast open. Ze was geen veelvraat, dat was duidelijk. Ze had ongeveer drie messen in huis en wat er in de koelkast lag, zag eruit alsof het er al weken lag. Hij hoorde een deur dichtgaan; die van de badkamer? Hij pakte een cola en liep de woonkamer in. Een open deur gaf toegang tot wat vroeger waarschijnlijk een kleine eet- of tv-kamer was geweest, die nu was ingericht als kantoortje, met een bureau, een computer en een paar archiefkasten. Hij zag familiefoto's aan de muur hangen, en liep de kamer in om ze te bekijken. Op twee foto's stond dezelfde slanke man met een geruite broek en Virgil ging ervan uit dat het haar vader was.
Dan hadden zij en Jim waarschijnlijk meer van Laura, want Mark Stryker was een tengere man, hoewel hij wel hetzelfde lichtblonde haar als zijn zoon en zijn dochter had...
Virgil trok een la van de archiefkast open, luisterde of hij voetstappen of iets anders hoorde, keek in een paar hangmappen – alleen zaken en belastingen – en schoof de la weer dicht.

Niet te nieuwsgierig worden, zei hij tegen zichzelf. Dat gaat te ver. Hij liep de woonkamer weer in, hoorde een deur opengaan en toen: 'Hé! Kom je mijn rug nog wassen of hoe zit het?'

Zijn hart begaf het bijna.
Hij zette zijn cola neer, liep de gang in en zag haar hoofd met het natte haar, dat weer achter de deurpost van de badkamer verdween. Tegen de tijd dat hij daar aankwam, stond ze al weer onder de douche.
Virgil opende de deur en daar was ze, met haar rug naar hem toe, net als haar op twee na lekkerste kontje van heel Minnesota, of – bij nader inzien – van de hele Great Plains. 'O mijn god,' zei hij.
'Alleen mijn rug.'
'Alleen je rug, mijn lieve...'
'Alleen mijn rug,' zei ze weer. 'Jij bood het aan en ik maak gebruik van je aanbod.'
'Als je...'
'Niet de douche binnenkomen, Virgil Flowers,' zei ze. 'Dan word je helemaal nat. We moeten over een kwartier bij mijn moeder zijn en dan weet ze dat we hebben gerotzooid.'
'Geef me de zeep en draai je om,' zei Virgil.
Hij waste haar van water glanzende rug en haar op twee na mooiste kontje, zakte door zijn knieën en begon aan haar benen, een voor een, van onder naar boven, terwijl zij zich vasthield aan de chromen handgrepen, en toen hij klaar was, greep hij haar vast, draaide haar om, kuste haar en zei: 'Fuck je moeder.'
'Nee, niet mijn moeder!' riep ze. 'Niet mijn moeder!'

Twintig minuten te laat waren ze op weg naar Laura Stryker, met alle raampjes van de pick-up open. Joan zei dat ze de geur van seks van zich af moesten laten waaien.
'Het had van mij nog wel wat later mogen worden,' zei Joan.
'Twaalf minuten geleden klaagde je anders niet,' zei Virgil. 'Tenzij het jouw manier was om om hulp te roepen.'
'Wees vooral niet te trots op jezelf,' zei ze. 'Ik heb er lang genoeg op moeten wachten. Zo lang dat zelfs Bill Judd junior een goede kans had gemaakt.'
Virgil boog zich naar haar toe. 'Dan is het maar goed dat we niet langer hebben gewacht.'
Daar moest ze om lachen. Ze duwde hem weg en zei: 'Maar de volgende keer doen we het op de langzame manier.'

Toen ze uit de pick-up stapten zei Joan: 'Blijf jij hier wachten, maar laat de portieren open staan. We moeten het een beetje laten doortochten; anders ruikt mijn moeder misschien iets.'
'Jezus, Joanie, je bent een volwassen vrouw.'
'Het is mijn moeder.'
Dus liet hij de motor lopen en de portieren open, ging in de zon staan en maakte een paar kniebuigingen terwijl Joanie haar moeder ging halen. Na een paar minuten kwamen ze de veranda op en draaide Laura de voordeur op slot.
Laura was een knappe vrouw voor haar leeftijd, net zo slank als haar dochter en met zorgvuldig gekapt en gekleurd haar. Als hij zich Joanie vijfentwintig jaar ouder voorstelde en hij moest uit vijf moeders kiezen, zou hij het in één keer goed hebben.
Laura ging op de achterbank zitten. 'Leuk om kennis met je te maken, Virgil.' Joan ging voorin zitten, draaide zich om en zei: 'Het is voor het eerst dat ik jou de voordeur op slot zie doen.'
'Iedereen doet het,' zei Laura. 'Zelfs voor Janet doe ik 's avonds niet meer open, niet totdat de moordenaar is gepakt.'
'Janet is haar beste vriendin,' zei Joan tegen Virgil, en tegen Laura: 'Over Janet hoef je je geen zorgen te maken, denk ik.'
'Er wordt gezegd dat die vermoorde mensen de dader waarschijnlijk kenden. Wat denk jij daarvan, Virgil?'
Virgil knikte. 'Dat denk ik ook.'

Ze reden de I-90 af tot aan de afslag naar het westen, en praatten over de moorden. Virgil vertelde over de moord op Roman Schmidt en de neiging van de dader om zijn slachtoffers tentoon te stellen.
'Waar kijken ze naar?' vroeg Laura. 'Ze moeten toch ergens naar kijken.'
'Gleason zat in zijn achtertuin en keek naar de heuvel,' zei Virgil. 'En Schmidt zat op zijn oprit en keek naar de straat. Niks speciaals dus.'
Een minuut later vroeg Laura: 'Maar in welke richting waren ze gekeerd? Als Roman naar de straat keek, zat hij naar het oosten gekeerd, en als Russell naar de heuvel keek, keek hij ook naar het oosten. Klopt dat?'
Virgil dacht erover na, probeerde zich te oriënteren en zei: 'Ja, dat is waar.'
'Ze zijn 's nachts vermoord, dus misschien zijn ze zo neergezet om de zon te zien opkomen?' zei Laura.
'Maar wat kun je daaruit opmaken?' vroeg Joan. 'Dat we met een of andere godsdienstwaanzinnige te maken hebben?'

'Die Feur...' zei Laura. 'Jezus is met zonsopgang uit de dood herrezen. Misschien heeft het daarmee te maken. En in de Bijbel is het oosten een belangrijke richting.'
'Hm,' zei Virgil. 'Maar Judd is verbrand. Wat betekent dat dan? Het hellevuur?'
'We hebben het over een gestoorde,' zei Joan. 'Ik denk niet dat dit soort aanwijzingen je veel verder zullen helpen. Hij vermoordt mensen omdat hij gestoord is.'
'Het is wel interessant om over te praten,' zei Laura.

Ze spraken over de Laymons. Binnen vijf minuten nadat de eerste persoon een krant had gekocht, had de hele stad het geweten. 'Margaret Laymon,' zei Laura. 'Ik weet niet of Bill haar zwanger heeft gemaakt, maar het zou me niet verbazen. Margaret was een wilde toen ze jong was. Vroeg of laat moest ze een keer in verwachting raken.'
'Hadden ze de pil toen nog niet?'
'Jawel, maar... ik weet het niet. Misschien wilde ze een kind, en wilde ze dat Bill de vader zou zijn. Vrouwen doen soms rare dingen.'
'Als jij het zegt,' mompelde Virgil, 'aangezien je er zelf één bent...'

Ze reden de grens met South Dakota over en Virgil vroeg: 'Was Betsy Carlson iemand die op de een of andere manier aanzien genoot? Voordat ze hier kwam wonen, bedoel ik.'
'Mijn god, ja. Haar ouders waren steenrijke kolonisten. Ze waren eigenaar van grote stukken land langs de spoorweg en van een van de banken, in elk geval voor een tijdje. Betsy's leven was één groot feest toen ze jong was. Iedereen was enigszins verbaasd toen Bill Judd met haar zus trouwde in plaats van met haar.'
'Het gerucht gaat dat hij niet echt met haar hoefde te trouwen om te krijgen wat hij wilde,' zei Virgil. 'Zoals ze vroeger zeiden: "Waarom een koe kopen als je de melk gratis krijgt?"'
'Daar zit iets in,' zei Laura. 'In die tijd waren de mensen geneigd de andere kant op te kijken. Heb je met meer mensen gesproken... eh, in relatie met Bill Judd?'
'Een paar,' zei Virgil. 'Met Margaret Laymon, natuurlijk. En met een vrouw die tegenwoordig ergens anders woont. Ik heb een lijst die ik afwerk.'
'Nou, hoest eens een paar namen op,' zei Joan.
'Ach, dat wil je niet weten,' zei Virgil. 'Trouwens, ik kan je geeneens namen noemen, zelfs als ik het wilde. Die staan allemaal in mijn notitieboekje, en dat ligt in het hotel.'

Hij ving Laura's blik op in de achteruitkijkspiegel. Ze zat naar hem te kijken met een flauwe glimlach om haar mond.
'Waar ik eigenlijk naartoe wilde,' zei Virgil, 'is de vraag: waarom zijn er helemaal geen krantenknipsels over Betsy Carlson? Ik heb in het archief van de krant gezocht maar heb er niet één gevonden.'
Na een korte stilte zei Laura: 'Nou, dat is vreemd. Ze was lid van elke club in de stad, zat in het bestuur van de meeste ervan. Er moeten wel honderd krantenberichten over haar zijn.'

De zaalverpleegster van verpleeghuis Grunewald was niet blij Virgil weer te zien en viel meteen tegen hem uit. 'Betsy was helemaal in de war nadat u was geweest. Ze is nog steeds niet de oude. Ze heeft geprobeerd te lopen, maar daar zijn haar benen te zwak voor. We zijn hier om onze gasten te beschermen, en u maakt haar veel te veel van streek.'
'Dat spijt me zeer,' zei Virgil, zonder veel berouw. 'Maar we zitten met een nogal uitzichtloze zaak in Bluestem. Er zijn vannacht nog twee mensen vermoord en we denken dat we de oorzaak moeten zoeken in de tijd dat Betsy daar woonde. Dus kunnen we niet anders en moeten we nog een keer met haar praten.'
De verpleegster liet haar afkeuring duidelijk blijken, maar toen ze hen naar Betsy Carlson had gebracht, had de oude vrouw geen idee wie Virgil was. In plaats daarvan keek ze belangstellend naar Laura Stryker, en toen Laura zei: 'Hallo, Betsy,' antwoordde ze met trillende stem: 'Laura?'
'Ja, ik ben het,' zei Laura.

Ze trokken alle drie een stoel bij en terwijl de verpleegster van enige afstand bleef toekijken, begon Laura met Betsy te praten over de goeie ouwe tijd in Bluestem, toen ze nog op Buffalo Ridge speelden. Betsy was ouder dan Laura, dus ze hadden niet met hetzelfde clubje opgetrokken, maar ze kenden elkaar wel.
Betsy's herinneringen kwamen en gingen, waren nu eens scherp en dan weer vaag. Na een tijdje zei ze opeens: 'Ik herinner me dat Mark stierf. Wat een nare dag was dat.'
'De afschuwelijkste dag van mijn leven,' zei Laura. Haar blik ging naar Joan. 'Ik vond het zo erg voor de kinderen. Jim was er slecht aan toe, maar Joanie... ik was bang dat ze het niet zou overleven. Of dat ze gek zou worden...' Ze slikte de rest van haar woorden in, besefte dat het niet erg netjes was om dit te zeggen tegen degene bij wie ze op bezoek waren.
Betsy's hoofd wiebelde alle kanten op en haar blik dwaalde in het rond, maar toen keek ze Virgil opeens aan en vroeg: 'Heb je de man in de maan gevonden?'

Virgil glimlachte en zei: 'Ik heb wel gezocht, maar ik heb nog niks kunnen vinden. Ik zou hem misschien kunnen vinden als ik een naam had.'
Ze schudde haar hoofd en Virgil voelde aan dat ze weer wegzakte. 'Hij heeft geen naam. Niet dat ik weet, in elk geval. Ze hadden hem weggehaald, maar hij is teruggekomen. Ik heb hem gezien.' Ze schudde haar hoofd weer, bleef enige tijd zwijgen en zei toen: 'Je moet niet naar zijn hele gezicht kijken. Alleen vanaf zijn ogen tot aan zijn kin, in dit ronde vlak.' Ze bracht haar trillende hand naar haar gezicht, zette haar vingertoppen op haar voorhoofd en beschreef een cirkel, langs haar ene wenkbrauw, over haar wang, onder haar mond door en weer omhoog, tot het midden van haar voorhoofd. 'Je kunt hem alleen zien als je hier kijkt. De man in de maan.'
'Kent u iemand die Bill kwaad zou willen doen?' vroeg Joan.
De oude vrouw bleef Joan even aankijken en begon bijna te giechelen. 'Wie niet, dát kun je je beter afvragen.'
Ze drongen nog wat aan maar veel zinnigs kwam er niet meer uit. Ze wachtten om te zien of ze zich zou herstellen, maar Betsy was al in slaap gevallen.

'Verdomme,' zei Virgil toen ze op het parkeerterrein liepen. 'Ze weet niet hoe hij heet, maar wel dat hij hier is. De man in de maan.'
'Wat ga je nu doen?' vroeg Joan.
'Terug naar Bluestem. Kijken hoe ver ze bij de Schmidts zijn. Misschien... misschien bij de rechter langs voor een gerechtelijk bevel om Judds bankgegevens in te zien. En die van de Gleasons en de Schmidts.'
'En van de Strykers?' vroeg Laura.
'Ik heb twee van de Strykers van mijn verdachtenlijst geschrapt,' zei Virgil toen ze in de pick-up stapten.
'Welke twee?' vroeg Joan.
'Lastige vraag,' zei Virgil.

Op de terugweg probeerde hij Laura uit te horen over de seksuele en zakelijke relaties in de stad in de periode dat Schmidt sheriff was en Gleason als lijkschouwer optrad.
'Denk je dan niet dat het gaat om het schandaal met de jeruzalemartisjok?' vroeg Joan. 'Dat is hier altijd hét gespreksonderwerp geweest.'
'Als Gleason en Schmidt niet de slachtoffers waren geweest, misschien wel. Maar met die twee... wat ik heb begrepen is dat ze allebei een vooraanstaande functie in de stad hadden, en dat het sympathieke kerels waren, en ik geloof niet dat iemand Russell Gleason verwijt dat hij iets met dat

artisjokkengedoe te maken heeft gehad.' Hij keek in de achteruitkijkspiegel. 'Jij wel?' vroeg hij aan Laura.
Ze schudde haar hoofd. 'Het is nooit bij me opgekomen dat hij er iets mee te maken kon hebben gehad, en wij Strykers zaten er dicht bovenop, kun je wel zeggen. Nee, ik denk niet dat dat het is.'
'Dit komt voort uit gekte,' zei Virgil, 'en gekte is meestal niet iets wat jarenlang blijft broeien voordat het naar de oppervlakte komt. Het moet iets anders zijn, iets met seks, geweld of bedrog, een of andere verbittering die jarenlang is onderdrukt en nu pas tot uiting is gekomen. Ik zat te denken dat het misschien... dat het iets homoseksueels is geweest, dat Judd zich in het verleden aan iemand heeft opgedrongen, een jongen die zelf niet gay was maar die moest doen wat hem verteld werd, die ertoe werd gedwongen, en dat dat hem na al die jaren tot waanzin heeft gedreven. Maar mijn... bronnen zeggen niet dat zoiets ooit heeft plaatsgevonden.'
Laura zat hem op te nemen via de achteruitkijkspiegel, maar ze zei niets. Toen ze bij haar huis aankwamen stapte ze uit, deed het portier dicht, liep om de voorkant van de pick-up heen en gebaarde Virgil met haar hand dat hij het raampje open moest doen. 'Waar jij naar vroeg, is nooit gebeurd,' zei ze. 'Absoluut niet.'
'Waar heb je het over?' vroeg Joan aan haar moeder.
'Virgil weet waar ik het over heb,' zei Laura, waarna ze zich omdraaide en de treden van de veranda op liep.

'Waar ging dat in hemelsnaam over?' wilde Joan weten toen ze naar haar huis reden.
'Over het schrappen van de Strykers als verdachten.'
'Wat?'
Virgil zuchtte. 'Ze heeft me verteld dat ze geen verhouding met de oude Judd heeft gehad, en dat dat, in het verlengde daarvan, dus niet de reden is geweest dat je vader een eind aan zijn leven heeft gemaakt, dus dat geen van de Strykers, met name Jim, een reden had om hem te vermoorden. Of de anderen te vermoorden.'
Verbijsterd keek ze hem aan. 'Mijn god, Virgil, waar ben je mee bezig geweest?'
'Ik luister naar wat er wordt verteld,' zei Virgil. 'Er ging een gerucht dat je moeder en Judd iets met elkaar hadden in de tijd dat je vader zelfmoord pleegde. Ze werkte op een verzekeringskantoor waarvan Judd de eigenaar was. Als zij zegt dat ze geen verhouding met hem had, geloof ik haar. Ik denk niet dat ze erover liegt, gezien de ernst van de situatie, met al deze moorden, niet als ze zou menen dat het verschil zou maken als ze het toegaf.'

‘Natuurlijk liegt ze niet,’ zei Joan boos.
Virgil schudde zijn hoofd. ‘Je weet nooit wat mensen doen als het op hun reputatie aankomt. Maar als zij zegt dat het niet waar is, geloof ik haar.’
‘Ik kan bijna niet geloven dat je haar daarvan verdacht,’ zei Joan.
‘Ik verdacht haar ook niet, niet echt,’ zei Virgil, opnieuw zonder veel berouw. ‘Ik doe alleen onderzoek.’

10

Joan vroeg hem niet binnen toen ze bij haar huis stopten. Ze was niet echt kil tegen hem, concludeerde Virgil, maar ze dacht na, over hem, over haar moeder, over Jim en over haar vader.

Nadat hij haar had afgezet belde hij Davenport in St. Paul, kreeg het mobiele nummer van Sandy, de researchmedewerker, en kreeg haar aan de lijn terwijl ze van de universiteit naar huis liep.

'Ik heb massa's fotokopieën nodig,' zei hij tegen haar. 'Ik heb de belastinggegevens nodig van een heel stel mensen. Heb je een pen? Oké, daar gaan we: William Judd senior, William Judd junior, de hele familie Stryker...' Hij spelde de naam voor haar. '... te weten: Mark, Laura, Jimmy en Joan, van het echtpaar Roman en Gloria Schmidt, het echtpaar Russell en Anna Gleason, en van Margaret en Jessica Laymon, moeder en dochter. Al deze mensen wonen in Stark County, de meesten in Bluestem, alleen de Laymons wonen in Roche. R-O-C-H-E. Kun je dat voor me regelen?'

'Ja. Wil je dat ik de namen ook bij andere instanties check, openbare veiligheid en zo?'

'Graag. Alles wat je over deze mensen kunt vinden. Stop alles in een FedEx-doos en laat die bezorgen bij het Holiday Inn in Bluestem, morgen als het kan.'

'Dat ga ik niet redden,' zei ze. 'Hoe ver ligt Bluestem van hier?'

'Vier uur rijden.'

'Ik zal ervoor zorgen dat je het krijgt, hoe dan ook,' zei ze. 'Lucas weet vast wel iets.'

Terwijl Virgil met Sandy in gesprek was, reed hij het parkeerterrein van het stadhuis op. Hij klapte zijn telefoon dicht, liep naar binnen, ging langs bij de districtsrechter, vertelde hem wat hij nodig had en reed naar het huis van de Schmidts.

Het was een warme dag, zo warm dat de bladeren van de bomen zich van de zon af hadden gekeerd, waardoor ze in het briesje een zilveren glans hadden. Toen hij langs de velden reed, zag de mais eruit alsof die elk moment in popcorn kon veranderen.

Schmidts lijk was afgevoerd, maar pas nadat een persfotograaf uit Sioux

Falls, die zich met een zestig centimeter lange telelens en een statief in het maisveld aan de overkant van de straat had verstopt, er diverse foto's van had gemaakt, totdat hij werd betrapt en ze snel een patrouillewagen hadden verplaatst om hem het zicht te belemmeren.
Big Curly had de fotograaf willen neerschieten, maar Stryker vond het voldoende om de hoofdredacteur te bellen en met hem een praatje te maken over goede smaak en de gevoelens van de nabestaanden, en over een mogelijke aanklacht omdat de fotograaf zich op verboden terrein had bevonden en het gebrek aan medewerking in de toekomst als de foto's wel zouden worden gepubliceerd.
'Die aanklacht haalt het nooit in Minnesota,' zei hij tegen Virgil. 'Laten we hopen dat die hoofdredacteur dat niet weet.'
'Ach, kranten publiceren niet vaak foto's van lijken,' zei Virgil. 'Hoop ik.'

Het lijk van Gloria Schmidt lag nog steeds in de slaapkamer, maar het zou afgevoerd worden zodra de mensen van de begrafenisonderneming terug waren. Het forensisch onderzoek in het huis was nog gaande. 'Dat duurt wel tot morgenochtend, vermoed ik,' zei Stryker.
'Ik wil naar binnen om hun papieren te bekijken,' zei Virgil.
'Eerst moet het onderzoek worden afgerond,' zei Stryker. 'Ik sta zelf ook te popelen om naar binnen te gaan.'
'Ja, ik weet het... goed dan. Ik ga naar de bank om hun gegevens in te zien. Hebben jullie toevallig een sleutel van een bankkluisje gevonden?'
'Ik niet... maar ik kan het vragen,' zei Stryker. 'Kom mee naar de achterdeur.'
Virgil en Stryker liepen om het huis heen en gingen via de achterdeur de bijkeuken binnen. 'Waarschijnlijk in een van de laden in de slaapkamer, of in een bureaula in zijn werkkamer,' zei Virgil.
Binnen was het koeler, maar het rook er naar bloed en lichaamsgassen. Stryker bleef bij de keukendeur staan en riep: 'Hé, Margo.'
'Ja?' antwoordde een vrouwenstem vanuit het huis.
'Heb je iets gezien wat op een sleutel van een bankkluisje lijkt?'
'Ja. Wil je die hebben?'
'Is dat een probleem?' riep Stryker.
'Nee, geen probleem. Hij lag onder de sokken in een la. Zo te zien is er niks aangeraakt.'
'Oké...'
Stryker zei tegen Virgil: 'We krijgen de pers op ons dak. Ze bellen naar het bureau. Ik heb een persconferentie toegezegd, vanmiddag om drie uur in de grote rechtszaal. Ik zou graag willen dat je erbij bent.'
'Ik zal er zijn.'

Even later kwam de forensisch rechercheur met het rode haar, gekleed in een papieren pak, de keuken in en gaf Stryker een blauwe envelop. Stryker gaf hem door aan Virgil en zei: 'Laat het me weten als je iets vindt.'
'Absoluut,' zei Virgil.

Terug in Bluestem ging hij naar het stadhuis om het gerechtelijke bevel op te halen, maakte een tussenstop bij een van Bill Judd juniors Subways, kocht er een broodje voor de lunch en liep door naar de bank. De manager haalde de stalen kist uit de kluis van de Schmidts en opende die. Virgil zag papieren... verzekeringspolissen, koopakten, een testament en oude foto's, maar geen geld. Wel vond hij een ring van massief goud, met een diamantje erin en de naam Vera Schmidt in de binnenkant gegraveerd. Roman Schmidts moeder?
Twee dingen die opvielen.
In een gele bankenvelop vond hij een foto van een blonde vrouw, naakt, liggend op haar rug, zo te zien op een onderzoekstafel. De ene kant van haar gezicht was kapot en bloederig, haar mond stond halfopen en de zijkant van haar lichaam zat onder de blauwe striemen. Het was duidelijk te zien dat ze dood was. Verder niets: geen naam, geen datum.
Het andere opvallende was een hypotheeklening, gedateerd 5-11-70, voor het huis waar de Schmidts waren vermoord. De lening was verstrekt door Bill Judd senior en had een looptijd van vijftien jaar, tegen vier procent rente. Er zat een verklaring op geniet, dat de lening in 1985, precies op tijd, in zijn geheel was afbetaald.
Virgil wist niet uit zijn hoofd wat de rentetarieven in 1970 waren, maar vier procent leek hem aan de lage kant. De termijnen bedroegen 547 dollar per maand, en dat leek hem voor die tijd weer vrij veel. Misschien hoorde er een stuk land bij het huis, dacht Virgil; dat moest hij navragen. Had de dood van de vrouw op de een of andere manier iets met het verstrekken van de lening te maken gehad? Schmidt was toen nog maar een paar jaar sheriff. Had Judd met de dood van de vrouw te maken gehad? Of Judd junior? Virgil wist niet precies hoe oud Judd junior was, maar hij vermoedde dat hij tegen de zestig liep. Als het gebeuren op de foto had plaatsgevonden in de tijd dat Judd de lening aan Schmidt had verstrekt, dan zou junior begin twintig zijn geweest, de ideale leeftijd om vrouwen te vermoorden. Daar moest hij over nadenken.

Hij richtte zijn aandacht weer op de foto, bleef er lange tijd naar kijken. De kleuren begonnen iets te verbleken, maar de afdruk was van goede kwaliteit... vakwerk. Had een persfotograaf toen al de apparatuur om in

kleur te schieten? Misschien kon dat hem een datum opleveren. In de hoek van de foto zag hij instrumenten die mogelijk niet van een arts waren en die misschien voor het balsemen van lijken werden gebruikt, maar hij had nog nooit een lijk gebalsemd had zien worden, dus zeker wist hij het niet...
De bank had een kleurenkopieerapparaat. Hij maakte twee kopieën van de foto, huurde een nieuw kluisje, kreeg een nieuwe sleutel en borg alles, behalve de kopieën van de foto, erin op. Hij vroeg de bankmanager of hij het kopieerapparaat ook kon gebruiken zonder dat er iemand over zijn schouder meekeek. Toen hij klaar was en Schmidts papieren had opgeborgen, vroeg de manager: 'Een aanwijzing?'
'U zou me niet geloven als ik het u vertelde,' zei Virgil. 'Maar ik denk dat we eindelijk vorderingen beginnen te maken.'
De bankmanager keek hem met open mond aan en Virgil dacht: vertel het vooral door.

Daarna opende hij het kluisje waarin hij de papieren van Judd senior had opgeborgen nadat ze het oorspronkelijke kluisje hadden laten openboren. In aanwezigheid van de bankmanager, als getuige, haalde hij al het geld en alle papieren eruit, stopte het geld er weer in en sloot het kluisje af. De papieren nam hij mee naar een tafel, waar hij ze begon door te nemen. Maar links met de Schmidts of de Gleasons kwam hij niet tegen, niet één. Het enige wat hem uit de zakelijke papieren duidelijk werd, was dat Judd senior zijn zoon in de loop der jaren minstens twee miljoen dollar had geschonken – de schenkingsformulieren, voor de belasting, zaten aan de andere papieren geniet – en dat hij hem ook nog eens een miljoen had geleend.
Junior stond flink in de schuld bij zijn ouweheer... maar de oude man had niet lang meer te leven gehad, dus was het onwaarschijnlijk dat junior het risico zou nemen hem naar het hiernamaals te helpen, aangezien hij het landgoed zou erven.

Toen Virgil klaar was met de kluisjes, installeerde de bankmanager hem achter een computer in het kantoor van de vicepresident en opende hij een programma met computerbeelden van cheques. 'De beelden gaan terug tot 1959. De oudere kunnen wat onduidelijk zijn, omdat ze op microfilm stonden en later zijn vergroot en gedigitaliseerd...'
Virgil begon met de bankrekening van Roman Schmidt en algauw ging er een lampje bij hem branden, want toen hij de jaren 1970 tot 1985 doornam, de periode waarin Schmidt verondersteld werd zijn hypotheeklening

van zijn huis af te betalen, vond hij geen enkele cheque waarmee een betaling had plaatsgevonden.
Dat, dacht Virgil, was iets.
Toen hij de zes bankrekeningen van Judd bekeek, vond hij meer dan dertigduizend cheques, veel te veel om allemaal door te nemen, omdat hij daar gewoon geen tijd voor had. Maar betalingen per cheque van 547 dollar tussen 1970 en 1985 kwam hij nergens tegen, geen enkele aanwijzing dat Roman Schmidt ooit een cheque voor Judd had uitgeschreven. Net zo interessant was de constatering dat Judds inkomsten en uitgaven nauwelijks waren veranderd gedurende de periode van het schandaal met de jeruzalemartisjok. Er moest nóg een bankrekening zijn, één waar hij nog niet van wist. Hij zou het doorgeven aan Sandy, Davenports onderzoeksmedewerker, om te zien wat zij via de overheidsdiensten boven water kon krijgen...

Bij de Gleasons ving hij opnieuw bot.

Toen Virgil de bank verliet, was het één uur 's middags op een van de mooiste dagen van het jaar: heel warm, met een zwoel briesje en de geur van augustus al in de lucht. Hij haalde zijn mobiele telefoon tevoorschijn en belde Joanie. 'Ik geloof dat je een ietsepietsie geïrriteerd was toen ik je afzette,' zei hij. 'Klopt dat?'
'Een beetje... maar het is al over,' zei ze. 'Ik was meer verbaasd dan geïrriteerd. Nu ik erover heb nagedacht, ben ik niet verbaasd meer.'
'Hm. Zou je zin hebben om vanavond naar de farm te gaan? Naar het meer en de waterval?'
'Misschien,' zei ze, 'als jij de juiste kaart speelt.'
'En welke kaart is dat?'
'Dat je naar Ernhardt's gaat, een lunchbox laat klaarmaken en een sixpack bier meeneemt. Of een dinerbox. Om te picknicken. Dan hoef ik niet te koken.'
'Deal,' zei Virgil. 'Ik heb een vraag. Is er een begrafenisonderneming in Bluestem?'
'Jazeker. Johnstone's. Aan de westkant van de stad, bij de begraafplaats. Als je Fifth Street uit rijdt, rij je er zo tegenaan.'
'Denk je dat ze daar nog gegevens uit de jaren zeventig hebben?'
'Nou, Gerald Johnstone leeft nog. Die herinnert zich de jaren vijftig nog wel. Zijn zoon, Oliver, heeft het werk van hem overgenomen. Maar Gerald is nog zo scherp als een scheermes, hij woont vlak bij waar de Gleasons woonden. Een huis of zes links daarvan. Op de hoek bij het ravijn. Zijn vrouw heet Carol.'

'Hm,' zei Virgil, en hij dacht: Betsy Carlson, de oude vrouw in het verpleeghuis, had gezegd dat er een 'Jerry' was geweest, op de avond dat de man in de maan er was.
'Als je maar niet denkt dat hij de dader is,' zei Joan. 'Hij is bij de tijd, maar ik betwijfel dat hij meer dan vijf kilo kan tillen, laat staan een lijk.'
'Oké. Wat voor broodjes wil je?'

Virgil wandelde naar Ernhardt's Café en bestelde een lunchbox: rosbief op zuurdesembrood, met mosterd en zoete uien, een grote bak aardappelsalade met blauwe kaas, een sixpack Amstel, twee plastic borden en twee sets plastic bestek. De vrouw achter de counter zei dat het over tien minuten klaar zou zijn, of hij kon het later ophalen, tot zes uur. Hij zei dat hij om vijf uur zou terugkomen, vroeg om een telefoonboek en zocht het adres van Gerald Johnstone op.

Johnstone woonde in een roodhouten ranchhuis met een open veranda aan de kant van het ravijn, een groot balkon dat op de stad uitkeek en een garage groot genoeg voor drie auto's. Een sprinklersysteem besproeide het onnatuurlijk groene gazon toen Virgil op de oprit stopte. Hij ontweek de boogvormige waterstralen, liep de veranda op, dook onder het windcarillon door en belde aan.
Even later verscheen het grauwe, bezorgde gezicht van een oude man achter het raam aan de zijkant van de veranda. 'Wie bent u?'
Virgil hield zijn legitimatie op. 'Virgil Flowers, Bureau Misdaadbestrijding. Ik zou graag even met u willen praten, meneer Johnstone.'
Johnstone draaide de binnendeur van het slot en duwde de hordeur open. Hij was dik in de tachtig, schatte Virgil, lang, erg mager, met trillende handen en blauwe ogen die niet altijd even scherp stonden. De bovenkant van zijn schedel was kaal, maar hij had zijn dunne zilvergrijze haar over de kale plek gekamd. 'We doen de deuren meestal niet op slot,' zei hij. 'Maar mijn vrouw begint knap nerveus te worden van al die moorden. Op oude mensen zoals wij.'
Een vrouwenstem vroeg vanuit het huis: 'Jerry? Wie is daar?'
'De politie,' riep hij terug.
Toen Virgil over de drempel stapte, kwam ze de gang in lopen met een stapeltje keurig opgevouwen handdoeken in haar handen. Ze was een roze, ronde, beweeglijke vrouw, een jaar of vijftien jonger dan haar man. 'Bent u die Flowers-meneer?' vroeg ze.
'Ja, dat ben ik,' zei Virgil. 'Aangenaam kennis met u te maken.'

Ze praatten in de woonkamer. De Johnstones wisten nergens iets van, maar ze waren doodsbang en bereid dat toe te geven. 'Hij vermoordt wel mijn vrienden, wie het ook is,' zei Johnstone. 'Bill Judd was niet echt een vriend van me, zeker de laatste jaren niet, maar ik kende hem vrij goed. Maar Roman en Gloria en Russell en Anna waren wel vrienden van ons. Ik ben bang dat hij... je weet wel... binnenkort misschien bij ons voor de deur staat.'
'Hebt u enig idee waarom hij dat zou doen?' vroeg Virgil. 'Wat zijn motieven zijn?'
'Nee, absoluut niet,' zei Johnstone. 'We hebben ons suf gepiekerd.'
'In een stadje als dit,' zei Carol Johnstone, 'krijgen we vroeg of laat allemaal weleens ruzie met iemand... omdat iedereen zo dicht op elkaar woont. Maar dat leg je dan bij en daarna ben je gewoon weer bevriend met elkaar. Maar wie kan iemand nu zo erg haten...' Ze maakte haar zin niet af. Toen zei ze: 'Ik wil iets zeggen, maar ik wil wel dat het onder ons blijft.'
'Absoluut,' zei Virgil.
'George Feur was op Bill Judd aan het inpraten,' zei Carol Johnstone. 'Zogenaamd om zijn ziel te redden, maar vooral om geld van hem los te krijgen... wat hem voor een deel gelukt is, volgens mij. Feur zaait haat, en er zijn mensen die daardoor worden aangetrokken. Misschien ligt daar de oorzaak van het probleem wel, hoewel ik geen idee heb waarom ze het op oude mensen gemunt hebben.'
'Omdat ze gestoord zijn,' zei Gerald Johnstone.
'Dominee Feur heeft mijn belangstelling,' zei Virgil tegen Gerald. 'Maar het is ook mogelijk – omdat alle slachtoffers wat ouder zijn – dat het gaat om iets wat in het verleden is gebeurd. Ik wil u een foto van een stoffelijk overschot laten zien en u vragen of die in uw mortuarium is genomen.'
En tegen Carol Johnstone: 'Het is geen aangename foto, mevrouw...'
'Foto's van lijken doen me niks,' zei ze. 'Ik heb dertig jaar in ons mortuarium gewerkt en daar alles gezien wat je kunt verzinnen.'
Virgil knikte en haalde de kleurenkopie van de vrouw op de tafel tevoorschijn. Hij gaf hem aan Gerald Johnstone, die ernaar keek met zijn troebele ogen, zich concentreerde en toen een lichte huivering van herkenning leek prijs te geven.
'Het ziet eruit als ons mortuarium,' zei hij. 'Het ís een mortuarium op de foto, en die tafel lijkt op onze aflegtafel... maar ik kan niet zeggen dat ik me het geval herinner. Zo te zien een slachtoffer van een auto-ongeluk, zou ik zeggen. Daar hebben we er massa's van gehad. Het waren niet altijd

complete begrafenissen die we hadden... vaak soigneerden en kleedden we alleen het stoffelijk overschot en reden we het terug naar waar het vandaan kwam. Dus... ik kan het me niet herinneren.'
En Virgil dacht: hij liegt.
Carol schudde haar hoofd. 'Als ik haar gezien had, zou ik het me herinneren, maar ik geloof niet dat ik haar ooit heb gezien. Waar komt die foto vandaan?'
'Dat weet ik niet,' zei Virgil. 'Ik hoopte dat u het me kon vertellen.'
Ze schudde haar hoofd weer. 'Ik was bijna altijd daar, maar die vrouw heb ik nooit gezien. Moet een geval van opmaken en afvoeren geweest zijn. Maar wie het ook is, ze is niet van hier.'
'Oké,' zei Virgil. Gerald Johnstone zat nog steeds naar de foto te staren, leek aan iets terug te denken, maar schudde toen weer zijn hoofd. 'Sorry,' zei hij.
Carol Johnstone, dacht Virgil, sprak de waarheid. Gerald Johnstone loog dat hij scheel zag.

Hij voerde de druk op de oude man iets op. 'Het is belangrijk voor ons om te weten of dit uw mortuarium is of niet,' zei hij. 'Is het uw mortuarium?'
'Het zou kunnen,' zei Johnstone. 'Maar zoals de foto is genomen... veel te dichtbij. De tafel is van dezelfde soort die wij hadden, een roestvrijstalen Ferno, maar die hebben we niet meer.'
'Het ís ons mortuarium, Jerry,' zei Carol, 'van vóór de verbouwing.' Ze wees naar de hoek van de foto, waar een stukje te zien was van een of ander apparaat dat eruitzag als een groot model blender. 'Dat is onze oude Portiboy, weet je nog? Ik weet zeker dat het ons mortuarium is.'
Gerald Johnstone schudde zijn hoofd weer. 'Volgens mij ook, maar ik kan me het geval niet herinneren. We hebben in de loop der jaren honderden slachtoffers van auto-ongelukken gehad, en... ik word oud...'
En je liegt nog steeds, dacht Virgil. 'Wanneer was dat, de verbouwing?' vroeg hij.
'Eind '81 begin '82,' zei Carol Johnstone. 'Alle nieuwe apparatuur kwam in '82. Dus wie het ook is, ze moet daarvoor omgekomen zijn. Maar die tafel en de Portiboy zijn van langer geleden. Van voor onze tijd.'

'En wie is de man in de maan?' vroeg Virgil.
Hij wist meteen dat hij een fout had gemaakt. Ze waren allebei verbaasd, en dat was duidelijk te zien. 'Wat?' vroeg Carol.
'Betsy Carlson zei iets over de man in de maan. Dat ze de man in de maan had gezien. Ze scheen te denken dat er een verband was...'

Carol schudde haar hoofd, maar Virgil meende opnieuw een vonkje van herkenning in Geralds ogen te zien. 'Wat ze letterlijk tegen me zei,' vervolgde Virgil, 'was: "Jerry was er voor de man in de maan. Jerry wist er ook van."'
Carol zat nog steeds met haar hoofd te schudden, maar Geralds blik dwaalde af toen hij zei: 'Het is me een compleet raadsel. Wat bedoelt ze daarmee?'

Virgil keek Gerald Johnstone recht aan en zei: 'Als u zich iets herinnert, laat het me dan weten. U noemde de moordenaar zonet een gestoorde, en dat is precies wat hij is. Houd uw deuren op slot, want als hij denkt dat u er op de een of andere manier bij betrokken bent, bij wat het ook is, is het mogelijk dat u allebei enig risico loopt.'
'Misschien klinkt het gek...' zei Carol opeens.
'Vertel het me toch maar,' zei Virgil.
'De nacht dat de Gleasons werden vermoord, waren we er niet. We zijn meestal driekwart van het jaar hier, maar we hebben ook een huisje in Palm Springs, voor in de winter. Niet dat we daar toen waren... We waren in Minneapolis, op bezoek bij onze dochter, en we zijn naar een theatershow geweest. Toen we de volgende dag terugkwamen, wemelde het van de politie op straat.'
'Ach, het heeft niks te betekenen,' zei Gerald Johnstone.
'Ik wil het toch graag horen,' zei Virgil.
Carol knikte. 'Nou, we stopten en kregen van een van de hulpsheriffs te horen wat er gebeurd was, en Larry Jensen kwam naar ons toe om vragen te stellen, maar we konden hem natuurlijk niks vertellen, omdat we er niet waren. Maar toen we naar binnen wilden gaan, zag ik dat de deurmat was verschoven.'
'Kom nou, Carol,' zei de oude man, en hij rolde met zijn ogen.
'Maar het wás zo,' zei ze. 'Je weet dat ik hem altijd netjes recht voor de deur leg, en hij lag toen helemaal aan de zijkant. Dus denk ik dat iemand hem verschoven moet hebben. Nou, de Gleasons zijn midden in de nacht vermoord en wij kwamen pas om een uur 's middags terug, dus wie heeft dat gedaan?'
'En nu denkt u dat degene die de Gleasons heeft vermoord...?'
Ze huiverde. 'Ze zijn hier geweest, bij ons in de straat. We hebben timers op onze lampen, zodat ze aan en uit gaan en het lijkt alsof er iemand thuis is, dus misschien...'
Virgil keek Johnstone recht aan. 'Als u zich iets herinnert, wil ik het horen. Ik wil niet dat er nog meer slachtoffers vallen.'

'Ik doe mijn uiterste best,' zei hij.
'En als blijkt dat u tegen me hebt gelogen, bestaat er een goede kans dat u de rest van uw leven in de gevangenis mag doorbrengen, voor medeplichtigheid.'
Carol werd boos. 'Hé, hij liegt niet! We zullen al het mogelijke doen om ervoor te zorgen dat dit... dit monster gepakt kan worden.'
'Ik zeg het maar, voor de zekerheid,' zei Virgil.

Met die woorden liet hij het echtpaar achter. Interessant dat Gerald Johnstone tegen hem zou liegen. Hij moest nagaan waar die foto vandaan kwam, dan kon hij terugkomen en Johnstone ermee om de oren slaan.
Toen hij weer in de pick-up zat, dacht hij aan de verschoven deurmat, slaakte een zucht, haalde zijn pistool onder de stoelzitting vandaan en bevestigde de holster aan zijn riem. Hij reed terug langs het ravijn, ging weer naar de redactie van de krant en trof Williamson schrijvend achter zijn computer aan.
Hij keek op toen Virgil binnenkwam. 'Een prachtverhaal over de Laymons,' zei hij. 'Ik sta bij je in het krijt.'
'Nog nieuws over de Schmidts?'
'Nee. Verdomme, als ze dan toch vermoord moesten worden, waarom dan per se op de dag dat de krant uitkomt? Nu kan ik er een week lang niet over schrijven. In de tussentijd worden we verslonden door de *Globe* en de *Argus-Leader*.' De *Globe* en de *Argus-Leader* waren de dagelijkse kranten van Worthington en Sioux Falls.
'Je kunt de rekening nu vereffenen, als je wilt,' zei Virgil. Hij keek op zijn horloge; 13.45 uur. 'Ik wil graag de kranten van 1969 doornemen.'
'Dat gaat niet,' zei Williamson. 'Die kranten zijn niet bewaard. Alles van vóór 1995 staat op microfilm en wordt bewaard in de bibliotheek. Als je een naam hebt, kun je beter in het knipselarchief zoeken.'
Virgil schudde zijn hoofd. 'Ik heb geen naam. Ik weet niet eens waar ik naar zoek. Waar is de bibliotheek?'
'Een stukje heuvelopwaarts... Ga je straks naar de persconferentie?'
'Die zou ik voor geen goud willen missen,' zei Virgil.
'Niemand in Bluestem, schijnt het. Ik weet niet wat Stryker van plan is, maar de rechtszaal stroomt nu al vol. Straks is er geen ruimte meer voor de pers.'

Virgil wandelde naar de bibliotheek, een plat gebouw van rode baksteen, op de hoek van Main Street. Binnen werd hij ontvangen door een blonde bibliothecaresse met lichte ogen en de gladde, smetteloze huid van een

twaalfjarige, die hem meenam naar het microfilmkamertje achter de boekenrekken. 'Ik zal je laten zien hoe het werkt,' zei ze. 'Microfilm bekijken kan lastig zijn.' Ze liep naar een houten archiefkast met tientallen laden en mompelde: '1969...' Ze trok een la open, haalde er vier dozen microfilm uit, gaf ze aan Virgil, draaide zich om en zei: 'Verdorie, er ontbreekt een doos. Iemand heeft die niet goed teruggezet.'
Virgil was meteen geïnteresseerd. 'Welke doos?'
Ze trok de laden ernaast open en zei: 'We beginnen pas met een nieuwe la als de vorige vol is, en toen ik hem opendeed was er nog ruimte in, dus er moet een doos uit gehaald zijn. Zo te zien...' Ze ging op haar tenen staan, schoof haar bril hoger op haar neus en keek in de la. 'Het houdt half mei op en begint dan weer in september. Dus ontbreekt er een doos. Er passen vier maanden op een rol film. Verdorie, ik zeg altijd tegen de mensen dat ze het terugzetten aan ons moeten overlaten, maar ze luisteren niet.'
'Kan hij verkeerd teruggezet zijn?' vroeg Virgil.
Ze trok een la van de jaren negentig open, die maar deels met dozen microfilm was gevuld. Ze bekeek ze en zei: 'Deze staan goed.' Daarna probeerde ze nog een aantal laden, lager in de kast, totdat ze alleen nog maar lege tegenkwam. 'Iemand moet die doos meegenomen hebben. Na sluitingstijd zal ik het controleren – ik heb nu baliedienst – maar ik denk dat iemand hem heeft meegenomen.'
'Als je het wilt nakijken, graag,' zei Virgil.

De ontbrekende doos intrigeerde hem. De bibliothecaresse deed hem voor hoe hij de microfilm in de viewer moest doen en Virgil bekeek de vier maanden voor en na Schmidts hypotheeklening, maar een vluchtige controle bracht niets nieuws aan het licht. Geen onbekende vrouwen die een auto-ongeluk hadden gehad...
Hij had niet genoeg om mee te werken, nog niet. En het was mogelijk dat Schmidt gewoon door Judd was omgekocht, dat daar een of andere reden voor was geweest.

Om twintig minuten voor drie liep Virgil de bibliotheek uit. Om tien voor drie had hij zich omgekleed in een lichtblauw overhemd met das, een kakibroek en een donkerblauwe blazer. Hij bekeek zichzelf in de spiegel en vond dat hij eruitzag als een portier van een derderangs casino in India.
Om één minuut voor drie was hij bij het stadhuis. Er stonden ongeveer twintig mensen voor de ingang, voor het merendeel oudere mannen die druk met elkaar in gesprek waren. Twee busjes van het tv-nieuws stonden

op het gazon, met talloze kabels die door het gras en via de ingang het stadhuis inliepen.
Binnen was het een heksenketel. De rechtszaal was misschien groot genoeg voor honderd mensen, als ze niet te diep ademhaalden. Afgezien van twee cameramannen van tv, die hun schijnwerpers hadden gericht op de advocatentafel die zo ver mogelijk naar voren was geschoven, waren er twee verslaggevers, allebei vrouwen, vier vermoeid ogende mannen en twee vermoeid ogende vrouwen, waarschijnlijk van de kranten uit de omgeving, twee mannen met portable taperecorders, die van de radiostations moesten zijn, en minstens honderd inwoners van Bluestem die niet van plan waren zich naar buiten te laten sturen.
Virgil keek even om de deurpost, zag de chaos en liep snel de gang naar Strykers kantoor in voordat hij de aandacht trok. Zijn mobiele telefoon ging over, hij haalde het toestel uit zijn zak en keek op de display: Stryker. Virgil haastte zich langs de secretaresse, stak zijn hoofd om de hoek van Strykers deur en zei: 'Yo.'
Stryker hing op. 'Waar heb jij verdomme uitgehangen?'
'Overal en nergens,' zei Virgil. 'Weet je al wat je gaat zeggen?'
Stryker haalde zijn schouders op. 'Nou... de waarheid, dacht ik.'
'Jezus, Jim, dat kun je niet doen.' Virgil keek om, zag de secretaresse kijken en deed de deur van het kantoor voor haar neus dicht. 'Dan kunnen we ons werk niet meer doen.'
'Als je een uur eerder was gekomen, hadden we iets kunnen uitbroeden.'
'Er valt niks uit te broeden,' zei Virgil. 'Jij gaat zo meteen naar binnen en vertelt ze alle gruwelijke details van de drie plaatsen delict, van de Gleasons, Judd en de Schmidts. Iedereen in de stad weet er al van, dus je vertelt ze niks nieuws. Vertel ook dat hun ogen uit hun hoofd zijn geschoten en dat Judd tot aan zijn enkels is afgebrand. Daar houden tv-mensen van. Zeg dat we beschikken over informatie die erop wijst dat de dader van hier is en dat we een aantal sporen volgen waarover we niet kunnen praten, maar dat we, als ze over zeven à tien dagen terugkomen, hoogstwaarschijnlijk veel meer te vertellen hebben. Dat de zaak aan het rollen is.'
'Is dat dan zo?' vroeg Stryker.
'Min of meer.'
'Virgil...'
'Je moet ze niet vertellen hoe het er echt voorstaat, domkop,' zei Virgil. 'Dat is vertrouwelijk. De zaak is aan het rollen maar we kunnen er niet over praten.'
'Als ik dat vertel en ik kom over tien dagen niet met meer, dan hang ik.'

'Als jij straks naar binnengaat en zegt dat we nog geen bal hebben, hang je helemaal,' zei Virgil. 'Maar als je zegt dat alle honden van de hel op de enkels van de moordenaar loeren, doet hij misschien iets onverwachts en geeft hij zich bloot.'
'Moeder Maria.'
'Die is hier niet, Jim. Het is aan jou en aan mij.'

Stryker rechtte zijn schouders en net voordat ze zijn kantoor uit liepen, vroeg hij: 'Hoeveel details?'
'Meer dan je je had voorgenomen. De ogen, en de schijn dat het om rituele moorden gaat. De stok waarmee Schmidt overeind is gezet en naar het oosten is gekeerd. Dat Gleason ook rechtop zat en naar het oosten gekeerd was. Dat er van Judd niks anders over was dan zijn ene enkel, de botjes van zijn polsen en het staaldraad van zijn bypassoperatie. Ze zullen het vreten.'
'Ik krijg het zelf nog aan mijn hart,' zei Stryker. 'Ik zweer het je, ik krijg het aan mijn hart.'
In de allerlaatste minuut, toen ze in de gang liepen, fluisterde Virgil: 'Je bent de norse sheriff van een stadje op de prairie. Je bent een eerlijke, oprechte, godvrezende cowboy. Je zou er liever niet over praten, maar je vindt dat de mensen het moeten weten, omdat we in een democratie leven. Grimmig, dat ben je. Je glimlacht niet, want de slachtoffers waren vrienden van je. Iemand is bezig jóúw mensen te vermoorden.'
'Grimmig,' zei Stryker.

En grimmig was hij, tot aan het eind, praktisch zonder zijn kaken te bewegen.
Virgil zei zelf eenendertig woorden: 'We werken hard aan de zaak en zoals de sheriff zei, maken we vorderingen. Maar BM laat de leiding van het onderzoek aan de sheriff, die dus ook namens ons spreekt.'
De verslaggeefster van een nieuwszender in Sioux Falls scheen Stryker wel leuk te vinden, drong zich aan hem op en bleef hem maar vragen stellen. 'Wat gaan jullie doen als jullie de dader pakken?' vroeg ze.
'Hopen dat die klootzak zich verzet,' zei Stryker, met een rotsvast, uitgestreken gezicht. 'Om de staat de kosten van het proces te besparen.'
Zelfs het 'klootzak' werd er niet uitgesneden.

Naderhand, in Strykers kantoor, zei Virgil: 'Volgens mij is het je gelukt.'
'Dus we hebben tien tot veertien dagen.' Hij keek om zich heen. 'Wat vond je van die griet uit Sioux Falls?'

‘Als het met Jesse niet lukt kun je haar bellen,’ zei Virgil.
‘Ze had leuke... vormen.’
Daar kon Virgil wel om lachen.

Tegen halfvijf hadden de tv-mensen hun spullen ingepakt en waren ze vertrokken, met achterlating van een massa Bluestemmers die nagonsde als het koolzuur in een glas cola. Virgil haalde de lunchbox op bij Ernhardt’s en belde Joan. ‘Ben je klaar?’
‘Ik wil eerst het nieuws zien.’
Virgil ging terug naar zijn hotelkamer, deed een plasje, trok een cowboyhemd, een spijkerbroek en sportschoenen aan en liet het hemd over zijn broek hangen om zijn pistool aan het zicht te onttrekken. Op weg naar Joans huis belde hij Sandy, Davenports researchmedewerker. ‘Hoe ver ben je met de belastinggegevens?’
‘Ik zit er tot mijn ellebogen in,’ zei ze. ‘Ik heb met Lucas overlegd en we sturen het per koerier naar je toe. Die komt het morgenochtend om acht uur ophalen, dus tegen de middag moet je het wel hebben.’
‘Geweldig. Ik wil nog één extra set gegevens, als dat kan, van Carol en Gerald Johnstone, beiden woonachtig in Bluestem, eigenaar of voormalig eigenaar van Johnstone Begrafenisonderneming.’
‘Oké, ik zal ervoor zorgen dat ze erbij zitten,’ zei ze.
‘En nog iets: duik in het historisch krantenarchief en kijk of ze daar de *Bluestem Record* van de maanden mei tot en met september 1969 hebben.’
‘Dat lukt me vandaag niet meer. Ze gaan zo dicht,’ zei Sandy. ‘Morgen ben ik er niet en daarna is het weekend. Ik kan kijken of ik er iemand anders naartoe kan sturen...’
‘Hè, jammer,’ zei Virgil. ‘Goed dan. Maandagochtend vroeg?’
‘Komt voor elkaar.’
Hij gaf haar een beschrijving van de dode vrouw op de aflegtafel en vertelde dat ze waarschijnlijk het slachtoffer van een auto-ongeluk was.
‘Als ik iets vind, fax ik het naar je hotel,’ zei ze.
‘Nee, nee, bel me op mijn mobiel en lees het me voor. Ik wil niet dat iemand hiervan weet.’

11

Het nieuws begon net toen Virgil op Joans voordeur klopte. 'Kom maar binnen,' riep ze, en Virgil liep door naar de woonkamer. 'Heb je me op de persconferentie gezien?' vroeg ze.
'Nee...'
'Ik ben bijna doodgedrukt,' zei Joan. 'Ik stond helemaal achteraan. Die dikzak van de Firestone-winkel stond voor me en drukte me met zijn achterwerk tegen de muur. Het begint...'

Het nieuws opende met de persconferentie waarvan vier à vijf minuten werd uitgezonden. Virgil had het goed ingeschat dat ze het over de details moesten hebben, want ze vonden het prachtig. En de camera's waren dol op Strykers gezicht met zijn strakke kaken. 'Míjn broer,' zei Joan trots, toen het afgelopen was. 'Hij lijkt wel een filmster.'
'Hij heeft het goed gedaan,' zei Virgil.
'En jij hebt iets voor me verzwegen,' zei Joan. Ze had een plunjezak bij de voordeur neergezet en pakte die op toen ze naar buiten liepen. 'Je hebt me niet verteld dat jullie vorderingen maakten, jij zei dat jullie niks hadden.'
'Ja, nou...' mompelde hij.
'Wat?'
'Niks,' zei Virgil.
'Wat wilde je zeggen?' Ze stapten in de pick-up. 'Je wilde iets zeggen.'
Hij boog zich naar haar toe, kuste haar op de wang en zei: 'We hebben gelogen. We hebben niks.'
Ze keek hem verbijsterd aan. 'Virgil.'
'Zo werkt het.'
'Virgil...'
'We hebben tien dagen de tijd.'
Hij reed achteruit de oprit af en Joan zei niets meer totdat ze de stad uit waren. Toen vroeg ze: 'Heb je eten meegebracht?'
'Precies wat je besteld hebt.'
'Niks voor jezelf?'
'Nou, ik neem wel wat van jou.'
'Virgil!'

Hij reikte achter zich met zijn hand, deed zijn koffertje open, pakte de kleurenkopie en gaf die aan haar. Ze schrok. 'Gatver.'
'Heb je enig idee wie dit is? Waarschijnlijk van voor jouw tijd, maar toch...'
'Nee, geen idee,' zei ze. 'Hoe kom je hieraan?'
'Uit het bankkluisje van Roman Schmidt. Alleen de foto. Geen papieren over wie het is. Ik heb het gevoel dat de foto vóór 1970 is genomen.'
'Heb je de kranten uit die tijd bekeken?'
'Die staan op microfilm en worden in de bibliotheek bewaard,' zei Virgil. 'Iemand heeft de rol film van halverwege 1969 gepikt, maar het is onmogelijk te zeggen of we juist die moeten hebben.'
'Virgil, misschien...' Ze aarzelde even en vroeg: 'Weet Jim hiervan?'
'Nog niet,' zei Virgil. 'Ik ga het hem vertellen zodra ik hem zie, maar ik vermoed dat hij vanavond de stad uit is.'
'De stad uit? Dat kan hij niet doen. Is er iets gebeurd?'
Virgil grijnsde. 'Ik heb hem gezworen dat ik het tegen niemand zou zeggen.'
'Kan me niet schelen. Vertel op.'
Virgil lachte en zei: 'Ik denk dat hij met Jesse Laymon uit eten is. Ergens ver weg, waar hij niemand kan tegenkomen. Want er wordt van hem verwacht dat hij dag en nacht aan de Roman Schmidt-zaak werkt, ook al is er op dit moment niks te doen.'
'O mijn god.' Ze trok aan haar onderlip. 'Nou, ik hoop voor hem dat hij haar in bed krijgt. En dat het de moeite waard is als het hem lukt. Want hij neemt echt een heel groot risico, Virgil. Het zou me niet verbazen als een van de Curly's een dezer dagen aankondigt dat hij een gooi naar de post van sheriff gaat doen.'
'Denk je dat?'
'Big Curly zag zichzelf als de meest logische opvolger van Roman Schmidt. Hij is nu misschien te oud, maar Little Curly maakt een heel goede kans.'
'Geen van beiden komt op me over als briljant,' zei Virgil.
'Nee, maar hun familie woont hier al eeuwen, ze kennen iedereen, ze zijn dikke maatjes met iedereen in Stark County en het zijn allebei vriendelijke kerels. Als Jim echt in de fout gaat, grijpt een van de twee zijn kans.'
'Ach, we pakken de dader wel,' zei Virgil. 'Volgende week of zo.'
'Denk je?'
'Jep.'
'Gaan er nog meer slachtoffers vallen?' vroeg ze.
Daar moest hij even over nadenken. Toen zei hij: 'Misschien.'

Joan liet hem de pick-up in de schuur zetten, om enige discretie te betrachten, waarna ze door het lage groen naar de kreek en het rotspaadje naar Strykers Meer opliepen. Op zijn sportschoenen ging dat een stuk beter; cowboylaarzen waren niet gemaakt om tegen een heuvel op te klimmen. Toen ze boven waren, links van het meer, maakte Joan de plunjezak open en haalde ze er een plaid uit. 'Vers van de Wal-Mart,' zei ze. 'Dat maakt de rotsen wat zachter.'
Virgil pakte het eten en het bier uit en toen hij opkeek, maakte ze de knoopjes van haar blouse los. Hij zat gehurkt op de rots en keek toe terwijl ze hem uittrok, hetzelfde deed met haar schoenen, sokken en spijkerbroek, de sluiting van haar beha losmaakte, die op haar andere kleren gooide en ten slotte haar slipje uittrok. 'Zie je iets wat je bevalt?'
'Nou... ja,' zei hij.
'Wie er het eerst in is,' zei Joan, en ze dook van de rots in het twee meter lager kabbelende water terwijl Virgil zich zo snel als hij kon van zijn schoenen, broek en shirt ontdeed. Vijftien seconden nadat ze over de rand was verdwenen dook hij haar achterna en kwam hij met een klap op het water terecht. Toen hij weer boven kwam, was zij naast hem om hem weer onder water te duwen.
Ze dolden en spartelden een tijdje lachend in het water, dat koel maar niet te koud was, heel verfrissend na een zomerdag zo warm dat zelfs de rotsen waar de ondergaande zon op viel bloedheet waren.
De rotswand achter het meertje, aan de oostkant, waar het water langs stroomde, was geërodeerd en liep steil omhoog. Erboven was een richel met wat groen en prairiegras en daarachter liep de heuvel verder omhoog. De wanden aan de noord- en zuidkant van het meertje waren van rood rotsgesteente en liepen een kleine vijftien meter recht omhoog. Ooit was er een jongen uit Bluestem vanaf gesprongen, vertelde Joan. Hij was in een minder diep deel van het meertje terechtgekomen en had een paar voetbeentjes gebroken toen hij de bodem raakte. 'Het was meteen afgelopen,' zei ze. 'We hebben hem naar beneden moeten dragen.'
In het westen was de canyon, met de ondergaande zon precies in het midden erboven. Dat gebeurde alleen van mei tot augustus, vertelde Joan; anders ging de zon een stuk noordelijker of zuidelijker onder, afhankelijk van het seizoen.
Ze stonden tegenover elkaar, bespetterden elkaar met water en Virgil probeerde een nieuw spelletje uit, waarbij hij haar schaamhaar vastpakte en zij zijn borsthaar. Hij wilde net een ander spelletje voorstellen toen hij hoger op de heuvel achter het meertje iets zag glinsteren.
Even dacht hij dat het misschien een waterdruppel in zijn wimper was, een

laatste zonnestraal die op het water weerkaatste, of iets anders, maar toen zag hij het weer, op dezelfde plek. Hij duwde haar hoofd onder water, dook zelf ook onder, greep haar arm vast en trok haar met zich mee naar de andere kant van het meertje. Ze verzette zich, maar hij liet niet los en zwom door totdat hij de rechteroever voelde. Toen pas kwamen ze boven water en riep Joan: 'Virgil, Virgil, wat doe je nou?'
Haar stem klonk schril van angst en ze schudde het water van haar hoofd. Virgil duwde haar tegen de oever en fluisterde: 'Er zit iemand op de heuvel boven ons. Ik zag licht weerkaatsen, de spiegeling van glas.'
Ze draaide haar hoofd om, wilde naar boven kijken, maar vanaf de plek waar ze stonden was het niet te zien. 'Wat bedoel je?'
'Er zit iemand op de heuvel.'
'Met een camera?'
'Dat zou kunnen,' zei Virgil.
'Of anders?'
'Het kan een telescoopvizier zijn,' zei hij. 'Geen verrekijker, denk ik. Als iemand met een verrekijker naar je kijkt, kun je zijn armen opzij zien uitsteken.'
Joan keek hem geschrokken aan en draaide zich om naar de plek waar hun kleren lagen. 'O mijn god.'
'Ja.'
'Weet je het zeker?' vroeg ze, en ze strekte haar hals om naar boven te kijken.
'Ik heb het twee keer gezien.' Hij keek naar hun kleren en zei: 'Ik wil dat je hier blijft staan. Ik zwem onder water naar die hoek en spring snel op de kant. Ik denk niet dat... de afstand is minstens honderd meter, misschien wel een paar honderd. Ik denk niet dat hij me kan raken als ik snel genoeg ben. Als ik eenmaal achter die rots zit, kan ik bij onze kleren en mijn pistool komen.'
'Ik dacht dat jij...'
'Ik heb het pas sinds vandaag bij me. Dat vertel ik je later wel. Nou, blijf hier. Ik ga.'
Hij haalde twee keer diep adem en zette zich hard af van de waterkant. Hij moest zo diep mogelijk zwemmen, want het water was zo helder als glas. Toen hij de bodem voelde, oriënteerde hij zichzelf, zette zich af en dacht: blijf laag, blijf laag... Hij voelde de bodem onder zich, raakte een beetje uit koers, zwom in een soort vlinderslag door, had het gevoel dat hij er bijna was en toen zag hij het, de inham in de rotswand rechts van hem. Zijn handen gleden weg op de gladde bodem, hij duikelde bijna voorover, zette zich nog een keer af, gleed weer weg, schaafde zijn handen en was in de

inham. Hij hoorde de krakende knal van een geweerschot, schoot omhoog uit het water, bezeerde zijn knieën, kroop snel achter de rotswand en bevond zich twee meter van zijn pistool.
'Virgil, hij schiet!' riep Joan.
Geen treffer, dacht Virgil. Alles deed het nog. Hij keek om naar de rotswand en zag waar de kogel was ingeslagen, ruim een halve meter boven de plek waar zijn hoofd was geweest. Niet echt dichtbij, maar dichtbij genoeg om hem bang te maken.
'Ik ben oké,' riep hij naar Joan. 'Blijf daar.' Toen begon hij te tellen. Eén minuut, één minuut dertig seconden. Joan maakte een vragend gebaar, maar hij stak zijn hand op: wacht. Twee minuten...

Wanneer hij in het noorden op hertenjacht was en een reebok tussen de bomen signaleerde, kon hij zich maximaal twee minuten op een schot concentreren. Daarna nam zijn concentratie af. Dus had hij zichzelf getraind om te wachten totdat de bok zich in de vuurlijn bevond voordat hij zich zelfs maar begon te concentreren, want twee minuten is een lange tijd om je op een schot te concentreren. Na twee minuten en twintig seconden zette hij zich schrap tegen de rotswand, keek naar zijn pistool, zei: '*Go, go, go*!' tegen zichzelf en hij ging.
Twee meter vooruit, een halve seconde, pistool pakken en twee meter terug. Het geweerschot kwam net een fractie te laat, sloeg een schilfer van de rotswand, een meter naast hem en opnieuw te hoog.
Virgil had zijn pistool. Hij richtte zich op, keek vliegensvlug om de hoek en trok zijn hoofd weer terug. Hij liet zich door zijn knieën zakken, keek weer om de hoek en zag iets bewegen: iemand in donkere kleding die zich als een beer naar de top van de heuvel bewoog, rennend, van hen weg. Hij trok zijn hoofd weer terug, ging rechtop staan, kwam uit zijn dekking vandaan, leunde met zijn schouder tegen de rotswand, richtte bijna twee meter te hoog, begon de trekker over te halen en loste zeven schoten. Hij had geen idee hoeveel hij hoger moest richten voor een afstand van vierhonderd meter, maar dat zou best veel zijn, want op honderd meter verloor een kogel al bijna vijftien centimeter aan hoogte.
Als hij hem raakte, welke kans zeer klein was, des te beter. Wat hij vooral wilde, was de schutter wegjagen met een regentje van kogels die als nijdige horzels om zijn hoofd vlogen.
Want, wist hij, de schutter kon absoluut niet het risico nemen dat hij werd geraakt. Als dat gebeurde, of als hij werd gezien, was hij er geweest...

Dus: een patstelling. Virgil was bij het meertje en had niet de kans hem achterna te gaan. Maar hij was gewapend en op zijn hoede, bevond zich tussen de rotsen en zou moeilijk te raken zijn.
Virgil drukte zich tegen de rotswand, klaar om weer dekking te zoeken, keek en keek, maar zag niets meer. Ten slotte riep hij naar Joan: 'Onder water, net zoals ik heb gedaan, naar deze inham. Hij is er niet meer, maar we nemen geen enkel risico. Kom, snel.'
Ze knikte, verdween onder water, kwam even later weer boven in de inham, klauterde de kant op en ging naast hem staan.
'En nu?' Ze rilde. Ze had te lang stilgestaan in het koude water.
'Nu blijven we nog een paar minuten hier staan en dan ga ik onze kleren pakken.'
'Virgil...'
'Ik ben er voor negenennegentig procent zeker van dat hij weg is. Hij mag niet gezien worden. Een geweerschot hoor je op een paar kilometer afstand en het jachtseizoen is nog niet geopend. Hij moet wel maken dat hij wegkomt.'
'Waarschijnlijk pal naar het noorden via Holman. Er is daar niks totdat je bij Highway 7 komt. En eenmaal op de 7 is hij alleen nog maar een van de vele auto's.'
'Dan zal hij het zo wel doen,' zei Virgil, waarna hij van de rotswand wegschoot, de kleren van de grond griste en weer terug was. Hij gaf Joan haar beha en blouse, duwde haar met haar rug tegen de rotswand, begon haar te zoenen en zei: 'Ik word er altijd hitsig van als er op me wordt geschoten.'
'En je penis is anderhalve centimeter lang. Dat komt door het koude water. Tragisch eigenlijk, vind je ook niet?'
Virgil keek omlaag en zei: 'Niet door het water, liefste. Dit komt door angst, niks meer en niks minder.' Hij deed een stap achteruit en keek de heuvel op. 'Als hij het slimmer had aangepakt, had hij veel dichterbij kunnen komen terwijl wij in het water speelden en dan... BENG! Dan had hij ons allebei kunnen doodschieten.'
Ze maakte zich los van de rotswand en vroeg: 'Waarom heeft hij dat dan niet gedaan?'
'Misschien was hij het van plan maar is hij blijven staan om de situatie door zijn telescoop te bekijken. Dat was het moment dat ik hem zag. Of misschien wilde hij wachten totdat we uit het water waren, zodat hij een groter doelwit had, maar is hij ongeduldig geworden en blijven staan om naar ons te kijken.'
Terwijl ze het bespraken kleedden ze zich aan, en toen ze klaar waren zei Virgil: 'Ik ga de spullen pakken.'

'De spullen kunnen mijn rug op,' zei ze.
'Hij is weg, Joan,' zei Virgil. 'Hij is er niet meer, maar laten we toch zo dicht mogelijk langs de wand. De enige andere plek waar hij in een hinderlaag kan liggen, is beneden, aan de voet van de heuvel.'

Virgil schoot uit de dekking vandaan, pakte het eten en de biertjes en was meteen weer terug. Hij deed hetzelfde nog een keer en nam Joans plunjezak mee. Hij gaf zich nooit langer dan een paar tellen bloot. Lang genoeg voor een snel schot, maar niet voor een goed schot, zolang de schutter niet wist wanneer hij moest opletten.
Toen ze klaar waren zei Virgil: 'Blijf zo dicht mogelijk bij de wand en wanneer we ons moeten blootgeven, haast je dan. Eén tegelijk. Jij eerst.'
Ze liepen de heuvel af, met de heuvel zelf als rugdekking. Ze bleven staan, Joan veegde met de plaid het bloed van Virgils gezicht. 'Je hebt vijf sneetjes in je gezicht.' Ze raakte ze aan met haar wijsvinger, op zijn slaap en zijn wang. 'Zo te zien hoeven ze niet gehecht te worden, maar een paar pleisters kunnen geen kwaad.'
'Ik heb een verbandtrommel in de pick-up.'
Onder aan de heuvel, de meest voor de hand liggende plek voor een hinderlaag, hurkten ze neer en keken ze goed om zich heen, waarna ze het laatste stuk renden, voorovergebogen door het onkruid, een voor een, langs de watertank, tot ze achter de schuur waren.
Joan zei naar adem happend: 'Dat was me het uitje wel. Ik geloof niet dat ik nog fut heb voor een toegift.'

Het was donker in de schuur nu de zon onder was. Virgil haalde een doos patronen uit de pick-up, laadde het magazijn van zijn pistool en sloeg het weer in de kolf. Toen hij dat had gedaan, opende hij de stalen bergkist in de laadbak, tilde het dekzeil op, haalde de riotgun en een doos patronen eruit en laadde het wapen.
'Het was hem om jou te doen,' zei Joan.
'Dat denk ik ook. Hij is mijn bemoeizucht zat.'
'Een hele opluchting,' zei ze. 'Dus ík heb niks te vrezen.'
Hij lachte. 'Nee. Hoor eens, wat je zei over die kleine penis...'
'Daar kun jij niks aan doen.'
'Dat bedoel ik niet. Maar zou je niet een ander woord dan "penis" kunnen gebruiken? Dat klinkt zo... je weet wel... alsof ik bij de dokter ben.' Hij pompte een patroon in de loop van de riotgun en legde het wapen tussen de twee stoelen van de pick-up. 'Waarom zeg je niet gewoon... pik? Dat is beter.'

'Dat klinkt zo grof.'
'Oké, verzin jij dan maar iets.' Hij deed een stap van de pick-up vandaan en keek naar de lamp aan het plafond. 'Gaat die vanzelf aan als de deur omhoog is?'
'Ja.'
'Dan kan hij ons silhouet zien. Daar moeten we iets aan doen.' Hij trok zijn schoenen uit, klom op de motorkap van de pick-up, daarna op het dak, strekte zich en draaide de gloeilamp los, maar liet hem in de fitting zitten. 'Druk op de knop en laat de deur ver genoeg omhoog komen om het licht aan te doen.'
Ze deed het, maar de lamp ging niet aan.
'Oké, we gaan. Als ik zeg "deur omhoog", druk je op de knop, stap je achterin en ga je plat op de bank liggen.'
Hij stapte in de pick-up, startte de motor, zette de riotgun rechtop, met de loop naar beneden, en liet de kolf tegen zijn zij rusten. 'Nu! Deur omhoog en instappen.'
Ze deed wat hij haar had opgedragen en Virgil zag de deur omhooggaan, wat een eeuwigheid leek te duren. Toen schakelde hij, trapte het gaspedaal in en liet de pick-up achteruit naar buiten schieten. Hij bleef doorrijden, draaide een cirkel op het erf, trapte op de rem, schakelde weer, reed via de korte oprit naar de landweg, draaide die slippend op, gaf weer gas en weg waren ze.
'Is de kust veilig?' vroeg Joan.
'Ja. Hij is al lang weg, maar we zitten hier zo ver van de bewoonde wereld dat we het risico niet kunnen nemen.'
Toen hij de heuvel voorbijreed, weg van het stadje, vroeg Joan: 'Waar gaan we naartoe?'
'Met een paar mensen praten.' Hij minderde vaart, stopte aan de kant van de weg en zei: 'Ik berg de riotgun op. Kom voorin zitten.'

Ze stopten bij vijf farms langs Highway 7 en spraken met een boer die een greppel aan het graven was: hadden ze iemand zien langsrijden?
Er werden schouders opgehaald en hoofden geschud: nee, niet dat ze wisten.
Op de terugweg naar de stad zei Virgil: 'Ik dacht dat iedereen hier wist wie er in wat voor auto rijdt.'
'Niet hier,' zei Joan. 'In de stad wel. Als het een ongebruikelijke auto is, een Toyota of een Mercedes of zoiets, zou het iemand misschien opgevallen zijn. Maar een Ford of een Chevy... of er zouden letters of een beeldmerk op moeten staan.'

Virgil schreef die avond niet veel; zijn verhaal zat vast.

Homer had er de pest in en was bang. De moordenaar had het nu op hem gemunt; het was tijd om iemand daarvan op de hoogte te stellen, een rapport te schrijven.
Maar... de man in de maan. Hij dacht er enige tijd over na, dacht aan de oorbellen van Jesse Laymon. Die hadden de vorm van halve maantjes, maar Homer geloofde niet dat Betsy het over de maan als symbool had gehad. Ze had het over een man gehad.
En Homer dacht aan de nieuwe maan die was opgekomen toen hij in de onweersbui naar Bluestem op weg was geweest, het maansikkeltje in zijn achteruitkijkspiegel. Was het de maan die de moordenaar tot zijn daden aanzette? De nieuwe maan? Huh. De maan kwam op in het oosten, net als de zon. Waren Gleason en Schmidt naar het oosten gekeerd neergezet omdat de maan daar opkwam? Naar de maan toe, maar niet in staat die te zien?
Waanzin.
Voordat Homer ging slapen, dacht hij aan de aanslag van de afgelopen avond. Beangstigend, maar de schutter had hem gemist. Hij had veel dichter bij kunnen komen als hij dat had gewild. Dus was de vraag: had de schutter hem willen doden, of had hij hem alleen bang willen maken? En als hij hem bang had willen maken, waarom?

Virgil ging slapen in de hoop dat Homer met een paar antwoorden zou komen, want zelf had Virgil die op dit moment niet.
Hij viel in slaap en droomde van Joanie Stryker op de rots bij het meertje...

12

Virgil deed zijn ogen open: daglicht.
Hij voelde zich goed, alleen een beetje stijf van het slapen op de vloer.
Op zijn hoede vanwege de aanslag had hij de kussens van de bank gehaald, ze achter het bed op de grond gelegd en was hij daar gaan slapen, met zijn pistool vlak bij zijn hand onder het bed. Het leek hem geen goed idee om die nacht naast een glazen schuifdeur te slapen. Joan was naar haar moeder. Ze konden beter geen risico's nemen.
Desondanks voelde hij zich goed, want er gebeurden dingen en hij leefde nog. Wat ook meespeelde, was het uitblijven van seks na hun lange, naakte samenzijn in het meertje. Hij had geprobeerd Joan zo ver te krijgen naar het Holiday Inn te komen en stiekem door de schuifdeur zijn kamer binnen te sluipen, maar dat had ze geweigerd. 'Dan weet de hele stad het voordat jij je gordijn hebt dichtgedaan. Het is oké om samen te zijn en met elkaar naar bed te gaan, maar het moet wel op zo'n stiekeme manier gebeuren dat het ook geloofwaardig is.'
'Ah.'
'Mijn huis,' zei ze. 'Je loopt er in een halfuur naartoe.'
'Ik wil liever niet dat je vanavond naar je eigen huis gaat. Volgens mij kun je beter naar je moeder gaan. Dan ben je in de buurt, maar veiliger, minder een doelwit, want er is nog altijd een kans dat hij ons bij jouw huis opwacht.'
'Nou, in mijn moeders huis gaan we het zeker niet doen...'
Dus hadden ze ervan afgezien.
In de pick-up, plukkend aan elkaar als een paar tieners, drie straten van het huis van haar moeder vandaan. En hij had haar daar afgezet.

Hij was wakker geworden met een goed gevoel. Misschien moest hij de jacht- en natuurtijdschriften een tijdje de rug toekeren en een stuk voor *Vanity Fair* schrijven: GEWELD – DE NIEUWE LIEFDESDRANK. Maar dat zou niet goed zijn, want voor zover hij wist was het dat altijd al geweest. Omdat er iets primitiefs in zat.
Misschien, dacht Virgil, hadden ze wat langer in de schuur moeten blijven en naar de hooizolder moeten gaan.

Toen Virgil een tiener was, waren er in de kleedkamer op school altijd sterke verhalen verteld – waarvan er misschien een of twee waar waren – over jongens die het in hooibergen met boerendochters hadden gedaan. Virgils beste vriend, Otis Ericson, beweerde zelfs dat hij het had gedaan met een van zijn nichtjes, Shirley, die in hun klas zat en toen al tieten tot hier had. In wat volgens Virgil niet meer was dan een poging tot stoer doen, had de vermeende wipper Virgil gewaarschuwd voor sneetjes door het scherpe hooi, en voor huiduitslag. 'En waar je helemaal voor moet oppassen, is dat ze geen hooi in haar ding krijgt. Dan loopt ze een weeklang te klagen en te krabben. Geloof me, neem een deken mee.'
Het idee dat Otis Ericson Shirley Ericson naakt had gekregen, in een hooiberg, had hij toentertijd buitengewoon opwindend gevonden, en nog steeds wel een beetje, hoewel Shirley flink was uitgedijd toen hij haar de laatste keer zag.

Hij lag op de vloer en keek op zijn horloge: acht uur. Hij stond op, gooide de kussens op de bank, geeuwde, rekte zich uit, deed zijn sit-ups en push-ups, douchte zich en belde Davenport.
'Nog steeds te vroeg,' zei Davenport.
'Er is gisteravond op me geschoten,' zei Virgil.
'Virgil! Is alles in orde met je?'
'Er is niks gebeurd, maar ik ben wel geschrokken,' zei Virgil. 'Zo goed was de schutter niet. Een geweer met telescoopvizier. Ik was op de farm van een vriendin. Hij miste me op minstens een halve meter, en zo snel bewoog ik me niet.'
'Zeg me dat je je wapen bij je had,' zei Davenport.
'Ja, ik was gewapend. Ik zag hem wegrennen, heb zeven schoten op hem gelost van een afstand van ongeveer vierhonderd meter, dus met nul procent kans dat ik hem zou raken... maar ik vond dat je het moest weten. Ik zal een rapportje schrijven en het aan je mailen. Voor de zekerheid.'
'Verdomme, Virgil, pas goed op jezelf,' zei Davenport. 'Moet ik hulp sturen?'
'Nee, alleen de papieren die Sandy voor me bij elkaar aan het zoeken is.'

Op weg naar zijn ontbijt zei de receptionist: 'Er is post voor u.' Hij haalde een envelop uit de la en gaf die aan Virgil. Naam en adres waren getypt; geen afzender. Gisteren gepost in Bluestem. Hij liep de eetzaal in, hield de envelop aan de randen vast, sneed hem open met een botermesje en schoof de brief eruit.

Je zoekt in de verkeerde richting. Kijk naar Bill Judd juniors schulden en denk 'vermogensbelasting'. Kijk naar Florence Mills Inc.

Dat was alles. Geen naam eronder, natuurlijk, en het briefje was getypt, niet geprint. Wie had er nog een typemachine? Iemand die oud was, zoals Gerald Johnstone, de begrafenisondernemer. De postzegel en de envelop waren zelfklevend, dus DNA was er niet.
Vermogensbelasting? Florence Mills? Dat klonk meer als iets voor Sandy, als ze klaar was.
Hij at zijn ontbijt, ging terug naar zijn kamer om zijn koffertje te halen, liep naar de pick-up, ging weer terug naar zijn kamer om zijn pistool te halen, liep nog een keer naar de pick-up, reed naar de Stryker-farm en sloeg niet af maar reed door, om de heuvel heen.
Aan de andere kant van de heuvel, achter het plateau met het meertje, was ooit weide geweest, voordat het was geërodeerd en de rode kwartssteen zich naar de oppervlakte had gewerkt. Hier en daar stonden groepjes wilde pruimenbomen, verdorde bosjes en distels, en op sommige plekken groeide nog wat kniehoog prairiegras.
Virgil reed langzaam langs de heuvel totdat hij sporen van autobanden de weg af zag lopen. Hij sloeg ook af, stak hobbelend een ondiepe greppel over en reed evenwijdig aan de sporen de heuvel op, naar een groepje bomen en bosjes vlak onder de top. De sporen liepen om het groepje bomen heen en eindigden daar. Dus daar had de schutter zijn auto geparkeerd, dacht Virgil, onzichtbaar vanaf de weg. Hij bleef een minuut in de pick-up zitten, keek omlaag naar de weg en zag geen enkel ander voertuig langskomen. Afgezien van een roodstaarthavik, die door de lucht cirkelde op zoek naar klein wild, was hij hier helemaal alleen.
De havik liet zich als een baksteen uit de lucht vallen en verdween uit het zicht: die had zijn ontbijt. Virgil stapte uit de pick-up en keek naar de bandensporen van het voertuig van de schutter. Er was hier genoeg gras en onkruid om voetsporen te camoufleren. Hij liep een stukje de heuvel af en keek om zich heen, maar zag nergens een duidelijke voetafdruk. Hij liep weer een stukje omhoog en zag daar evenmin iets.
Maar toen hij vanaf de plek waar de auto had gestaan tegen de heuvel op keek, zag hij aan het geplette prairiegras waar de schutter had gelopen. Hij haalde zijn riotgun uit de laadbak van de pick-up, laadde het om en om met vaste en hagelpatronen, pompte een patroon in de loop en volgde het spoor naar de heuveltop. Ongeveer honderd meter over de top zag hij de uiterste rand van het meertje, en naarmate hij verder de heuvel afdaalde, werd er een groter stuk van het wateroppervlak zichtbaar. Het voetspoor

was hier niet langer recht maar liep zigzaggend van het ene bosje groen naar het andere, wat betekende dat hij dekking had gezocht omdat Joan en hij al aan het zwemmen waren geweest.
Na nog eens honderd meter vond hij de plek waar de schutter had gestaan: een cirkel van platgetrapt prairiegras bij de afgebroken, vergane stam van een niet al te dikke boom. Als hij de loop van zijn geweer op het breukvlak van de boom had laten rusten, had hij ongeveer twee derde deel van het meertje kunnen zien. Wilde hij het helemaal zien, dan had hij uit zijn dekking moeten komen en verder naar rechts moeten gaan.
Virgil keek naar de grond: geen hulzen. De schutter had ze opgeraapt en meegenomen.

Vanaf de plek waar Virgil stond, stelde het plateau weinig voor: een barst in het landschap, breed uitlopend, met onderaan een meertje. Hij liep door, verder naar beneden, en naarmate hij dichterbij kwam, veranderde het landschap. Hier zag de bodem eruit alsof hij in tweeën was gehouwen door een reusachtige bijl, met een steil aflopende greppel, diep genoeg om je in te verbergen, recht tegenover het meertje.
Als de schutter koelbloediger was geweest, meer lef had gehad, had hij kunnen wachten totdat ze onder de waterval hadden gestaan, uit het zicht, en hiernaartoe kunnen sluipen. Vanaf hier was de afstand maar zestig of zeventig meter en hadden Joan en Virgil nergens dekking kunnen zoeken. Aan de andere kant, als ze hem hadden betrapt terwijl hij de heuvel af sloop, en Virgil had zijn pistool kunnen pakken en aan de andere kant van het plateau kunnen komen, dan had hij in de val gezeten. In een grillig rotslandschap als dit kon iemand met een pistool het tegen een klein leger opnemen.
Waardoor hij ergens aan moest denken. Virgil haalde zijn mobiele telefoon tevoorschijn en zag dat hij bereik had. Op het plateau had je waarschijnlijk geen bereik, maar dat wist je pas zeker als je daar was. Misschien had de schutter hier rekening mee gehouden, want hij kon zich niet veroorloven dat iemand hem zag en zijn naam doorbelde.

Veel om over na te denken. Het zou weer een warme dag worden. Een prima dag om in het koele meertje te zwemmen, maar dat zou hij pas weer doen als de moordenaar gepakt of dood was.

Virgil liep terug naar de pick-up, haalde de patronen uit zijn riotgun, borg hem op in de kist en reed naar het huis van Roman Schmidt. Larry Jensen, Strykers rechercheur, was er met de mensen van de forensische dienst.

Virgil nam Jensen apart.
'Waar is Jim?'
'Op zijn kantoor. Hij heeft gezegd dat je waarschijnlijk zou komen en binnen wilde kijken. We zijn bijna klaar. Ik zal Margo vragen of het al kan.'
'Oké. Hoor eens, ik kreeg vandaag een briefje met de post; kun je het voor mij op vingerafdrukken laten controleren?'
Virgil legde het uit en gaf Jensen een dubbelgevouwen blaadje schrijfpapier van het hotel, waar hij de envelop en het briefje in had bewaard. Jensen las het en fronste zijn wenkbrauwen. 'Krijg nou wat,' zei hij. 'In die richting hebben we nog niet gedacht.'
'Daar hebben we nog geen tijd voor gehad,' zei Virgil. 'Maar ik ga ermee aan de slag. Ik heb een researchmedewerker in St. Paul die dat soort materiaal voor me kan opgraven. Er is al een hele partij belastinggegevens onderweg. Dus als jij dit briefje voor me wilt laten checken...'
'Wie zou er nu nog een typemachine gebruiken?'
'Iemand van Romans leeftijd,' zei Virgil.

Margo Carr, de forensisch deskundige, nam hem mee naar Schmidts werkkamer: een tafel gemaakt van een houten deur die op twee dossierkasten rustte. Op de tafel een computer, geen typemachine. 'Alles hier is onderzocht,' zei ze.
'Denk je dat de dader in deze kamer is geweest?'
'Nee. Ik denk dat hij eerst Roman heeft doodgeschoten, daarna Gloria, toen is teruggegaan naar Roman, nog twee keer op hem heeft geschoten, hem naar buiten heeft gesleept en hem overeind heeft gezet met een stok waarin hij al een vork had gesneden. Ik denk niet dat hij in het huis heeft rondgelopen, afgezien van de slaapkamer voor Gloria.'
'Denk je dat hij de weg in huis kende?' vroeg Virgil.
'Dat kan. Of misschien had Roman het licht in de slaapkamer aangedaan, waardoor hij wist waar hij moest zijn.'
'Heb je iets gevonden?'
'Eén dingetje, meer niet,' zei Carr. Ze liep naar een kunststof koffer, deed die open en kwam terug met een bewijszakje met een sigarettenpeuk erin. 'Dit lag naast de treden bij de achterdeur. Een sigarettenpeuk. Ik kan er wel achter komen wat voor merk, dat weet ik zeker, maar ik heb eraan geroken en weet dat het een mentholsigaret is. Er is geen regen op gevallen, dus hij heeft er niet lang gelegen. En de Schmidts rookten niet.'
Virgil keek van de peuk naar Carr. 'Weet je dat zeker?'
'Ik grijp me aan strohalmen vast. Het is alles wat ik heb.'

Even later zat Virgil aan Romans werktafel, met zijn ogen dicht, en probeerde hij het zich te herinneren: het pakje sigaretten dat naast George Feurs elleboog had gelegen, toen hij met hem was gaan praten. Waren dat Salems geweest? Virgil dacht van wel. Het beeld in zijn geheugen was van een blauwgroen pakje, zeegroen...
Zijn mobiele telefoon ging over: Joan.
'Hoe voel je je?' vroeg ze.
'Niet slecht,' zei Virgil. 'In verwarring, maar ik zie er vandaag heel goed uit. Misschien ga ik vanavond de stad in om een paar chicks te versieren.'
'Veel plezier.'
'Bedankt. Maar even serieus, ik ben in het huis van de Schmidts. Ik heb een vraag voor je: hoeveel mensen, die wisten dat wij naar de farm gingen, kunnen hebben geweten van die helling en hoe ze die moesten afdalen tot een plek waar ze ons in het vizier konden nemen?'
Ze dacht erover na en zei toen: 'Nou, misschien niet iedereen, maar...'
'Niet iedereen?'
'Het is altijd een heel populaire zwemplek geweest, Virgil. Talloze tieners kwamen de heuvel op, zetten hun auto tussen de bomen en gingen stiekem naar het plateau om naakt te zwemmen in het meertje. Ik bedoel, als je dat op de middelbare school niet minstens één keer had gedaan, je laten pakken bij het meertje, hoorde je er niet bij.'
'Hoe vaak heb jij het gedaan?' vroeg Virgil.
'We hadden afgesproken dat we het niet over ons verleden zouden hebben,' zei ze.
'Nee, dat hadden we niet.'
'Dan spreken we dat nú af,' zei ze.
Hij nodigde haar uit om bij de Dairy Queen te gaan eten, aangezien ze de culinaire mogelijkheden van McDonald's al hadden uitgeput.
'Of we kunnen een pizza bij Johnnie's halen,' zei Joan. 'Kom om vier uur naar mijn huis, dan gaan we daarna naar de farm. Het is er een mooie dag voor. Pas goed op jezelf en neem een beter pistool mee.'
'Wees zelf ook een beetje voorzichtig.'

Virgil nam Schmidts archiefkasten door, maar dat bleek tijdverspilling. Wat hij wel te weten kwam, was dat ze het financieel niet slecht hadden. Gloria had lesgegeven op een basisschool in Worthington. Was ze bevriend geweest met die lerares die wel een glaasje lustte? Dat leek hem niet waarschijnlijk, want Gloria was bijna een generatie jonger geweest en had op een andere school lesgegeven. Waar kwam dat geld dan vandaan? Er stond een half miljoen dollar op een rekening bij Vanguard; aan de

andere kant hadden ze tijd genoeg gehad om het bij elkaar te sparen.
Het meest interessante vond hij in Schmidts computer. Schmidt had een dial-up-aansluiting, en Virgil vond een paar e-mails van Big Curly, waarin over politiek werd gesproken. Curly zocht steun voor zijn zoon, wanneer die het in de volgende verkiezingen tegen Stryker zou opnemen. Schmidt was er wel op ingegaan, maar leek er niet al te happig op om zich in te zetten voor iemand die misschien aan het kortste eind zou trekken. 'We kunnen beter wachten tot de verkiezingen dichterbij komen, dan hebben we meer zicht op wat de mogelijkheden zijn,' schreef hij in een van zijn antwoorden. Maar hij zei ook geen 'nee'.
Terwijl Virgil daar zat en Schmidts materiaal doornam, moest hij weer denken aan het briefje dat hij aan Larry Jensen had gegeven. Hoeveel mensen wisten in welke richting hij zocht? De bankmanager, natuurlijk, en iedereen aan wie die het misschien had doorverteld.
En de Johnstones.
'Die verdomde foto,' zei hij hardop. Was die foto de reden dat iemand hem dat briefje had gestuurd?

Hij kwam hier niet veel verder, want een oppervlakkig onderzoek leverde niets op en een grondige analyse van de financiële transacties van de Schmidts zou meer tijd vergen. Hij hoorde zware voetstappen achter in het huis en besloot het op te geven. Hij zou wel een andere keer terugkomen, als er geen nieuwe ontwikkelingen plaatsvonden.
Hij ging door de keuken naar buiten en zag Big Curly, Little Curly en een hulpsheriff die hij niet kende samen met Jensen in de tuin staan. Hij zwaaide en zei: 'Ik ben klaar.'
'Iets gevonden?' vroeg Jensen.
'Nee,' zei Virgil. 'We hebben een accountant nodig.'
'Ja...'
Ik kom later terug, dacht Virgil, om te zien of iemand die e-mails over de verkiezingen heeft gewist. Of iemand bereid is zo ver te gaan dat hij met het bewijsmateriaal op de plaats delict van een moord knoeit. Dat zou interessant zijn om te weten.

Op de terugweg naar de stad zag hij weer een havik door de lucht cirkelen, net zoals hij bij de farm had gezien. Dat deed hem weer denken aan de aanslag, de heuvel, de farm, het naaktzwemmen en de vraag waarom de schutter niet dichterbij was gekomen om hem beter in het vizier te krijgen.
En waarom die hem op een afstand van vierhonderd meter op een halve meter had gemist. Natuurlijk was het helemaal niet zo moeilijk om iemand

op een halve meter te missen. Maar als je de loop van je geweer op een afgebroken boomstam kon laten steunen, zou je toch een beter resultaat verwachten.
Hij dacht er enige tijd over na, minderde vaart, stopte aan de kant van de weg en belde het huis van de Laymons. Jesse nam op. 'Hallo?'
Ze had een aangenaam schorre whiskystem, vond Virgil. 'Je spreekt met Virgil,' zei hij. 'Ik bel je namens Jims zus, die het zelf niet durft te vragen. Maar kan het zijn dat we jullie gisteravond in Marshall hebben gezien? Om een uur of zeven? We moesten een restaurant in schieten omdat ze er zeker van was dat jullie het waren.'
'Nee, dat waren wij niet,' zei Jesse. 'Wij zijn naar Sioux Falls geweest.'
'O ja? Dus ik moet het met een pizza doen terwijl jullie groots uitpakken. Heb jij getrakteerd? Aangezien je bijna rijk bent?'
Ze begon te lachen en zei: 'Nee, ik niet. Hoor eens, waarom bel je eigenlijk? Volgens mij ben je ergens op uit.'
'Nee hoor,' zei Virgil opgewekt. 'Echt niet, dit is gewoon geroddel, meer niet. Zelf ben ik gisteravond met zijn beeldschone zus gaan zwemmen in het Stryker-meertje op het plateau. Misschien kunnen we een keer met z'n vieren gaan.'
'Dat denk ik niet,' zei ze. 'Naaktzwemmen met zijn eigen zus? Daar is Jim veel te preuts voor.'
'Hm, daar heb ik niet aan gedacht,' zei Virgil. 'Zou ik ook zijn, als het om míjn zus ging. Maar... hebben jullie een leuke avond gehad?'
'Ja, eigenlijk wel,' zei Jesse. 'Jim is net een jong hondje, maar hij besteedt in elk geval aandacht aan me.'
'Ik heb het je gezegd, dat je het misschien best leuk zou vinden,' zei Virgil. 'Het zag er even naar uit dat hij het niet zou halen, vanwege de Schmidt-zaak. Ik zag hem niet voor acht uur vertrekken, en aangezien alles hier om negen uur dichtgaat...'
'Geen probleem,' zei ze. 'Hij heeft gewoon alles laten vallen waar hij mee bezig was, tenminste, dat zei hij, en is hiernaartoe gekomen. Tegen halfnegen waren we in Sioux Falls.'
'Ah, nou... dan kom ik nu bij de ware reden dat ik je bel,' zei Virgil.
'Ik wíst het...'
'Ik heb hem vanochtend nog niet kunnen bereiken,' zei Virgil. 'Hij is toch niet bij jou, hè?'
'Virgil!'
'Sorry, meisje, maar ik heb hem dringend nodig.'
'Ik gá niet met mannen naar bed bij het eerste afspraakje,' zei ze. 'Niet thuis. Of meestal niet, in elk geval.'

‘Dan heeft hij nog iets om naar uit te zien,’ zei Virgil. ‘Hoor eens, zeg niet tegen hem dat ik heb gebeld en je hiernaar heb gevraagd, want dan slaat hij me verrot.’

Ze praatten nog een minuutje en toen beëindigde Virgil het gesprek. Oké. Als ze om halfnegen in Sioux Falls waren geweest, moest Stryker haar om acht uur hebben opgehaald, wat betekende dat hij geen tijd had gehad om op Virgil te schieten. Waarom zou hij dat trouwens doen? Dat was een andere vraag, maar weten wie er wel en niet in de gelegenheid was, leek een eerste stap in de juiste richting.
Hoewel hij niet echt dacht dat Stryker er iets mee te maken had.
Niet echt.

Hij parkeerde bij het stadhuis, ging naar binnen en trof Stryker op de administratie, zittend in een raamkozijn, in gesprek met een assistent. Stryker stond op toen hij Virgil zag en Virgil vroeg: ‘Heb je een minuutje voor me?’
‘Jep.’ Terwijl ze wegliepen van het bureau van de assistent zei Stryker: ‘Larry belde me en zei dat je vanochtend een briefje hebt ontvangen.’
Ze gingen Strykers kantoor binnen en deden de deur dicht. Virgil nam plaats op de bezoekersstoel, grijnsde schaapachtig en zei: ‘Ik weet niet precies hoe ik dit moet rapporteren...’
‘Vertel op.’
‘Een vriendin van me, van hier...’
‘Joanie...’
‘... en ik wilden gisteravond gaan zwemmen, en toevallig kent zij een befaamd meertje...’
Strykers wenkbrauwen gingen omhoog. ‘Zijn jullie naakt gaan zwemmen op het plateau? Jij? Met mijn jonge zusje?’
‘Ja.’
‘Was het leuk?’
‘We zijn onder vuur genomen door iemand met een geweer,’ zei Virgil.
Hij lette goed op Strykers gezicht, maar Strykers glimlach verdween op een zo natuurlijke wijze dat het onmogelijk leek dat hij ervan wist. ‘Wat?’
‘Twee schoten vanaf de heuvel,’ zei Virgil. ‘Op mij, niet op Joanie.’
‘Virgil...’
‘Ik heb ergens een zenuw blootgelegd,’ zei Virgil.
‘Godallemachtig, man.’ Strykers bureaustoel vloog een stuk achteruit en de wielen knarsten op de kunststof beschermingsmat op de vloer. ‘Je moet bij Joanie uit de buurt blijven totdat dit voorbij is. Jezus, hij had jullie alle-

bei kunnen doodschieten. Jullie waren wandelende schietschijven bij dat meertje.'
'Ja,' zei Virgil, 'en ik vraag me af waarom hij me heeft gemist. Of had hij gewoon pech?'
Ze praatten er nog een paar minuten over, en toen zei Virgil: 'Hij, wie het ook is, had het niet op Joanie gemunt. Ik denk... Ik moet aan de slag met dat briefje van vanochtend. Wordt er al naar vingerafdrukken gezocht?'
'Ja, ze zijn op dit moment de lijmtests aan het doen.'
'Oké.' Virgil duwde zich op uit zijn stoel. 'Nog één ding, en ik vertel het je omdat je een vriend van me bent. Ik heb vanochtend de e-mails van Roman Schmidt doorgenomen. Big Curly probeerde Schmidt zover te krijgen dat hij Little Curly zou steunen in zijn race tegen jou in de verkiezingen komend najaar. Ze hebben wat heen en weer gepraat over de eventuele mogelijkheden.'
Stryker wreef met zijn wijsvinger over zijn kin. 'Dat verbaast me niks,' zei hij. 'Wat had Schmidt daarop te zeggen?'
'Hij stelde voor te wachten tot vlak voor de verkiezingen, om te zien uit welke hoek de wind zou waaien. Maar hij zei ook geen nee.'

Virgil liep naar zijn pick-up toen een lange, oudere man met een witte strohoed naar hem riep: 'Hé, meneer Flowers!'
Virgil wachtte naast de pick-up tot de man de straat was overgestoken en naar hem toe kwam lopen. Hij had grijs haar, een verweerd gezicht, was heel mager en ging gekleed in een spijkerbroek en een golfshirt. 'Ik ben Andy Clay. Ik woon naast de familie Johnstone... u weet wel, in de straat waar de Gleasons hebben gewoond.'
'Ja. Hoe maakt u het?'
'Prima. Alhoewel, misschien niet helemaal,' zei Clay. 'Ik moet u iets vertellen, onder ons, en ik wil u ook iets vragen.'
'Zeg het maar.'
'Ik zag u gisteren bij de Johnstones naar binnen gaan,' zei Clay. 'Iedereen in de stad weet inmiddels wie u bent. Hoe dan ook, later die dag sta ik bij het benzinestation, ik had benzine nodig voor de grasmaaier, toen Carol kwam aanrijden in hun Lexus pick-up. Ze zegt niet eens "hallo", gooit de tank vol, wast de voorruit en doet dat allemaal heel gehaast. Dus ik rij terug naar huis en ben de tank van de grasmaaier aan het vullen, als Carol weer komt aanrijden. Ze laat de Lexus op de oprit staan in plaats van die in de garage te zetten, en dan komt Gerald de voordeur uit, met een grote witte koffer, die hij achter in de pick-up gooit. Ze gaan allebei naar binnen, komen weer naar buiten met nog meer koffers, ik ben dan inmiddels het

gras aan het maaien, ze draaien de deur op slot en vertrekken.'
'Vertrekken?' vroeg Virgil. 'Bedoelt u alsof ze de stad uit gingen?'
'Tenzij ze een lading koffers aan het Leger des Heils gingen schenken,' zei Clay. 'En nog iets: ze hebben van die timers op hun lampen, u weet wel, die de lichten aan- en uitdoen wanneer ze er niet zijn. Nou, iedereen weet dat ze die hebben, en gisteravond begon het. Er ging hier een lamp aan en daar een lamp uit. Toen ging de eerste weer uit en een andere weer aan. U weet hoe het werkt. Het leek wel een boodschap in morse: *De Johnstones zijn weg.*'
'Hm,' zei Virgil. Hij dacht er enige tijd over na en vroeg toen: 'En wat wilde u vragen?'
'We hadden het er gisteravond over met de mensen op de heuvel,' zei Clay. 'Is het niet beter dat we allemaal de stad uit gaan?'

Die verdomde Johnstones, dacht Virgil toen hij terugreed naar het hotel. Te laat om de verkeerspolitie te waarschuwen en ze terug naar huis te slepen. Gerald Johnstone wist iets over die foto van die dode vrouw en Virgil wilde weten wat dat was.
Het was nu tijd om ze onder druk te zetten, als hij ze tenminste kon vinden. Hadden ze niet iets gezegd over een dochter in Minneapolis?
Hij belde Davenport. 'Ik zit met een probleem: een paar mensen die mogelijk op de vlucht zijn. Het zijn niet de daders, maar ze weten wel iets. Als Jenkins en Shrake uit hun neus zitten te eten...'
Hij legde Davenport uit wat er aan de hand was en dat hij niet wist hoe de dochter heette. 'Die vinden we wel bij Gemeentezaken,' zei Davenport. 'Ik zal de jongens erop zetten. Ze zijn hard aan een beetje actie toe.'
'Nou, jezus, als ze ze maar niet te hard aanpakken,' zei Virgil. 'Het zijn oude mensen.'
'Bedoel je dat we alleen jonge mensen in elkaar mogen slaan?' vroeg Davenport. 'Er zijn net zo veel oude schoften als jonge, hoor. Zeker nu de babyboom op leeftijd begint te raken.'
'Ja, nou... ik wil toch liever niet dat een van mijn getuigen aan een hartaanval overlijdt. Zeg dat ze zich een beetje inhouden. Niet schoppen.'
'Ik dacht dat je ze bang wilde hebben,' zei Davenport.
'Een beetje bang,' zei Virgil. 'Niet té bang.'

Terug in het hotel had de receptionist drie kartonnen dozen, dichtgeplakt met witte tape, achter de balie neergezet. 'Deze zijn een halfuur geleden gebracht. Ze komen uit St. Paul, zei de koerier.'
Het leek wel of er bakstenen in zaten. Virgil zeulde de dozen naar zijn

kamer en begon de stapels papieren eruit te halen. Veel te veel materiaal, maar het moest doorgenomen worden. In elk geval een deel.
Voordat hij daaraan begon belde hij Davenport weer, kreeg een naam, belde de man op het secretariaatskantoor en kreeg te horen dat hij alle gewenste bedrijfs- en overheidsgegevens online kon inzien, ook de vertrouwelijke stukken, mits hij daarvoor een wachtwoord had. 'Ik zal je een tijdelijk wachtwoord geven: *chuzzlewit*,' zei de man die Martin heette. Hij spelde het wachtwoord voor Virgil. 'Het is bruikbaar tot aanstaande woensdag. Als je een nieuw wachtwoord nodig hebt, bel je me maar.'
'Wat is een chuzzlewit?' vroeg Virgil.
'Dat is een woord waarvan het uiterst onwaarschijnlijk is dat het tussen nu en aanstaande woensdag wordt uitgevogeld door een of andere puisterige hacker,' zei Martin.

Dus haalde Virgil, die weinig zin had om aan die berg papier te beginnen, zijn laptop tevoorschijn en keek er enige tijd naar. Omdat er al ongeveer een dag in zijn achterhoofd een probleem aan hem knaagde, pakte hij de dvd die Stryker hem op de eerste dag had gegeven, die met het papierwerk over de moord op de Gleasons, en schoof hem in de drive. Afgezien van het complete onderzoeksrapport stonden er ook een paar honderd jpg-foto's van de plaats delict op. Hij keek er een halfuurtje naar, vond toen dat hij genoeg had gezien en zei: 'Tja...'
Geen Openbaring, voor zover hij kon zien.

Hij ging het net op, logde in bij het staatssecretariaat en ging op zoek naar Florence Mills, Inc.
Florence Mills, las hij op de officiële website, was drie jaar daarvoor opgericht 'voor de bouw, de aankoop of het leasen van faciliteiten voor de productie van biologische brandstof op basis van ethanol gewonnen uit mais en prairiegras', een samenwerkingsverband van Arno Partners, een besloten vennootschap geregistreerd in Delaware, en St. John Ventures in Coeur d'Alene, Idaho.
Daar werd hij niet veel wijzer van. Virgil vermoedde dat het bedrijf in Delaware weinig doorzichtig zou zijn. Delaware was de ideale plek om je bedrijf te laten registreren, want daarvoor was minimale informatie vereist en wanneer je bedrijfsgegevens wilde inzien, stuitte je op een muur van juridische procedures.
Idaho, dacht Virgil, bood betere mogelijkheden, en hij kreeg gelijk. Hij belde het staatssecretariaat in Idaho, kreeg te horen hoe hij de openbare gegevens op het net kon opzoeken, en hoewel hij eigenlijk al wist wat hij

zou vinden, zocht hij St. John Ventures op: George Feur, algemeen directeur en voorzitter van de raad van bestuur.
Hij belde Stryker. 'Wat is er met het kantoor van Judd senior gebeurd? Heb je dat verzegeld, of zoiets?'
'Jep. Maar ik kan je niet garanderen dat junior er niet binnen is geweest. Hun kantoren zijn naast elkaar. Als er een grote pot met geld stond...'
'Ik wil daar rondkijken,' zei Virgil. 'Nu meteen.'
'Oké, ik loop ernaartoe. Ik zie je over tien minuten.'

Judds kantoor beschikte over een kleine receptie met het bureau van zijn secretaresse, en een zijkamertje met een kopieerapparaat, een printer en zes archiefkasten. Judds eigen kamer was een stuk groter, met leren fauteuils, houten lambriseringen en een bar met een nieuwe breedbeeld-tv erop. De krantenredactie was aan de ene kant en het kantoor van Judd junior aan de andere, maar ze kwamen de hoofdredacteur noch junior tegen toen ze naar binnen gingen.
Stryker draaide de deur achter zich op slot en Virgil zei: 'Laten we niet te veel lichten aandoen. Alleen in Judds kantoor en het zijkamertje. De hele stad hoeft niet te weten dat we hier zijn.'
'Volgens mij weet iedereen het al,' zei Stryker somber. Hij was ontmoedigd door het gebrek aan resultaten van het onderzoek naar de moord op de Schmidts. 'Er komt niks uit, man. En jij? Heb jij al een spoor?'
'De brief van vanochtend suggereert dat Judd junior geldproblemen heeft, en Florence Mills wordt erin genoemd,' zei Virgil. 'Een bedrijf dat is opgericht om ethanol uit mais en prairiegras te winnen, en voor de helft eigendom is van George Feur.'
'Feur?'
'Ja. Ik weet nog niet wie eigenaar is van de andere helft, want dat is een bedrijf dat in Delaware geregistreerd staat. Ik denk dat we daar in de loop van volgende week wel achter kunnen komen, maar vandaag lukt dat niet meer. Daar hebben we gerechtelijke bevelen voor nodig en het is al twee uur aan de oostkust. Ik denk dat als de Judds en Feur iets samen deden, en als ze... ik weet het nog niet. Maar er kan iets in zitten.'
'Ethanol? Jeetje, misschien is het wel een tweede jeruzalemartisjokzwendel. Eenzelfde soort jacht op het grote geld. Want de mensen die zijn vermoord waren niet alleen oud, de meesten zaten er ook heel warmpjes bij. Het zouden de investeerders in een tweede zwendel kunnen zijn.'
'Ja. Dat geldt ook voor de Schmidts. Die hadden een half miljoen bij Vanguard staan.' Virgil dacht er even over na en vroeg: 'Is Larry Jensen daar nog?'
'Ja.'

'Laat hem de bankgegevens van Vanguard doornemen. Er zouden maandafschriften moeten zijn. Laat hem kijken naar grote opnames in de afgelopen drie jaar. Niet zoals voor een auto, maar nog groter.'
'Ik ga hem meteen bellen.'
Terwijl Stryker belde, begon Virgil aan Judds dossier en ging hij op zoek naar alles wat te maken kon hebben met Arno Partners of Florence Mills.
Stryker kwam terug en zei: 'Larry kijkt het na. Waar zijn wij naar op zoek?'
'Arno Partners, A-R-N-O, of Florence Mills. Als jij zijn computer aan de gang krijgt en een zoekopdracht voor beide namen geeft...'
'Laat mij de dossiers doen en neem jij de computer. Jij bent daar vast handiger in dan ik.'

Judds computer was niet met een wachtwoord beveiligd en er stond niet veel meer op dan Microsoft Word, met een stel macro's voor brieven, retouradressen en een briefhoofd. In de documentenmap zat helemaal niets. Hij had niet eens een e-mailaccount. Een luxe typemachine, dacht Virgil.
Hij zette de computer uit toen zijn blik viel op de computer van Judds secretaresse: niet via een netwerk met elkaar verbonden, maar beide zelfstandig opererend.
'Had Judd senior nog steeds een secretaresse in dienst?' vroeg hij aan Stryker, die in het zijkamertje op de grond zat.
'Jep. Amy Sweet. We hebben haar gezegd dat ze naar huis moest gaan en haar salaris moet declareren bij de advocaat die de erfenis afhandelt.'
'Ik moet haar spreken,' zei Virgil. Hij ging achter het bureau van de secretaresse zitten en startte haar computer op. Meer bestanden, deze keer. Hij deed twee zoekopdrachten, een naar Arno en een naar Florence Mills, en de laatste leverde zes documenten op.
'Ik heb Florence Mills gevonden,' riep hij naar Stryker. Hij opende de documenten een voor een: betalingen aan High Plains Ag & Fleet Supply in Madison, South Dakota. Stryker kwam achter hem staan en keek mee over zijn schouder. 'De vuile schoft,' zei Stryker terwijl hij zich over Virgil heen boog en op het beeldscherm tikte, een betaling voor vijfduizend liter Bernhard Brand WA. 'Moet je dit zien.'
'Ik weet niet wat WA is,' zei Virgil.
'Watervrije ammonia. Ze hebben ergens een ethanolfabriek en ze kopen WA. Ik bedoel, het kán legaal zijn, als ze het produceren, of zelfs als ze het verwerken, maar wat ik denk is dit: ik denk dat ze daar methamfetamine maken, en niet zo weinig ook.'

'O man,' zei Virgil.
'Ik heb Feur door de landelijke politiecomputer gehaald,' zei Stryker. 'Hij heeft een paar aanvaringen met de wet gehad sinds hij is vrijgekomen, maar dat stelde allemaal niks voor. Je weet wel, verstoring van de openbare orde, verboden demonstraties, dat soort dingen. Geen zwaardere vergrijpen, zoals drugs.'
'Wacht even,' zei Virgil. Hij haalde zijn telefoon uit zijn zak en belde Davenport. 'Je hebt weleens tegen me gezegd dat als ik ooit iets moeilijks van de federale overheid nodig had, jij iemand kende die hoog genoeg in de hiërarchie zat om daarvoor te kunnen zorgen.'
'Misschien,' zei Davenport. 'Maar ik maak niet graag gebruik van gunsten als het om vage vermoedens gaat.'
'Bel hem. Zeg tegen hem dat hij naar Narcotica moet gaan en moet kijken of ze iets hebben over ene George Feur, elk mogelijk verband tussen hem en de distributie van methamfetamine via een van die fascistische, blanke suprematistische groeperingen van veroordeelde criminelen. Ik heb het zo snel mogelijk nodig.'
'Heb je de zaak opengebroken?'
'Misschien, hoewel niet op de manier die ik in gedachten had,' zei Virgil.
'Ik zal zeggen dat hij het naar je moet mailen, als er iets te vinden is,' zei Davenport.

Virgil vroeg aan Stryker: 'Ken jij een accountant die we kunnen vertrouwen, die niet voor Judd werkt?'
'Ik ken er één...'

Chris Olafson was gespecialiseerd in boekhouding en financiële planning en had haar accountantskantoor in een omgebouwd huis aan de westkant van de stad. Stryker liet haar geheimhouding zweren. 'Het gaat hier om een moordonderzoek,' zei hij. 'Virgil heeft een hypothetische vraag voor je.'
'Kom maar op.' Ze was een beweeglijke, zware vrouw met een heldere oogopslag, en de efficiëntie droop van haar af.
'Als jij een rijke vader had,' zei Virgil, 'een miljonair, ik weet niet met hoeveel miljoenen, en je had in de loop der jaren een heleboel geld van hem geleend, welke invloed zou dat dan hebben op je erfenis, als hij overleed?'
Ze vlocht haar vingers ineen en zei: 'Dat hangt ervan af. Heeft de vader dat geld aan junior... eh, de zoon... gegeven in de vorm van giften?'
Ze glimlachten allemaal, erkenden dat ze alle drie wisten over wie het ging, en Virgil zei: 'Dat weet ik niet. Hoe bedoel je, "giften"?'

Ze gaf hun een korte lezing over successierechten. Toen ze klaar was vroeg ze: 'En, hoe diep zit junior in de shit, hypothetisch gezien?'
Virgil wreef over zijn hoofd. 'We hebben de exacte cijfers nodig om dat te kunnen vaststellen,' zei hij. 'Ik heb zijn belastinggegevens in het hotel, maar die bestaan voor het merendeel uit bureaucratisch gezemel. Dus eigenlijk weet ik niet of hij wel in de shit zit.'
'Een erg goed zakenman is hij niet,' zei Olafson opgewekt. 'Ze moeten een vermogensplan hebben gehad. Weet iemand eigenlijk waar al Judds geld is gebleven? Heeft de moordenaar het huis platgebrand om die documenten te laten verdwijnen?'
'We weten niet of die papieren er waren,' zei Stryker.
'Misschien moet ik me verkiesbaar stellen als sheriff,' zei ze.
'Ik zou er niet te lang mee wachten,' zei Stryker, 'anders moet je achteraan aansluiten.'

Toen ze opstonden zei Olafson: 'Blijf nog even zitten. Willen jullie een cola? Ik wil jullie graag mijn hypothese geven.'
'We hebben nogal haast,' zei Virgil.
'Vijf minuten hebben jullie toch wel?' vroeg ze. 'Een cola?'
Ze kregen allebei een cola en Olafson zei: 'Stel dat Bill Judd ergens een grote berg geld had waar afgezien van zijn zoon niemand vanaf wist. Het geld – en de rente erover – van de zwendel met de jeruzalemartisjok.'
Stryker wilde iets zeggen, maar ze stak haar wijsvinger op. 'Stel dat Judd senior begint af te takelen, eerst geestelijk, dan ook lichamelijk, totdat het erop begint te lijken dat hij elk moment kan overlijden. Als hij eenmaal dood is, kan er geen geld meer van zijn rekening worden gehaald, alleen door middel van fraude. En die fraude is vrij gemakkelijk vast te stellen. De bank zegt bijvoorbeeld dat het geld op 1 augustus is opgenomen, maar hé, toen was Judd al drie weken dood. Zelfs junior is slim genoeg om het niet zó te doen. In de tussentijd gaat de zoon naar zijn accountants, die tegen hem zeggen: "De situatie is bar slecht. Je hebt het maximale aan giften gehad, dus over het hele vermogen moet belasting worden geheven. Bovendien sta je zo diep bij hem in de schuld dat jij de staat en de federale overheid belasting schuldig bent, en dat ze beslag gaan leggen op je eigendommen. Faillissement aanvragen heeft ook geen zin, want dat ontslaat je niet van je achterstallige belastingen." Wat doe je dan?'
Virgil haalde zijn schouders op. 'Het is jouw hypothese.'
'Dus je ouweheer is mentaal aan het aftakelen, en jij zit in zijn kantoor en je weet van zijn berg met geld. Je hebt de bankcodes, of de cheques, je moet geld op de rekening van je ouweheer storten, maar je weet dat hij

geestelijk zo ver heen is dat hij er niks van zal merken als je het niet doet. Je kunt het geld niet op je eigen rekening storten, want dat zou fraude zijn, of nog meer schuld, en alles zou op papier staan. Maar als je er niet voor terugdeinst om zijn handtekening te vervalsen, als je het geld stort op rekening van een bedrijf waarvan je ouweheer de eigenaar is, ook al weet hij dat allang niet meer, en je bedenkt een manier om hetzelfde geld weer úít dat bedrijf te halen, bijvoorbeeld voor diensten die je nooit hebt geleverd...'

'Jij zegt dus dat hij geld van zijn ouweheer stal.'

'Nee, dat zeg ik niet. Wat ik zeg is dat als ik de komende herfst tot sheriff word gekozen, ik ernaar zal kijken.'

'Stel dat hij het geld in een mais-ethanolfabriek stopte?' vroeg Virgil.

Ze schudde haar hoofd. 'Dan zou de overheid beslag leggen op de fabriek en op alle winst die uit de belastinggegevens blijkt. Je moet niet vergeten dat alles op papier staat: de cheques, de overschrijvingen, de aankopen en verkopen. De overheid zal je niet geloven als je zegt dat je de gegevens kwijt bent.'

'En als de winst van de fabriek buiten de boeken blijft?'

'Dat probeer ik jullie duidelijk te maken,' zei ze. 'Je kúnt die niet buiten de boeken houden. Dat is praktisch uitgesloten. Zeker als de FBI die gaat doornemen. Die zijn heel goed in boeken.'

'Stel dat de fabriek twee producten maakt. Het legale product wordt tot op de cent in de boeken genoteerd. Het ondergrondse spul komt helemaal niet in de boeken. Je weet wel, je produceert een half miljoen liter ethanol, je verkoopt er vierhonderdduizend, je zegt dat je maar vierhonderdduizend liter hebt geproduceerd en verkoopt de overige honderdduizend onder de toonbank voor twee dollar per liter.'

'Dan zou je, zolang niemand je verlinkt, wat geld kunnen verdienen,' zei ze. 'Maar dan moet je het distribueren en met de lage literprijs van het product zijn de inkomsten de risico's nauwelijks waard. Er hoeft maar iemand zijn mond open te doen en je kunt op een inval van de Belastingdienst rekenen.'

Virgil nam Stryker mee naar buiten. 'Denk je dat ze echt te vertrouwen is? Dat ze niks doorvertelt?'

'Ze werkt al twintig jaar als accountant, sinds ze van school is gekomen,' zei Stryker, 'en ze heeft nooit één woord gezegd over wiens financiële handel en wandel dan ook. Niemand zal iets uit haar krijgen over wat we hier hebben besproken. Ze is veiliger dan een Zwitserse bank.'

'Ik heb een massa papieren uit St. Paul ontvangen,' zei Virgil. 'Belasting-,

bedrijfs- en bankgegevens. Daar is echt een accountant voor nodig, iemand die er meteen aan kan beginnen.'
'Vraag haar of ze het wil doen,' zei Stryker. 'Je zult haar wel moeten betalen, maar over de vraag of we haar kunnen vertrouwen hoef je je geen zorgen te maken.'
'We hebben geld om haar te betalen, en we hebben haar analyse nodig.'

Ze gingen weer naar binnen en Olafson ging akkoord. 'Er zijn te veel slachtoffers gevallen. Natuurlijk doe ik het. Ik zal jullie zelfs mijn staatstarief rekenen. Wel met een toeslag voor overuren en spoed.'
'En dat is?'
'Honderdtien dollar per uur,' zei ze.
Dat klonk als een hoop geld, maar aan de andere kant was het maar voor acht tot tien uur. 'Afgesproken. Ik ga de papieren halen. Als jij in de tussentijd een contract maakt, zal ik dat straks tekenen.'

Toen ze buiten op de stoep liepen zei Stryker: 'Als je zogenaamd een ethanolfabriek begint, maar die in werkelijkheid gebruikt om grote partijen chemicaliën in te kopen en "meth" te produceren... ik bedoel, dan hebben we het niet over een beetje, maar over tonnen van dat spul. Dan is de winst geen twee dollar per liter maar astronomisch. Je moet wel flink wat investeren om die fabriek te beginnen...'
'Met het geld van Judd senior. En je hebt een distributienetwerk nodig.'
'Van Feur, als hij er echt bij betrokken is.'
Ze keken elkaar aan en Virgil zei: 'Laten we naar het hotel gaan. Kijken of Davenports man al iets heeft gestuurd.'

Davenports man was Louis Mallard, die iets hoogs bij de FBI was. Hij had één alinea tekst gestuurd.

Ene dominee George Feur van de eerste Archangelus-kerk der Openbaring was een van de mensen die in Salt Lake City en Coeur d'Alene werden geobserveerd vanwege zijn contacten met extremistische anti-overheidsbewegingen vergelijkbaar met de Corps. Van de Corps is bekend dat ze drugs – onder andere cocaïne en methamfetamine – distribueren om hun activiteiten en de aankoop van wapens te financieren. Het onderzoek naar Feur werd na drie maanden gestaakt omdat niet aangetoond kon worden dat hij zich aan illegale activiteiten schuldig maakte, hoewel hij connecties had met talloze mensen die dat wel deden.

'Dat moet het zijn,' zei Stryker. 'Hij is erbij betrokken. Hij heeft de connecties.'
'Maar hoe zit het dan met Roman Schmidt en de Gleasons?' vroeg Virgil.
'Van de Gleasons weet ik het niet. Alleen dat ze blijkbaar contact met Feur hebben gehad. We hebben immers dat boek *Openbaring* op hun bijzettafeltje gevonden. Misschien waren zij de investeerders? Van Roman...'
'Wat is er met Roman?'
'Die was dikke maatjes met Big en Little Curly,' zei Stryker. 'En raad eens wie er in de westelijke helft van Stark County patrouilleren?'
'Big en Little Curly?'
'Ja, dat is hún gebied,' zei Stryker. 'Ze kennen het als geen ander. Als je grote hoeveelheden meth moet vervoeren, is het buitengewoon handig als je een uitkijk bij de sheriffdienst hebt.'
'Daar wil ik liever niet aan denken,' zei Virgil.
'Ik ook niet,' zei Stryker. 'Ik verlies nog liever de verkiezingen dan dat ik ontdek dat het waar is.'

Ze zaten nog enige tijd naar het beeldscherm van de laptop te staren en ten slotte vroeg Virgil: 'Wat ga je vanavond doen?'
'Uit met Jesse, denk ik,' zei Stryker. 'Er begint iets te bloeien tussen ons... misschien. Maar de zaak komt op de eerste plaats. Wat was jij van plan?'
'Ik wil nog geen confrontatie met de Curly's. Ik dacht dat we ons maar eens op verboden terrein moesten begeven. Die ethanolfabriek van Feur en Judd staat in Sodak, maar hoe zit het met Feurs farm? Die kan volgens mij het distributiecentrum zijn. Lekker afgelegen, op het platteland, en hij houdt daar die religieuze bijeenkomsten. Onbekenden komen er van her en der naartoe, wat je kunt verwachten met zo'n soort kerk. Dus het kan zijn dat ze dan spullen komen halen, met hun pick-ups.'
'Als we het doen, moeten we het laat doen,' zei Stryker, en hij keek op zijn horloge. 'Het is nu bijna vier uur.'
'Ik vraag het niet graag,' zei Virgil, 'maar ik ga er niet graag zonder backup naartoe.'
'We wachten tot iedereen slaapt en dan gaan we,' zei Stryker. 'Om één uur vannacht bij mijn huis?'
'Oké, afgesproken,' zei Virgil. 'En zorg ervoor dat je wat serieuze hardware bij je hebt.'
Stryker knikte. 'Komt voor elkaar. Die jongens van Feur zijn zwaar bewapend.'
'Eén voordeel,' zei Virgil na een minuut stilte.
'En dat is?'

'Je kunt nog steeds met Jesse op stap.'
'Als ze me hebben wil, kan ze me krijgen,' zei Stryker, die amper kon geloven wat hem overkwam. 'Toen ik haar gisteravond in de ogen keek, in het kaarslicht, dacht ik dat mijn hart het zou begeven.'
'Waar gaan jullie naartoe?' vroeg Virgil.
Stryker haalde zijn schouders op. 'Geen idee. Jezus, ik pieker me suf om een beetje interessante plek te bedenken. Ik kan haar niet meenemen naar de club. Naar Tijuana Jack's of iets anders in Worthington kunnen we niet... dat is te dichtbij, en buiten de stad wil ik ook niet gezien worden. Nog niet.'
'Het leven is verrot en dan ga je dood.'
'Neem het woord "dood" maar liever niet in je mond,' zei Stryker. 'Ik verheug me er namelijk helemaal niet op om bij Feur te gaan rondneuzen.'

13

Virgil zat klem. Nu de accountant de papieren doornam, had hij tot vier uur niets te doen. Dan had hij zijn afspraakje, hoewel zijn onderzoek daar weinig mee opschoot. Aan de andere kant, met door de stad slenteren schoot hij ook niet veel op.
Een goed moment om met Judd te gaan praten? Of met een van de anderen in zijn notitieboekje? Suzanne Reynolds, de voormalige, uitgedijde seksgroupie?
Eerst Judd.

Hij reed de stad in. Een man bij SuperAmerica, die stond te tanken, zwaaide naar hem, en Virgil zwaaide terug. Hij parkeerde voor de Great Plains Bank & Trust, keek even naar een Red Wing-vaas in de etalage van een antiekwinkeltje en liep door naar het kantoor van Judd junior.
Dat was het spiegelbeeld van het kantoor van zijn vader: hetzelfde donkere hout dat een poenig gewicht aan het vertrek gaf, een secretaresse achter het bureau waar je binnenkwam, en twee houten stoelen voor bezoekers die moesten wachten.
'Meneer Flowers,' zei de secretaresse. 'Ik zal even kijken of het meneer Judd gelegen komt.' De deur naar Judds kantoor was open. Ze stak haar hoofd naar binnen en zei: 'Meneer Flowers is er.'
'Stuur maar door,' zei Judd.

Judd had een half leesbrilletje op en bekeek een geprinte spreadsheet, die hij opvouwde en aan de zijkant van zijn bureau neerlegde. Hij wees naar een stoel en vroeg: 'Heb je al wat?'
'Ja,' zei Virgil. 'Ik kan je niet vertellen wat, maar wel dat ik iemand flink nerveus heb gemaakt.'
'Mooi,' zei Judd. 'Dat is tenminste iets.'
'Ik heb een vraag voor je. Ik weet niet hoe ver je al bent met het doornemen van het testament van je vader...'
'Die claim van Jesse Laymon gaat me een smak geld kosten, dat kan ik je wel vertellen,' zei Judd.
'Dat is een andere zaak...'

'Tenzij we onszelf de vraag stellen of ze misschien niet graag wilde dat die ouwe van de aardbodem verdween,' zei Judd.
'Daar wordt naar gekeken.'
'Door de sheriff, hoogstpersoonlijk, heb ik gehoord.'
'Door mij,' zei Virgil. 'Hoe dan ook, waar heeft je ouweheer het geld van die jeruzalemartisjokzwendel verstopt?'
Judd bleef hem even aankijken en begon toen te blaffen. Hij lacht, constateerde Virgil.
'Virgil, er ís geen geld. Er bestaat geen geheime bankrekening. Voor zover ik weet hadden ze toen al niet veel om mee van start te gaan, en geloof me, een stel uiterst slimme rechercheurs van de staat en de Belastingdienst hebben alles binnenstebuiten gekeerd. Dat geld bestaat niet.'
'Weet je het zeker?'
Judd trommelde met zijn vingers op zijn bureaublad en slaakte een zucht. 'Hoor eens, hoe kan ik dat honderd procent zeker weten? Mijn pa is opgegroeid in een arm gezin en hij was een bikkelharde schoft. Hij heeft zich door de Depressie geknokt en alles op zijn eigen manier gedaan. Dus het is mogelijk dat hij ergens geld heeft verstopt, als er al geld was. En áls er geld was, zou hij dat nooit tegen iemand zeggen. Ik bedoel dat áls hij geld had, dat dan zwart geld moet zijn, zou hij nooit dat risico nemen.'
'Maar dan zou dat geld zomaar verloren gaan...'
Judd zwaaide ontkennend met zijn wijsvinger. 'Niet verloren gaan, maar een appeltje voor de dorst zijn. Zoals alle rijke mensen die sterven dat hebben. Laten we zeggen dat hij een bankrekening in Panama of ergens anders had, of investeringen overzee. Zo'n investering groeit gewoon door, en als hij het geld nodig had, kon hij erover beschikken. Hij heeft het alleen nooit nodig gehad.'
'Dat weet je zeker.'
'Nogmaals, niet voor honderd procent zeker... ik weet helemaal niks in deze zaak zeker. Wat ik geloof, is dat er nooit geld is geweest. Als jij op zoek bent naar geld, dan verspil je je tijd, en als iemand hem heeft vermoord om zijn geld, is ook dát verspilde moeite geweest. Er bestaat geen geldkist van oom Scrooge.'

Nadat ze nog een paar minuten hadden gepraat, liep Virgil weer naar buiten. Hij keek in zijn notitieboekje, vond het adres van Suzanne Reynolds, stapte in de pick-up en reed ernaartoe. Onderweg dacht hij aan zijn gesprek met Judd en vroeg hij zich af: wie is in hemelsnaam oom Scrooge?

Reynolds kwam naar de deur en knipperde met haar ogen tegen het zonlicht. Ze had óf liggen slapen, óf tv zitten kijken, want haar dikke gezicht stond verre van fris.
Ze deed de deur open en vroeg: 'Bent u meneer Flowers?'
'Ja, dat ben ik,' zei Virgil, en hij liet haar zijn legitimatie zien.
'Michelle zei al dat u misschien zou komen,' zei ze, en ze hield de deur voor hem open.

Virgil liep achter haar aan, langs de keuken, de kleine woonkamer in. Reynolds was niet alleen dik, ze was echt moddervet. Virgil schatte haar op minstens honderdvijftig kilo, en dat terwijl ze hooguit een meter zestig was. Het rook naar frituurvet in huis, en nergens stond een raam of een deur open. In de woonkamer, op de salontafel, stond een bord met drie overgebleven frietjes, met een open pot mayonaise ernaast. Ze pakte een van de frietjes van het bord, doopte het in de pot, wees ermee naar een donkerrode pluchen fauteuil, zei: 'Ga zitten,' en stak het frietje in haar mond.
Virgil nam plaats en zei: 'Ik ben in gesprek met mensen die in de jaren zestig en zeventig een relatie met Bill Judd senior hebben gehad. Ik veroordeel niemand, ik probeer alleen te ontdekken of er toen iets is gebeurd wat tot deze moorden kan hebben geleid. Alle betrokkenen waren ongeveer van dezelfde leeftijd.'
'En nu bijna twee generaties ouder dan we toen waren.'
'Ja, maar jullie zijn mijn enige getuigen,' zei Virgil. 'Ik wil u het volgende vragen, en het blijft tussen ons: hadden de Gleasons of de Schmidts of de Johnstones iets te maken met... dat hele relatiegedoe met Judd?'
Ze schrok. 'De Johnstones? Zijn die ook dood?'
'Nee, nee... dat had ik erbij moeten zeggen. Waar het om gaat is dat zij ook van dezelfde leeftijd zijn en misschien betrokken zijn geweest bij iets wat zich toen heeft afgespeeld. Een ingrijpende gebeurtenis die heeft geleid tot wraak, of iets wat is blijven broeien. Aangezien Gleason arts was en af en toe lijkschouwer, Schmidt sheriff was en Johnstone de begrafenisondernemer...'
'Ik begrijp wat u bedoelt,' zei Reynolds. Ze dacht erover na en zei toen: 'Ik kan maar twee dingen bedenken: de zwendel met de jeruzalemartisjok, en seks. Misschien heeft iemand het nu pas ontdekt, van de seks, en kan hij de gedachte niet verdragen. Maar het is allemaal zo vreselijk lang geleden. Mensen raken over dat soort dingen heen; het stelde niks voor.'
'Er zijn mensen die daar anders over denken,' zei Virgil. 'Michelle vertelde me dat het de beste tijd van haar leven was. De leukste, in elk geval.'
Er kwamen vouwen in de onderste helft van Reynolds' gezicht en Virgil

besefte dat ze glimlachte. 'Michelle was de gekste van allemaal,' zei Reynolds. 'Ze vond alles leuk: jongens, meisjes, van voren, van achteren, ondersteboven...' Ze zwaaide met haar wijsvinger naar Virgil. 'Wacht, misschien is dat het. Polaroidfoto's waren toen erg in en Bill maakte vaak foto's. U weet wel, een soort thuisporno. Je kon zelfs diafilms van Polaroid krijgen, die je zelf kon ontwikkelen en op de muur kon projecteren...'
Virgil begon zich ongemakkelijk te voelen. 'Denkt u dat een van die foto's...'
'Nou, stel dat iemands vader, broer of echtgenoot een foto in handen heeft gekregen waarop een paar mannen zijn kleine meisje liggen te dubbelen,' zei Reynolds. 'Dat kan kwaad bloed zetten.'
Dubbelen, dacht Virgil. Hij zou het later op Google opzoeken. 'Michelle zei dat ze maar één andere man kende die... eraan meedeed. De baas van het postkantoor.'
'Niet alleen hij,' zei ze. 'Er waren er nog twee of drie, maar niet allemaal van hier. De meisjes waren ook niet allemaal van hier. Er waren er een paar uit Minneapolis, en er was er een die overkwam uit Fargo. Maar nogmaals, dat soort dingen vergeet je. Wat kan het je schelen als je vijfenvijftig en dik bent? Als ik u was, zou ik me vastbijten in de zwendel met de jeruzalemartisjok. Tenminste, dat zou ik doen.'
'Denkt u dat die zaak ingrijpender is geweest?'
Ze stak haar wijsvinger weer naar hem op. 'Luister. U bent niet van hier. Die zaak... u had erbij moeten zijn. Er liepen oudere mannen te huilen op straat. Mensen die alles waren kwijtgeraakt, die geld hadden geleend met hun huis of farm als onderpand, en die elke verdomde cent waren kwijtgeraakt. Heel veel mensen. En als je in de jaren tachtig je farm kwijtraakte, dan kon je in het slachthuis gaan werken, of naar de Twin Cities gaan om voor vijf dollar per uur nachtdiensten in een of ander assemblagefabriekje te draaien. Je kon je eigen kinderen niet eens meer te eten geven. Dát zijn dingen die je niet zomaar vergeet, die kunnen blijven broeien.'
'Denkt u?'
Ze knikte. 'Wat wij meisjes deden, was niet meer dan spelen. Het waren de jaren zestig, dus iedereen speelde. Maar dat artisjokgedoe... daar kwam onvervalste, zinderende haat uit voort. Er waren mensen die Judd opgehangen zouden hebben, als ze dat ongestraft hadden kunnen doen, en dan overdrijf ik niet. Hij mag blij zijn dat hij het overleefd heeft; je hoorde mensen zeggen dat ze bereid waren hun jachtgeweer te pakken en hem af te schieten. Daar werd openlijk over gepraat, in het café.' Ze zweeg even, terwijl Virgil haar bleef aankijken, en vervolgde toen: 'Wat het allemaal nog erger maakte, was dat Bill iedereen uitlachte. Hij had zo'n hou-

ding van “pech gehad, stelletje losers”. Hij lachte ze uit, terwijl er kinderen waren die brood met gekookt hagedissenvlees moesten eten.’

Even later was Virgil terug in het hotel. Hij douchte zich en dacht aan Suzanne Reynolds in haar donkere woonkamer met haar frietjes en broodjes hagedis. Ze was óóit een mooi meisje geweest, hadden ze hem verteld. Om vier uur was hij bij Joan. Ze reden naar Johnnie’s Pizza en werden het eens over gehakt, champignons, pepperoni en de immer kwaadaardige ansjovis. ‘Het is best riskant om terug te gaan naar de farm,’ zei Virgil toen ze de stad uit reden. ‘Kijk jij af en toe achterom om te zien of iemand ons volgt.’

‘Hier hoef je niemand te volgen,’ zei ze. ‘Wanneer je mij via deze weg de stad uit ziet rijden, staat het voor vijfennegentig procent vast dat ze naar de farm gaat. Er is daar verder niks.’

‘Daar had ik niet aan gedacht,’ zei Virgil.

‘Trouwens, we gaan niet naar de farm,’ zei ze. ‘We gaan naar de heuvel erachter, die, op zijn eigen manier, ook leuke plekjes heeft, en bovendien wil ik zien waar die kerel heeft gestaan toen hij op ons schoot.’

‘Ik ben al op de heuvel geweest,’ zei Virgil. ‘Vanochtend vroeg.’

‘O ja?’

‘Hij heeft daar in hinderlaag gelegen, Joanie,’ zei Virgil. ‘Natuurlijk moest ik het onderzoeken. Maar ik heb niks gevonden.’

‘Ben je op de platte rots geweest?’ vroeg ze.

‘Welke platte rots?’

‘Ah... je bent dus niet op de platte rots geweest.’ Ze deed er bijna geheimzinnig over.

Ze reden de farm voorbij, volgden de weg om de heuvel heen en sloegen af op de plek waar de schutter, en Virgil die ochtend, de heuvel op waren gereden. Joan bekeek de plek waar de schutter zijn auto had verstopt. Virgil haalde zijn riotgun uit de laadbak van de pick-up en nam haar mee langs het inmiddels vaag geworden spoor door het onkruid naar de afgebroken boomstam waarachter de schutter had gestaan. Het was steeds warmer geworden, de luchtvochtigheid steeg en in het verre zuidwesten zagen ze de eerste pluizige witte wolkjes die zich tot loodgrijze onweerswolken zouden ontwikkelen, maar voorlopig rook de hele wereld naar warm prairiegras.

‘Ik krijg de indruk dat hij de heuvel misschien niet zo goed kende,’ zei Joan toen ze zag waar de schutter had gestaan. Ze wees omlaag met haar linkerhand. ‘Daarbeneden is een plek waar je ons ongezien had kunnen

naderen. Vroeger kwamen de tieners via die weg naar het meertje, stiekem, en je kunt er ook je auto verstoppen. Dan nader je het meertje van opzij, tot je bij een scherpe bocht komt en er dan opeens bent. Dan zouden wij hem nooit hebben gezien en zou hij opeens recht boven ons staan.'
'Dus hij heeft er op meer dan één manier een rommeltje van gemaakt,' zei Virgil. 'Ik vroeg me af of hij ons misschien met opzet heeft gemist. Hoewel ik niet zou weten waarom hij dat zou doen. En zo ver was hij niet bij ons vandaan. Als hij met opzet heeft gemist, heeft hij een heel gevaarlijk spelletje gespeeld.'

Ze keken nog wat rond en liepen terug naar de pick-up. Joan stuurde hem in westelijke richting, tot aan een groepje bomen waar hij de auto in de schaduw kon zetten. 'Verder naar boven is de weg zo rotsachtig dat je gemakkelijk een lekke band kunt krijgen,' zei ze. 'Neem jij de pizza mee, dan pak ik de plaid en de koelbox.'
Ze ging hem voor de heuvel op, naar een rotsformatie die erg deed denken aan de geërodeerde ruïne van een kasteel, een natuurlijk amfitheater van rode kwartssteen, boven op de heuveltop. Ze vonden een plek waar het gras korter was, in de schaduw van een groepje wilde pruimenbomen, waar Joan de plaid neerlegde en Virgil de riotgun rechtop tegen een van de boomstammen zette.
'Ik heb dringend behoefte aan pizza,' zei Virgil. 'En bier. God, wat is het hier heet.'
'Neem een biertje, dan laat ik je de platte rots zien. Leg de pizza in de zon, om hem op te warmen...'

Hij liep achter haar aan over de helling, naar een vlakke rechthoek van rode kwartssteen, ongeveer zes meter breed en ruim twee meter diep, iets aflopend aan de voorkant. Zodra Virgil het zag dacht hij: een schoolbord.
'Moet je zien,' zei Joan.
Virgil keek, maar zag het eerst niet. Toen zag hij het: een handafdruk, een vrij kleine hand, van een vrouw. Toen zag hij er nog een, en nog een, en een primitieve tekening van een pijl met een gebogen schacht en een punt, van een schildpad en een man met horens, en nog meer handen, en rondjes en vierkanten en andere vormen.
'Rotstekeningen,' zei Joan. 'Met een steen uit de rotsbodem gehouwen. Ergens tussen de driehonderd en duizend jaar oud. Die in Jeffers zijn nog ouder, maar deze zijn ook flink oud.
'Jezus... Joanie.' Virgil was gefascineerd. Hij ging op zijn knieën zitten en kroop om de rechthoek heen. 'Hoeveel mensen weten hiervan?'

'De mensen van het Historisch Genootschap, en mensen die geïnteresseerd zijn in rotstekeningen en die er met hun vingers van afblijven. Mijn grootvader heeft ooit aan een journalist verteld dat er een cirkel van stenen omheen heeft gelegen, keien, niet van rode kwartssteen maar gletsjerkeien, of rivierkeien, op regelmatige afstand van elkaar, als de cijfers van een klok, en met een symbool op elke kei. De mensen hebben die in de loop der jaren gestolen. Niemand weet waar ze nu zijn. Waarschijnlijk in een groot museum, of in een of andere designshop in Manhattan, of zoiets.'
'Moet je dit zien.' Virgil wees. 'Dat lijkt op een eland. Waren er hier elanden?'
'Dat zeggen ze. En hier, in de bovenhoek, staan drie buffels.'

'Hier zit een artikel voor een natuurtijdschrift in,' zei Virgil ten slotte. 'Over jagen op de prairie in de tijd van de indianen. Een hoop foto's maken, die een beetje opfleuren met Photoshop, een verhaal erbij schrijven...'
'Nee, laat die tekeningen met rust,' zei Joan hoofdschuddend. 'Het is genoeg om te weten dat ze hier zijn. Ze hoeven niet in tijdschriften of op tv.'

Zo zaten ze onder de pruimenbomen te praten, punten pizza te eten en een biertje te drinken, en zagen ze de onweerswolken van witte pluimen uitgroeien tot roze monsters terwijl de zon naar de horizon zakte. En Joan sprak zich uit.
'Ik lag gisteravond aan ons te denken... dat ik niet geloof dat dit een echte relatie is. Jij bent mijn overgangsvriendje. Jij bent degene die me weer tot leven wekt en die dan weggaat.'
'Waarom zou ik weggaan?' Virgil voelde zich loom, lag op zijn rug op de deken met zijn handen achter zijn hoofd en sprak haar niet tegen.
'Omdat dat zo is,' zei ze. 'We zouden het net zo lang serieus nemen als we onze eerdere huwelijken serieus hebben genomen. Je bent een goeie vent, Virgil, maar je hebt ook je problemen. Jij manipuleert. Ik voel dat je het doet, ook al weet ik niet precies wát je doet. Na een tijdje zou ik daar gek van worden. En ik heb het gevoel dat je het helemaal niet erg vindt om alleen te zijn.'
'Dat klinkt niet zo goed,' zei Virgil.
'Nou, je mag er zelf je conclusies uit trekken,' zei ze. 'Ik geef je de bons niet, ik wil alleen zeggen dat...'
'... dat we geen blijvertje zijn.'
'Precies,' beaamde ze. 'Maar de seks is grandioos geweest. Ik kan me niet

herinneren dat ik er ooit zo van heb genoten. Mijn man... ik weet het niet, het werd zo'n sleur. Hij was meer geïnteresseerd in golf dan in mij, dat was duidelijk.'
'Was hij een goeie golfer?' vroeg Virgil.
'Niet slecht, denk ik. Het laatste jaar dat we getrouwd waren, was het meest intieme wat we samen deden dat we naast elkaar in bed lagen en hij me alles vertelde over de zevenenzeventig slagen die hij die dag op de golfbaan had gedaan, over zijn clubs, de baan die de bal beschreef, wat die deed als hij neerkwam, goeie series, slechte series, wat hij dacht wanneer hij de bal putte... Maar weet je, op een dag krijg je daar gewoon genoeg van.'
'Waarom ben je eigenlijk met hem getrouwd?' vroeg Virgil.
'Hij zag er goed uit, hij werkte hard en hij was beschikbaar,' zei ze.
'Er zijn ergere dingen op de wereld.'
'Ja, maar hij maakte niks in me los,' zei Joan. Ze trok een lange grasspriet uit de grond en stak het uiteinde in haar mond. 'Ik dacht dat dat later wel zou komen, maar er kwam niks.'
'Veel vrouwen denken dat mannen ruw timmerhout zijn... iets waarvan je een huis kunt bouwen, als je je genoeg inzet,' zei Virgil. 'Maar er zijn mannen die, je weet wel, hun eigen gang blijven gaan. Daar valt niet mee te werken. Die zijn niet van het juiste hout.'
'Is het zo met jouw vrouwen gegaan?'
'O... nee. Ik ben gewoon met ze getrouwd omdat ze er lekker uitzagen en ik niet goed bij mijn hoofd was. Eigenlijk waren we allemaal niet goed bij ons hoofd. We wisten niet wat we deden. Iemand moest brood op de plank brengen. Je kunt niet eeuwig blijven spelen...'

Ze praatten er nog een tijdje over door, keken naar de vogels in de lucht, waren het oneens over de vraag of straks het onweer zou losbarsten of dat de wolken zouden overdrijven naar het zuiden, en aten de laatste restjes van de pizza op...
Opeens kwam er een flard vrouwengelach, aantrekkelijk en licht als een vlinder, maar onmiskenbaar, over de heuvel zweven.
'Wie is dat?' vroeg Joan, die meteen rechtop zat.
Virgil haalde zijn schouders op. 'Ik heb niemand gezien.'
'Er is iemand in het meertje,' zei Joan. 'Kom, dan gaan we ze besluipen.'
Virgil dacht: o nee, Stryker. 'Joan, misschien is het beter dat we, je weet wel, ons er niet mee bemoeien.'
'Doe niet zo achterlijk,' zei ze. 'Kom mee. Dit mogen we niet missen.'
'Joan, ik heb het vermoeden dat het Jim is. Met Jesse.'
Ze bleef hem even aankijken, met een verticaal lachrimpeltje tussen haar

ogen, en zei toen vrolijk: ‘Nou en? Kom mee, mietje.’ En ze liep weg, sloop met de bosjes als dekking, half gehurkt door het onkruid, als iemand die dit vaker had gedaan. In plaats van het plateau van boven af te naderen, sloop ze om de noordkant van de heuvel heen, ging toen op haar knieën zitten en kroop het laatste stuk naar de rand van de richel, waar ze recht in het meertje konden kijken.
Toen Virgil naast haar kwam liggen, fluisterde ze: ‘Wel wel, ik had nooit gedacht dat Jim dat soort dingen wist.’
Stryker en Jesse lagen op een luchtbed, op dezelfde rots waar Virgil en Joan hun kleren hadden neergelegd. Jesse was naakt en lag op haar rug, met haar handen op Strykers hoofd, dat zich tussen haar dijen bevond.
‘Walgelijk,’ zei Virgil. ‘Het lijken wel beesten.’
‘Stil, straks horen ze je. Heb jij Jim verteld wat hij moest doen? Of heeft hij dit zelf bedacht? Ik moet er niet aan denken dat jullie elkaar je seksgeheimpjes vertellen.’
‘Geloof me,’ zei Virgil, ‘ónze geheimpjes krijgt hij niet te horen.’
‘Oeps, daar gaan we,’ zei Joan. ‘De hoofdfilm begint.’
Stryker schoof over Jesse heen, maakte een tussenstop bij haar navel en haar borsten. Joan begon aan Virgils broekriem te trekken. ‘Trek die broek uit, Virgil. Jezus, kom nou, schiet op.’
‘Joan, dit is smerig!’
‘Kom op nou...’ Ze trok haar spijkerbroek uit. ‘Dit is goed.’
Wat moet je als man, dacht Virgil terwijl hij zijn broek liet zakken, als je een vrouw ter wille wilt zijn?

Op weg naar huis zei Joan: ‘Ik ken Jim mijn hele leven. Vanaf het moment waarop hij me in zijn armen hield, ingepakt in een babydekentje, toen ik pas geboren was. Jim is altijd zo... braaf geweest. Zo preuts en fatsoenlijk. Zo’n man met te veel spieren in zijn kaken. Ik had nooit gedacht dat hij dit zou kunnen.’
‘Nou, hij kan het,’ zei Virgil. ‘Maar hij is ook een heel slim mens en als jij je laat ontglippen dat wij daar waren, kan dat veel voor die twee verpesten.’
Joan dacht er even over na en zei: ‘Ik zal er nooit een woord over zeggen, tegen niemand. Ook niet tegen jou.’
‘Maar er wel aan denken? Als je met iemand in bed ligt?’
‘Waaraan denken?’ Maar toen hij even later naar haar keek, zag hij dat ze glimlachte. ‘Hou je mond,’ zei ze.
‘Incest,’ zei Virgil. ‘Daar hebben we het over. Dat wat die oude Grieken deden.’

Virgil was naar de eerste verdieping van het hotel verhuisd, zodat hij weer in bed kon slapen. Hij startte zijn laptop op en bekeek de weerradar van Sioux Falls. De band onweerswolken die Joan en hij in het zuidwesten hadden gezien, was richting Sioux Falls geschoven, heel langzaam, met een snelheid van vijftien kilometer per uur, en was in kracht toegenomen. Er werd nog niet over een tornado gesproken, maar er was wel een stormwaarschuwing voor delen van Noordwest-Ohio, Zuidwest-Minnesota en Zuidoost-South Dakota afgegeven. Dus het kon stortregenen als ze naar Feur gingen. Wat geen nadeel hoefde te zijn. Regen en wind maskeerden bewegingen, en geuren, want Virgil maakte zich meer zorgen om honden dan om elektronische bewegingssensoren.

Hij deed de lichten uit en ging op bed liggen, in de hoop twee uur slaap te kunnen pakken voordat hij naar Stryker ging. Er gebeurde ineens veel. De mogelijke betrokkenheid van Feur en Judd, en alle implicaties daarvan, had hij nog niet helemaal op een rijtje. Er zaten nog te veel gaten in zijn onderzoek en dat van Stryker. Misschien konden ze vannacht meer te weten komen, of morgenochtend van de accountant...

De moorden kónden natuurlijk gewoon door een gestoorde zijn gepleegd. Er liepen genoeg mensen met een kronkel rond. Neem zo'n stille, als kind misbruikte plattelandsjongen met een kilometers verre blik in zijn ogen, stamp er een portie extreme religie en de standpunten van de Corps in, doe er een scheutje methamfetamine bij en je hebt een levensgevaarlijke moordmachine.

Maar die foto van de dode vrouw, die hij in Schmidts bankkluisje had gevonden... die dateerde van lang geleden, toen Feur nog maar een jongen was. Hoe paste die in het geheel?

En dan waren er natuurlijk nog Joans opvattingen over zijn – Virgils – karakter. Veel om over na te denken.

Hij bevond zich op het randje van de slaap toen Homer, zijn alter ego, zich meldde.

De schutter kwam de heuvel af, maakte zich zo klein mogelijk en sloop door het onkruid. Honderd meter onder hem zag hij Homer en Joan in het meertje, spiernaakt, spelend en spartelend in het water. Hij hurkte achter een afgebroken boomstam en bekeek het tweetal door zijn telescoopvizier; achtmaal zoom, en hij nam even de tijd om helemaal in te zoomen. Dat verkleinde zijn beeldhoek, maar hij kon hun gezichten nu duidelijk zien.

Toen werd hij zich bewust dat hij niet op de ideale plek stond. Als hij vanaf de zijkant was gekomen, als hij zijn auto daar tussen de bomen had geparkeerd...

Virgils onbewuste schrijver aarzelde. Waarom had hij dat niet gedaan? Toen sliep hij.

14

Om halfeen werd hij door de wekker uit bed gejaagd. Hij stond op, geeuwde, nam een snelle douche, poetste zijn tanden, slikte een Modafinil om goed wakker te blijven, kleedde zich aan en stapte om vijf voor één in de pick-up.
De straten waren nog droog, maar niet zo ver weg, in het westen, onweerde het al en kwam de maan slechts af en toe achter de dikke wolken vandaan.
Precies om één uur was hij bij Stryker. Er waaide een koele bries door de straat en de bladeren aan de bomen ritselden al. Toen hij de pick-up parkeerde, zag hij Stryker bewegen achter het donkere erkerraam van zijn huis. Even later ging de deur van Strykers garage omhoog. Virgil pakte de riotgun en zijn pistool, een fles water, twee Snickers, een kleine zaklantaarn, zijn regenpak en een paar afsluitbare plastic zakjes met extra patronen.
Stryker reed achteruit de straat op, en Virgil stapte in. Ze waren halverwege de straat toen Stryker zijn lichten aandeed en vroeg: 'Heb je je regenpak bij je?'
'Jep. Ben je wakker?'
'Helemaal.' Hij wees naar het onweer in het westen. 'Zo te zien zullen we geen flessen water nodig hebben.'
'Op de radar ziet het er best interessant uit,' zei Virgil. 'Weet je waar we moeten zijn?'
'Aan de voet van de heuvel. De rest, ruim een kilometer, lopen we. Het is daar stikdonker, maar voor het grootste deel kunnen we de weg volgen.'
'De bliksem kan ons helpen,' zei Virgil.
'Zolang we er niet door worden getroffen.' Ze waren de stad al uit en de laatste lichtjes verdwenen achter hen toen ze de weg naar de Stryker-farm namen en naar het westen afsloegen om naar Feur te gaan. Ze wilden zijn terrein vanaf de achterkant naderen.

Het mooie van deze nachtelijke rit, dacht Virgil met een vage glimlach, was dat hij enige tijd kon laten verstrijken en met Stryker over andere zaken kon praten na de gebeurtenissen bij het meertje van die middag, voordat hij Stryker de eerstvolgende keer bij daglicht in de ogen zou moeten kijken. Want als hij dat de volgende ochtend had moeten doen, zou Stryker meteen weten dat er iets was gebeurd, dat zou hij aan Virgils blik kunnen zien. En hij was als smeris slim genoeg om zelf in te vullen wát dat dan was.

'Na ons gesprekje van vanmiddag ben ik naar het kadaster gegaan om de luchtfoto's van Stark County te bekijken. Die van Feurs land zijn van zes jaar geleden, maar Feur heeft er in de afgelopen jaren niks bij laten bouwen. Je hebt daar het huis, waar jij bent geweest, een grote garage met werkplaats aan de zijkant van het erf, voor jou links, toen je het erf op kwam rijden.'

'Ik heb die hangar gezien. Die zag er heel degelijk uit.'

'Ja. En dan is er nog de schuur aan de achterkant, die is omgebouwd tot ontmoetingsruimte. Mensen die er zijn geweest, zeggen dat het een heel open ruimte is. Ze houden bijeenkomsten op woensdag en zaterdag, 's avonds, en op zondagochtend, met vijftig tot zestig mensen die van heinde en verre komen. De stallen naast de schuur stellen niet veel voor, die zijn minstens tachtig jaar oud.'

'Dus de hangar, de schuur en het huis zijn de plekken waar onze aandacht naar uitgaat. In het huis ben ik geweest, tenminste, in één kamer, maar ik heb niks bijzonders gezien.'

'Ik ben er ook geweest. Er is een kelder, maar die heb ik niet gezien. De schuur... dáár zou ik graag willen kijken. Als ze drugs in voorraad hebben, in flinke hoeveelheden, is dat gevaarlijk materiaal. Die zullen ze liever buiten het huis bewaren, neem ik aan.'

'Wil je er echt naar binnen gaan?' vroeg Virgil.

'Wat ik van plan ben, is de zaak een paar uur observeren. Kijken of er iets niet klopt. Of er honden zijn. Kijken of ze een of andere vorm van beveiliging hebben. Misschien kunnen we iets ruiken. Zoeken naar aanwijzingen.'

'Ik heb geen honden gezien toen ik daar was,' zei Virgil.

'Mooi zo. Dat is het beste nieuws tot nu toe. De meeste mensen weten het niet, maar honden kunnen 's nachts net zo goed zien als overdag. Een inbraakalarm komt je niet achterna; een hond wel.'

De duisternis werd nog zwarter toen ze de lichtjes van de stad achter zich hadden gelaten en onder de zware bewolking door reden. Toen ze de top van een lage heuvel waren gepasseerd, minderde Stryker vaart en deed hij de lichten uit. Ze bevonden zich op een grindweg en kropen vooruit, met het onweer vrijwel recht boven hen. Stryker

staarde naar het scherm van zijn gps, en zei toen zacht: 'We zijn er.'
'Ik zie geen bal,' zei Virgil.
'Ik heb ergens een kei neergelegd,' zei Stryker. Hij had de binnenverlichting en de lampjes van de portieren afgeplakt met zwarte tape. 'Ik ben zo terug.' Hij zette de pick-up in de parkeerstand, haalde een penlight uit zijn zak, stapte uit en liep de weg op. Na vijftien seconden was hij terug en stapte weer in. 'We zijn er bijna.'
Hij schakelde, liet de pick-up een meter of tien vooruit rollen en reed door een greppel. Toen gaf hij iets meer gas, reed zonder iets te zien een flauwe helling op en daalde die aan de andere kant weer af. Hij stopte nog een keer, stapte uit, liep een stukje en scheen weer met de penlight om zich heen. Stapte weer in, sloeg zonder iets te zien links af en reed nog een meter of tien door. In het licht van de bliksem zag Virgil dat ze recht tegenover een rij looiersbomen stonden. 'Hier is het,' zei Stryker.
'Hier is wat?'
'Dit was vroeger de boerderij van de Millers. Die zijn weggegaan en daarna stond de zaak op instorten. Levensgevaarlijk. De brandweer heeft hier getraind, heeft de boel een paar jaar geleden platgebrand en de bietenkelder met puin volgestort. Maar de bomen die om het huis stonden hebben ze laten staan. Wij zijn nu waar vroeger de zijtuin was, dus de pick-up is absoluut onzichtbaar vanaf de weg, mocht er iemand langsrijden.'

Toen ze hun regenpakken hadden aangetrokken, pakte Virgil zijn riotgun, opende Stryker de kist in de laadbak en haalde er een geweer met een vrij lange loop uit. Het leek op een M-16, dacht Virgil, met een extra patroonmagazijn.
'Is dat een automaat? Of een halfautomaat?'
Stryker laadde het wapen door. 'Halfautomaten zijn voor mensen die op prairiehonden schieten.'

Met behulp van de penlight vonden ze de weg terug en liepen die op. Het bliksemde vaak genoeg om te zien waar ze liepen en Strykers portable gps stuurde hen moeiteloos naar Feurs farm. Echt geruisloos waren ze niet, dacht Virgil, met het grind knarsend onder hun schoenzolen en het ZWIZZ ZWIZZ ZWIZZ van hun regenpakken, maar de wind overstemde alles.
Ze hadden vierhonderd meter gelopen toen ze weer bij een greppel kwamen en over een hek van prikkeldraad moesten klimmen. Stryker praatte zacht, mompelend bijna. 'Rustig aan en let op waar je je voeten neerzet. Er liggen hier een hoop losse keien. Dit was vroeger weiland. Het bouwland ligt aan de andere kant van de weg.'

Ze struikelden een paar keer, maar begonnen dichterbij te komen. De wind was verder aangewakkerd, huilde niet echt maar was bij vlagen krachtig. Er brandde licht in het huis... nachtverlichting, vermoedde Virgil. Boven de deur van de schuur brandde een felle natriumlamp en aan een paal bij de hangar hing er nog een, die heen en weer zwaaide in de wind. Op honderd meter afstand van de farm vonden ze een plek achter een groepje distels, waar ze gingen zitten en de farm observeerden, een kwartier, twintig minuten, een halfuur... Maar in het huis of de bijgebouwen gebeurde niets.

Toen begon het te regenen, eerst in de verte, op het groen, maar kort daarna veranderde de regen van toonhoogte, toen die op de weg langs Feurs farm kletterde, en daarna nog eens, toen de golfplaten bijgebouwen aan de beurt waren. En een paar seconden later zaten zij er middenin. Na een minuut ging er op de eerste verdieping van het huis een licht aan, en daarna een tweede licht, achter een klein vierkant raampje vlak onder de dakgoot. 'Hij moet plassen,' zei Virgil tegen Stryker. Even later ging het licht in de wc uit en kort daarna ook het andere licht. Hij was weer naar bed.

De regen beukte nu op hen neer. Ze zaten gehurkt, met het hoofd omlaag en de handen in de zakken, bleven redelijk droog in hun regenpakken, maar bepaald warm hadden ze het niet. Na nog eens een halfuur stootte Stryker Virgil aan en zei: 'Misschien geen slecht moment om eens bij de schuur te gaan kijken.'

'Ga jij maar voorop.'

Voorovergebogen en zich zo klein mogelijk makend renden ze naar het erf, in etappes door het duister, en zich niet verroerend als het bliksemde. Vijf minuten nadat ze hun schuilplaats hadden verlaten, waren ze bij de achterkant van de schuur. Virgil liep door naar de zijdeur en probeerde de deurknop om te draaien. Op slot; geen enkele beweging. Ze gingen dicht tegen elkaar aan staan, om het licht van de penlight af te schermen, wachtten tot het bliksemde en op dat moment scheen Stryker op het slot.

'O-o,' zei Virgil. Een Medeco-slot, vrijwel nieuw. 'Ik wist niet dat je die hier kon kopen.'

'Wat?'

'Medeco-sloten,' zei Virgil. 'En moet je die deur zien. Die is versterkt, met staal zo te zien.'

'We komen niet binnen?'

'Nee, we komen niet binnen,' zei Virgil.

'Dus...'

'Dus gaan we weer achter de bosjes zitten.'

Ze slopen terug, langzamer, alsof er iets van de spanning was weggeëbd. Hun eerdere schuilplek konden ze niet terugvinden, maar ze vonden een andere, die net zo nat was. 'Dus ze hebben stalen deuren en eersteklassloten,' zei Stryker. 'Dat maakt het wel interessanter.' Toen ze nog eens twintig minuten in de regen hadden gezeten, zei Stryker: 'Ik begin me een stomme klootzak te voelen.'
Na nog eens twintig minuten was het ergste van de onweersbui voorbij en de wind van richting veranderd, zodat ze er met hun rug naartoe zaten.
'Ik had wel gedacht dat het tijdverspilling zou zijn.'
'Ja, maar als we dan helemaal hiernaartoe komen, verwacht je min of meer dat er ook iets zal gebeuren... omdat we al die moeite hebben gedaan.'
'Zo werkt het niet, grashopper,' zei Stryker.
'De zon komt om ongeveer halfzes op,' zei Virgil.
'Twintig minuten daarvoor moeten we hier weg zijn.'
Virgil keek op zijn horloge. 'Het is nog geen drie uur.'
'Dus blijven we nog twee uur zitten. Misschien kunnen we een uurtje slapen.'
'Hier? Dat lukt me nooit...'

Het hield op met regenen, de wind ging liggen en het onweer trok door naar het oosten. Virgil had de hoop al opgegeven dat ze iets bruikbaars zouden ontdekken toen hij op de weg naar het zuiden de koplampen van een auto zag naderen. Hij stootte Stryker aan, die zijn hoofd had gebogen en misschien wel zat te slapen. Stryker keek met een ruk op, zag de lichten en vroeg: 'Wie kan dat zijn?'
'Een vroege vogel,' zei Virgil.
Verstijfd stonden ze op, beschermd door het groen, zelfs als er iemand met een nachtkijker naar hen zou kijken. Ze rekten zich uit en zagen een pick-up die vaart minderde, Feurs erf opdraaide, stopte en achteruit naar de schuur reed.
De bestuurder stapte uit, liep naar het huis, sprong over een plas midden op het erf, klopte op de deur en bleef op de veranda staan wachten. In het huis gingen lichten aan en even later werd de man binnengelaten. 'Laten we gaan kijken wie het is,' zei Stryker.
Half kruipend en voorovergebogen liepen ze terug naar de achterkant van de schuur en slopen ze langs de zijkant. De pick-up stond maar een meter van de grote voordeur geparkeerd.
'Zullen we het erop wagen?' vroeg Stryker.
'Ga jij maar. Het licht brandt aan de andere kant van het huis, dus ik neem aan dat ze daar zijn.'

‘Oké, geef me dan dekking.’
Stryker sloop weg met zijn machinegeweer en Virgil hurkte neer achter de pick-up bij de deur van de schuur. Kentekenplaat van Missouri. Hij hoorde iets en verstrakte. Niets. Hij voelde in zijn zak, vond een pen, schreef het kenteken in zijn handpalm en daarna nog een keer op zijn onderarm.
Hij wilde zich omdraaien toen hij een idee kreeg. Hij had onlangs de bedrading van de lichten van zijn pick-up vernieuwd, en als deze Dodge ook maar enigszins op zijn pick-up leek...
Hij voelde met zijn hand onder de carrosserie en nam toen het risico om zijn zaklantaarn eronder te houden en aan te knippen. Hij vond de draden, greep ze vast, trok eraan en ging er met zijn volle gewicht aan hangen totdat hij ze een stukje voelde meegeven. Hij riskeerde het nogmaals zijn zaklantaarn aan te knippen, op de draden te schijnen, en zag de twee blanke koperen uiteinden.
Dat moet genoeg zijn, dacht hij.
Op dat moment blafte de hond. Eén keer.

Er zat verdomme een hond in die pick-up. En niet zo’n kleine ook, zo te horen.
‘Ik kom,’ zei hij hardop, waarna hij in het duister langs de schuur sloop totdat hij bij Stryker kwam en de hond nog een paar keer hoorde blaffen.
‘Wat krijgen we verdomme nou?’ fluisterde Stryker terwijl ze samen wegslopen. De hond begon weer te blaffen, maar er kwam niemand het huis uit. De eerste vijftig meter maakten ze zich weer zo klein mogelijk; daarna richtten ze zich op en liepen snel door. Ze vonden hun schuilplaats en gingen achter de bosjes staan.
‘De bedrading,’ zei Virgil. ‘Als we erachter kunnen komen wie die knaap is... tja, dan ben ik bang dat hij een verkeersovertreding heeft gemaakt. Als het nodig is.’
‘Een verkeersovertreding?’ vroeg Stryker.
‘Ik heb de bedrading van zijn achterlicht kapot getrokken,’ zei Virgil.
‘Dat komt voor de rest van zijn leven in zijn strafblad,’ zei Stryker.
‘Dat denk ik ook.’
‘Toen die hond begon te blaffen...’ zei Stryker. ‘Ik krijg geld van je voor de stomerij.’

Het daaropvolgende halfuur gebeurde er niets in het huis, totdat de deur openging en er drie mannen, onder wie Feur, naar buiten kwamen. Ze keken om zich heen, staken het erf over en gingen de schuur binnen. Na tien minuten kwamen ze weer naar buiten met vier stalen jerrycans van twintig liter. Die werden zorgvuldig in de laadbak van de pick-up gezet, nadat er wat ruimte was gemaakt, waarna ze de schuur weer in gingen en met nóg vier jerrycans naar buiten kwamen. De klep van de laadbak werd dichtgedaan, de mannen zeiden nog wat tegen elkaar, de bezoeker stapte in de pick-up, zwaaide en reed weg. Het linkerachterlicht deed het niet.

'Kom mee,' zei Stryker.

Ze liepen het duister weer in en na tweehonderd meter kwamen ze bij het hek langs de weg. Stryker haalde het jack van zijn regenpak open aan het prikkeldraad en zei: 'Verdomme, ik heb dat ding afgelopen voorjaar gekocht.' Toen waren ze op de weg en konden ze rennen. De maan, die alweer naar de horizon zakte, brak af en toe door de laatste onweerswolken heen en lichtte hen bij.

'We zijn er,' zei Stryker, zijn gezicht een bleek ovaal in het licht van zijn gps. Ze staken in het donker de greppel over, riskeerden het nog een paar keer hun zaklantaarns aan te knippen, kwamen bij de pick-up, draaiden een rondje en reden terug naar de weg.

'We moeten hem door de computer halen,' zei Stryker. 'Kijken waar hij vandaan komt.'

'Twee mogelijkheden,' zei Virgil. 'Er zit iets anders in die jerrycans dan benzine. Of benzine plus nog iets. Je kunt bij de apotheek van die kunststof cilinders kopen, die erin laten zakken en de rest bijvullen met benzine.'

'De andere mogelijkheid...' Stryker reikte boven zich en trok de tape van de binnenverlichting.

'De andere mogelijkheid is dat er werkelijk benzine in die jerrycans zit, dat onze man niet zelf kon gaan tanken omdat hij niet gezien mocht worden. Dat hij op de vlucht is, of om een andere reden heel voorzichtig moet zijn.'

'Waarom zou hij voorzichtig moeten zijn?'

'Laten we eens aannemen dat hij degene is die op me heeft geschoten,' zei Virgil. 'Dat hij van buiten de stad komt... Kansas City, hoogstwaarschijnlijk, met die kentekenplaten van Missouri. Je kunt in Kansas City heel gemakkelijk een goeie huurmoordenaar vinden. Dus hij gooit zijn tank vol voordat hij vertrekt, komt hiernaartoe, doet wat hem gevraagd is en haalt die extra jerrycans op zodat hij weer naar huis kan. Hij hoeft niet bij een benzinestation te stoppen en niemand ziet hem. Geen enkele beveiligingscamera legt hem vast. Hoe ver kom je met een volle tank en honderdzestig liter?'

Ze dachten er allebei even over na en toen zei Stryker: 'In elk geval tot aan Kansas City.'

'Maar dan is de vraag: waarom hebben ze die benzine niet dáár in zijn tank gedaan?' zei Virgil. 'Of in elk geval één jerrycan?'
'Omdat er iets anders in die jerrycans zit, Virgil,' zei Stryker.
'Ja, dat denk ik dus ook.'
Na drie kilometer rijden zei Stryker: 'Tenzij het voor zijn grasmaaier is.'

Het begon licht te worden in het oosten toen ze voor het stadhuis parkeerden. Ze gingen naar binnen, waar een telefonist in een hokje van plexiglas zijn hand naar hen opstak. Stryker nam achter een computer plaats en voerde de kentekennummers van de staat Missouri in. Binnen tien seconden had hij antwoord: Dale Donald Evans uit Birmingham, Missouri. Birmingham lag net buiten Kansas City. Hij haalde de naam en de geboortedatum van Evans door de NCIC-politiecomputer en kreeg zes hits.
'Inbraak, inbraak, inbraak, mishandeling, diefstal, mishandeling,' zei Stryker. 'Hij heeft twee en drie jaar, vijf jaar in totaal gezeten, allemaal in Missouri.'
'Ik dacht dat je de eerste drie inbraken altijd gratis kreeg,' zei Virgil.
'Niet in Missouri, blijkbaar. Of misschien heeft hij iets groots gestolen.'
'Of van een belangrijk persoon.' Virgil tikte op het beeldscherm. 'Weet je wat ik denk? Dat hij een kleine crimineel is die wordt vertrouwd door de grote jongens. Hij heeft zijn tijd uitgezeten en zijn mond dicht gehouden. Dus is hij bevorderd tot koerier. Hij rijdt naar Minnesota en haalt daar een vrachtje op: een stel gedeukte jerrycans die hij camoufleert met een zootje brandhout, een kettingzaag, misschien een generator en nog wat ander gereedschap... Niemand die het ziet zal ook maar enige argwaan koesteren.'
Stryker leunde achterover in zijn stoel. 'Ik kan wel wat advies gebruiken, over hoe we dit gaan aanpakken.'
'We moeten een bespreking houden,' zei Virgil.

'Verdomme, Virgil...' kreunde Davenport in de telefoon.
'Kom met je luie reet uit bed en bel de drugsmensen van de FBI,' zei Virgil. 'Ik moet een van hun grote jongens spreken, en wel onmiddellijk.'
'Heb je iets gevonden?'
'Het grootste methlab in de geschiedenis van grote methlabs,' zei Virgil. 'Misschien.'
Hij hoorde Davenport geeuwen. 'Oké, ik zal iemand bellen. Maar is er nog een andere reden dat je me om halfzes 's ochtends wakker belt?'
'Ja. Er is ongeveer honderdzestig liter meth per auto op weg naar Kansas City. Iemand moet die auto onderscheppen en wij dachten dat de FBI dat misschien wel kon doen.'

Een agent van de DEA, de afdeling Narcotica van de FBI, belde twintig minuten later. Met Stryker tegenover zich gaf Virgil hem een korte samenvatting van het onderzoek: de moorden, de ethanolfabriek, en wat zij ervan dachten. De DEA-man, die Ronald Pirelli heette en die zei dat hij in Chicago was, zei: 'Blijf daar. Blijf bij de telefoon zitten.'
Tien minuten later werden ze gebeld door een andere DEA-man. 'Kunnen jullie over vier uur in Mankato zijn voor een teambespreking?' vroeg hij.
'Ja, dat kunnen we,' zei Virgil. 'Waarom in Mankato?'
'Omdat dat ongeveer halverwege daar en hier is. Tien uur in de Days Inn.'
'We kunnen daar over twee uur zijn,' zei Virgil.
'Er komt een belangrijke jongen uit Chicago overvliegen,' zei de DEA-man. 'Die kan er pas om tien uur zijn.'

Virgil hing op en zei tegen Stryker: 'We zijn een prairiebrandje begonnen, vriend. Je wordt een held.'
'Of een held, of ik kan weer gaan boeren,' zei Stryker. Maar zijn gelukzalige glimlach sprak boekdelen. 'Dat laat ik liever aan Joanie over, om je de waarheid te zeggen.'
Virgil haalde zijn pick-up op bij Strykers huis, reed naar het Holiday Inn, probeerde een uurtje te slapen maar slaagde daar niet in. Hij lag half wakker te woelen en dacht aan honden en rennen door de regen. Om halfacht stond hij op, douchte zich, trok een schoon, niet al te opvallend Modest Mouse-T-shirt aan en ging naar Stryker.
Stryker droeg een overhemd met das. Hij keek naar Virgils T-shirt en zei: 'Daar spreekt opzettelijke, pesterige minachting uit.'

Ze waren op weg naar Mankato, toen de accountant Virgil op zijn mobiel belde. 'Wanneer kunnen we afspreken?'
'We moeten naar Mankato voor een bespreking, maar vanmiddag zijn we weer terug. Heb je iets?'
'Ja, hoofdpijn en een vette declaratie. En ik moet zeggen dat onze vriend er slechter aan toe is dan we dachten. Ik kan het niet bewijzen, want uit de cijfers blijkt het niet, maar hij krijgt ergens extra geld vandaan. En niet zo weinig ook. Ik ga nu naar bed. Bel me als jullie terug zijn.'
'Pas goed op jezelf,' zei Virgil. 'En mondje dicht.'

De man uit Chicago was Ronald Pirelli, die hij die ochtend had gesproken. Pirelli, klein van stuk, was gekleed in een zwart linnen jasje, een zwarte broek en een vaalblauw overhemd, en had een zonnebril van minstens zeshonderd dollar op. Hij had nog drie agenten bij zich, geen van drieën in

pak en allemaal met die vermoeide DEA-blik in de ogen.
FBI-agenten, wist Virgil, zagen er meestal scherp uit. DEA-mannen zagen er meestal uit alsof ze net met een Jeep uit Nogales waren komen rijden, met de voorruit omlaag.
Pirelli was er al toen Virgil en Stryker arriveerden. Ze volgden hem naar de kamer die een van de andere agenten had besproken en toen iedereen aan elkaar was voorgesteld, vroeg Pirelli aan Virgil: 'Wat moet dat T-shirt voorstellen?'
'Ik had eigenlijk mijn Sheryl Crow-shirt willen aantrekken, maar ik wilde je niet provoceren,' zei Virgil.
'Hé...'
Pirelli bleef vriendelijk, maar de andere agenten waren sceptisch, namen Stryker aandachtig op en Virgil nog aandachtiger. Een van hen zei: 'Jij hebt een merkwaardige reputatie, vriend. Iedereen in Minneapolis noemt jou "die verdomde Flowers".'
Stryker begon te lachen en zei: 'Zal ik jullie eens iets vertellen? Hij gaat om met mijn zus, die op de farm werkt en niemand in Minneapolis kent, en toen ik haar onlangs vroeg wat ze ging doen, weet je wat ze toen zei? Ik zweer het bij God, ze zei: "Ik ga uit met die verdomde Flowers."'
Iedereen lachte, de scepsis nam iets af en Pirelli zei: 'Vertel ons alles wat jullie hebben.'

Wat ze hadden waren vooral gissingen, met een paar namen en achtergronden. Ze schetsten de geschiedenis van de zwendel met de jeruzalemartisjok en het algemene vermoeden dat Bill Judd senior ergens een geheime bankrekening had. Dat Judd junior diep in de financiële problemen zat en dat de dood van zijn vader die niet beter maar erger had gemaakt. Dat junior misschien geld ontving uit een onbekende bron.
'Waarom heeft hij dat geld niet gewoon gehouden in plaats van het in die ethanolfabriek te steken?' vroeg Pirelli.
'Misschien had hij daar meerdere redenen voor,' zei Virgil. 'Ten eerste is het mogelijk dat er niet genoeg geld over was om alle schulden te betalen en hem enige financiële zekerheid te geven. Junior begint ook een dagje ouder te worden. Ten tweede moet dat geld van een bankrekening komen, waar en van wie die ook is. Er moet een papieren spoor zijn. Het is niet meer zo eenvoudig om zaken met cash geld af te handelen. Mensen willen cheques of telefonische overboekingen of bankafschriften. Zoals zij het hebben gedaan, ziet het ernaar uit dat de oude Judd hem een startkapitaaltje in contanten heeft gegeven om die ethanolfabriek op te starten. Ze produceren ook ethanol en verkopen het waarschijnlijk, maar wij denken dus

dat ze er een tweede chemisch fabriekje naast runnen.'
'Het zou me niet verbazen als ze eigenaar zijn van het land rondom de fabriek en daar zelf de mais verbouwen,' zei Stryker. 'Ze kunnen onopgemerkt alle chemicaliën bestellen die ze nodig hebben en de stank die bij de productie van de meth vrijkomt, kan worden toegeschreven aan de ethanolproductie.'

'Maar feitelijk is er geen enkele aanwijzing dat die ethanolfabriek meth produceert,' zei een van de agenten.
'Dat hangt af van je verbeeldingskracht, denk ik,' zei Virgil. 'Wij zitten met een stel vermoorde mensen. Met een maffe geestelijke die banden met de Corps heeft. Met iemand die diep in de financiële problemen zit. Met mensen die tankwagens vol watervrije ammonia kopen en die tankwagens biobrandstof produceren. En met harde jongens die midden in de nacht langskomen en vertrekken met acht jerrycans benzine. We hebben het hier over dezelfde mensen die als verzameldienst voor beperkt verkrijgbare chemicaliën fungeren. Je laat iemand door een grote stad rijden, bij elke apotheek en drogist een doosje dieetpillen kopen en je hebt in een dag tijd kilo's van het spul. Laat er tien door tien grote steden rijden en je hebt tonnen per week. We weten dat ze gebruikmaken van een distributiesysteem, via de Corps. Dat kan ook dienstdoen als verzamelsysteem voor al het andere spul dat ze nodig hebben. Ik bedoel, misschien verkopen ze het ethanol als illegale drank voor vijf dollar per liter, maar dat betwijfel ik.'
'Maar als we het over een kleine jongen uit de kleine stad hebben, hoe kan hij zich dan veroorloven een ethanolfabriek te laten bouwen?' vroeg een van de andere agenten.
'Heb je er weleens een gezien?' vroeg Stryker. 'Een ethanolfabriek?'
De agent schudde zijn hoofd. 'Niet dat ik weet.'
'Er zijn ethanolfabrieken die eruitzien als graansilo's. Sterker nog, dat geldt voor de meeste. Alleen de nieuwste zien eruit als een kleine raffinaderij. Of ze leken, tot een jaar of drie, vier, vijf geleden, op een flinke garage. In feite is een ethanolfabriek een distilleerderij. Er wordt drank gestookt, meer niet.'

'In de afgelopen twee jaar is het gebied tussen de Mississippi en de Rocky Mountains overspoeld door *crank*,' zei Pirelli. 'Het meest in Dallas-Fort Worth, San Antonio en Houston. Sterk spul, zuiver witte kristallen, niet die bruine troep die je onder in koffiepotten vindt. We hebben ons gek gezocht om de bron ervan te vinden. De enige mogelijkheid die we nog

hebben, is dat de Corps ermee te maken heeft. De jongens die meer dan een paar ons dealen zitten daar.'
'En wat doen we met Dale Donald Evans?' vroeg Stryker. 'Die zou inmiddels thuis moeten zijn.'
Pirelli's wenkbrauwen gingen omhoog. Hij haalde een mobiele telefoon uit zijn zak, zocht in zijn nummerlijst en drukte op een knop. Even later vroeg hij: 'Heb je hem gevonden?' Hij luisterde en zei: 'Blijf waar je bent. Heeft hij de jerrycans niet uit de laadbak gehaald?' Hij luisterde weer even en zei toen: 'Oké, bel me.'
En tegen Stryker: 'Hij is drie kwartier geleden thuisgekomen. Hij heeft geen garage. De pick-up staat voor de deur.'
'Hij heeft een kapot achterlicht,' zei Virgil. 'Je kunt hem laten aanhouden voor een verkeersovertreding en de politie in de jerrycans laten kijken. Het is wat mager, ik geef het toe, maar het is genoeg.'
'Een kapot achterlicht,' zei een van de andere agenten. 'Komt dat even mooi uit?'

Toen ze klaar waren met hun bespreking zei Pirelli: 'Goed. Wat wij nu graag zouden willen, is dat jullie een paar dagen vrij nemen. Geniet van je vrije zaterdagmiddag en van je vrije zondag. Ik bel jullie maandag. Of dinsdag.'
'Maandag,' zei Virgil.
'Of dinsdag. Binnen een paar uur komt er iemand van ons, een Sioux-indiaan, Madison, South Dakota, binnenrijden en krijgt hij daar serieuze autopech. Hij blijft daar een paar dagen, gaat bij de fabriek kijken en praat met de plaatselijke bevolking. In de tussentijd gaan wij kijken wat Dale Donald Evans doet. Als dit blijkt te zijn wat jullie vermoeden, bellen we jullie. We appreciëren de hulp van de plaatselijke autoriteiten, en als we dominee Feur in zijn kraag gaan pakken, zijn jullie daarbij.'
Stryker sloeg met zijn handen op zijn dijen en zei: 'Klinkt als een goeie deal.' En tegen Virgil: 'Vind je niet?'
'Als iedereen akkoord gaat,' zei Virgil, 'ga ik erin mee.'
'Weet je,' zei een van de agenten tegen Virgil, 'ik vind het toch een soort nichtenrock, die muziek van Modest Mouse.'

15

Op terugweg naar Bluestem zei Virgil tegen Stryker: ‘Ik wil je niet aan het schrikken maken, maar ik geloof niet dat Feur de Gleasons of de Schmidts heeft vermoord. Misschien heeft hij Judd vermoord en gebruikt hij de Gleasons als cover.’

‘Daar schrik ik wel degelijk van,’ zei Stryker.

‘Waar het om gaat bij de Gleasons en de Schmidts, is dat die moorden aan een gestoorde doen denken.’

‘Laat me je iets duidelijk maken, Virgil,’ zei Stryker. ‘George Feur is honderd procent pure, eerste klas, gegarandeerd zuivere vleermuizenstront.’

‘Van de verkeerde soort, ja,’ zei Virgil. ‘Als onze vermoedens over hem juist zijn en ze hebben meth gemaakt in die ethanolfabriek, dan hebben we te maken met iemand die gelooft in organisatie, in netwerken en in samenzweringen. Hij heeft een dekmantel gecreëerd. Hij heeft de handel gefinancierd. Degene die de Gleasons en de Schmidts heeft vermoord, dat is iemand die in chaos en gekte gelooft. Die denkt dat hij de enige ware ziel is in een zee van idioten.’

‘Ah, shit.’ Stryker keek uit het zijraampje en zag de zomer aan zich voorbijtrekken. ‘Fuck!’

‘Over “fuck” gesproken, hoe staan de zaken met Jesse?’

‘Hou je mond.’

Ze reden meteen door naar het huis van Chris Olafson, de accountant. Stryker moest drie tot vier minuten op de deur bonzen voordat ze eindelijk opendeed in haar kamerjas. ‘Kom binnen. Ik was net in slaap gevallen.’

‘Wij hebben nog helemaal niet geslapen,’ zei Stryker. ‘Wat heb je gevonden?’

Ze schudde haar hoofd. ‘Junior zit in de shit.’

‘Hoe diep?’

‘Tot aan zijn kruin.’

Junior had alle belastingvrije giften ontvangen waar hij recht op had, tezamen zo’n twee miljoen dollar. Dat betekende dat de hele erfenis belastbaar was. Maar die erfenis was veel minder groot dan iedereen had verwacht, iets meer dan zes miljoen, inclusief de twee miljoen aan ‘leningen’ aan junior.

'De staatsoverheid en de federale overheid zullen tezamen ongeveer vier miljoen van hem eisen. Wat inhoudt dat junior niks krijgt. Hij hoeft alleen zijn leningen niet terug te betalen. Maar zoals de zaak er nu voor staat, als Jesse Laymon recht heeft op de helft van de erfenis, is junior haar een miljoen schuldig. Als je naar zijn inkomsten uit zijn Subways kijkt en die voor waar aanneemt, zou hij daartoe in staat moeten zijn. Maar...'
'Maar...' herhaalde Stryker.
'Als je zijn belastingaanslagen bekijkt, lijkt alles in orde. Maar ik wéét hoeveel geld je kunt verdienen in een fastfoodketen, want ik doe de boekhouding van alle filialen van McDonald's en Burger King en Arby in deze streek. Een Subway hééft geen McDonald's-omzet, maar toch hebben juniors zaken die wel, volgens zijn belastingaanslagen. Hun broodjes vliegen blijkbaar over de toonbank... wat vreemd is, want als je een van juniors zaken binnenkomt, is er bijna nooit iemand.'
'Geeft hij meer op dan hij verdient?' vroeg Virgil.
'Ja, dat denk ik. Hij pompt er geld in dat ergens anders vandaan komt, zet het in de boeken van de Subways, betaalt er belasting over, en dan is het wit. Hij wast geld wit.'
'Aha,' zei Stryker.
'Het nadeel daarvan...' Ze aarzelde en keek Stryker over de rand van haar bril aan. 'Het vervelende is dat jouw vriendin Jesse Laymon de helft van de omzet zou kunnen opeisen, of de omzet van de helft van alle Subway-vestigingen, om er dan achter te komen dat er nauwelijks omzet ís. De best lopende Subways in Minnesota verkopen opeens geen broodje meer.'
'Dus hij is failliet?'
'Niet zolang hij die Subways blijft runnen zoals hij dat nu doet. Maar zonder het extra geld... ja, dan zit hij in de problemen.'
'Heeft hij ergens geld opgepot? Net als zijn ouweheer?'
'Dat kan ik niet zeggen,' zei ze. 'Wat ik wel kan zeggen, is dat hij over al die onechte inkomsten belasting moet betalen, dus als de Belastingdienst met hem klaar is...' Ze haalde haar schouders op.

'Chris, ik wil alle papieren terug,' zei Virgil. 'Ik wil dat je tegen niemand zegt dat je ons hebt gesproken. Ik denk niet dat je in gevaar bent, maar garanderen kan ik het niet. Er zijn misschien mensen die ons hier naar binnen hebben zien gaan...'
'Dat weet ik wel zeker.'
'... dus er zal in Bluestem wel over gepraat worden. Ik wil dat je de eerstkomende paar dagen heel voorzichtig bent.'

‘En daarna?’
‘Dan zien we wel verder,’ zei Virgil, en hij grijnsde naar haar.

Voordat ze naar buiten liepen zei Virgil tegen haar: ‘Je had het net over “Jims vriendin Jesse Laymon”. Wat is het laatste nieuws over die vriendschap?’
Ze haalde haar schouders op en glimlachte naar Stryker. ‘Ze zeggen dat jullie op weg naar het meertje zijn gezien.’
‘Ik ga naar Californië verhuizen,’ zei Stryker.
‘Ze is heel aantrekkelijk,’ zei Olafson. ‘Jammer van die erfenis.’

Bij het stadhuis stapte Stryker uit de pick-up en zei: ‘Ik ben gesloopt. Ik word te oud voor die nachtelijke shit.’
‘Ja, ik ga ook een dutje doen,’ zei Virgil. ‘Ik zou Joan nog bellen. Misschien kun jij Jesse bellen en kunnen we met z’n vieren ergens naartoe gaan?’
Stryker geeuwde. ‘Ik zal het voorstellen. Bel me als je wakker bent, maar niet te vroeg. Halfzeven of zeven uur, zoiets.’

Joans mobiele telefoon schakelde door naar haar voicemail. ‘Ik ga nu naar bed,’ sprak Virgil in. ‘Jim en ik hadden het erover dat we later vanavond misschien iets met z’n vieren konden gaan doen...’
Het duurde een tijdje voordat hij in slaap viel, maar toen dat eenmaal gebeurde, sliep hij als een blok. Zijn mobiele telefoon ging vijf keer over voordat hij het geluid herkende. Tegen de tijd dat hij het toestel had gepakt, was het piepen opgehouden. Hij keek wie het was maar herkende het nummer niet, zag alleen dat er vanuit de Twin Cities was gebeld. Hij belde het nummer terug en kreeg Shrake aan de lijn.
‘Hé, Virgil. Jenkins en ik zitten naar je oude vrienden te kijken. Moeten we ze arresteren?’
‘Jezus, Shrake, waar zijn jullie?’
‘In hun woonkamer,’ zei Shrake. ‘Tenminste, die van hun dochter. Moeten we haar ook oppakken?’
‘Shrake, waar ben je mee bezig?’
‘Goed dan,’ zei Shrake. ‘We laten de dochter met rust. Die zou het trouwens niet lang volhouden tussen al die lesbo’s in Ramsey.’
‘Ze kunnen je horen,’ zei Virgil. ‘Je zit ze bang te maken, hè?’
‘Reken maar,’ zei Shrake, en hij begon te lachen.
‘Oké, zeg dat ze op de bank blijven zitten en dat ik daar over vier uur ben,’ zei Virgil. ‘En als ze het in hun hoofd halen om weg te gaan, dan zweer ik

je... nee, wacht. Ik zal het ze zelf zeggen. Geef me Gerald.'
Even later kwam Gerald aan de lijn en zei Virgil: 'Gerald, vuile schoft, jij weet iets over die foto. Ik laat jou de bak in smijten en ik laat je vrouw de bak in smijten, allebei voor moord, als ik er niet achter kom wat er met die foto is. Je blijft waar je bent, hoor je me? Ik vertrek nu uit Bluestem en ben over vier uur daar. Geef me Shrake weer.'
Shrake kwam aan de lijn en zei: 'Ja?'
'Neem de rest van de dag vrij,' zei Virgil.
'Het is zaterdag, bijdehand. Dit wás mijn vrije dag.'
'Dan neem je morgen ook vrij. Ik denk niet dat Gerald het in zijn hoofd zal halen om weg te gaan. Geef me het adres. Hoe heet die dochter ook alweer, Jones?'
'Ja, dat klopt, Cornelia Jones. Geboren: 18 juni 1947. We zijn nu in haar huis in Apple Valley. Neem de afslag Cliff Road...'

Virgil had led-flitslichten op de grill van de pick-up gemonteerd, en had een los zwaailicht dat hij op het dak kon zetten en in de sigarettenaansteker kon pluggen. Hij maakte er tijdens zijn onderzoeken nooit gebruik van, alleen als hij een keer zin had om heel hard te rijden.
Hij belde het districtskantoor van de verkeerspolitie in Marshall en vertelde dat hij voor een spoedgeval via de I-90 en de I-35 naar de Cities moest, in verband met een moordonderzoek. Hij vroeg of zij de andere districten wilden inlichten en vertelde erbij dat hij zijn flitsers en zwaailicht aan zou doen.
Voordat hij de stad uit reed belde hij Joanie. 'Ik had niet verwacht dat je al op zou zijn,' begon ze.
'Ik moet opeens dringend naar de Cities,' zei Virgil. 'Ik ben morgen weer terug, hoop ik.'
'Wat is er gebeurd?'
'We hebben de Johnstones gevonden en die weten iets. Zeg het tegen Jim als hij wakker is, over een uur of zo.'
'Zal ik doen. Wees voorzichtig, Virgil.'

De pick-up kon honderdveertig per uur goed aan, maar honderdzestig was een ander verhaal; dan begon hij te trillen en heel licht over het wegdek te zigzaggen. Dus minderde Virgil vaart tot honderdvijftig per uur, zette de cruisecontrol aan, zette een muziekje op en was in tweeënhalfuur aan de zuidgrens van de Cities. Hij nam de afslag Apple Valley, reed een tijdje in kringetjes rond, kruiste ten slotte Roan Stallion Lane, die maar heel kort was, en draaide de oprit van Cornelia Jones op.

Het was een aardig, vrijstaand huis dat er comfortabel uitzag, met als enige bijzonderheid dat het gazon niet uit gras maar uit plantjes bestond. Duizenden piepkleine plantjes, als een minilegertje uit *Invasion of the Body Snatchers*.

Virgil sleepte een stoel de halve woonkamer door zodat hij recht tegenover Gerald Johnstone kon gaan zitten, en zei tegen hem: 'Gerald, je bent een slecht mens. Je beschermt een man die minstens vijf mensen heeft vermoord. Je hebt tegen me gelogen toen ik onlangs bij je was. Ik weet dat je hebt gelogen, en nu heb je je vrouw en je dochter er ook bij betrokken. Dat heet een criminele samenzwering.'
Gerald begon te snotteren, geen prettige aanblik wanneer een oude man dat doet. Carol Johnstone klopte hem op zijn dij en zei: 'Vertel het hem maar, Jerry. Vertel het hem en alles komt goed.'
De dochter, een onverstoorbare vrouw met een sceptische uitdrukking op haar gezicht, zei: 'Misschien moeten we een advocaat bellen. We weten niet wat onze rechten zijn.'
Daar voelde Virgil niets voor, dus hij zei tegen haar: 'U mag een advocaat bellen als u dat wilt. Dan gaan we met z'n allen naar de gevangenis, laat ik uw ouders insluiten op grond van obstructie van de rechtsgang en medeplichtigheid aan moord volgens de wet, en kunt u uw huis als borg inzetten om ze weer vrij te krijgen. Ik heb die informatie nu nodig. Ik krijg die vroeg of laat toch wel, maar als ik er drie dagen op moet wachten en er wordt nog iemand vermoord terwijl Jerry me de informatie onthoudt die ik nodig heb om de dader te pakken, dan gaat hij met zijn bejaarde reet de gevangenis in, en uw moeder ook, en blijven ze daar tot het eind van hun leven. Ben ik duidelijk?'
Dat maakte Gerald weer aan het snotteren, maar Virgil gaf geen krimp. Toen Gerald zichzelf weer onder controle had, zei hij: 'Het was het "man op de maan"-feestje...'
Virgil deed zijn ogen dicht, voelde zich alsof hij de top van een berg had bereikt en het landschap onder zich zag liggen. 'Ah, shit,' zei hij. 'Een feestje, geen man.'

Op 20 juli 1969, de dag dat de Apollo 11 de eerste mens op de maan had neergezet, vertelde Johnstone, had Bill Judd senior een feestje gegeven in zijn huis op Buffalo Ridge, om de maan te zien opkomen. Het staatspark was er nog niet en de weg naar het huis was weinig meer dan een lange oprit van grind, die via de andere kant van de heuvel naar de achterkant van het huis liep.

Het feestje vond plaats in Judds wildste jaren, met zeven of acht vrouwen en vier of vijf mannen, van wie een paar vrouwen uit de omgeving en twee of drie 'profs' uit de Cities.
'Ik zweer bij God dat ik niet weet wat daar precies is gebeurd,' zei Johnstone. 'Alles wat ik weet is van horen zeggen. Ze zouden cocaïne hebben gebruikt, en een heleboel drank natuurlijk, een barbecue in de tuin, en het zou één grote losgeslagen bende zijn geweest.
Later die nacht zou een van de meisjes... of misschien niet een van de meisjes, dat is het rare, want je laat geen stel dronken mannen, je weet wel, seks bedrijven met een vrouw die negen maanden zwanger is... ik weet niet eens of dat wel kan...'
Hij keek naar zijn vrouw, die zei: 'Het lijkt me heel ongemakkelijk.'
Johnstone begon terug te krabbelen. 'Je hoort dingen, in de loop der jaren... misschien is het helemaal niet waar wat ik vertel.'
'Vertel me wat je weet, Gerald,' zei Virgil. 'Ik zoek de details later wel uit.'
'Het verhaal ging dat er iets had plaatsgevonden tussen deze vrouw en Judd. De anderen waren in de tuin, met een telescoop, om te kijken of ze de mannen op de maan konden zien. Dat kon natuurlijk nooit, maar ze waren hartstikke dronken en waren hoger de heuvel op geklommen...'
'Gerald, de zwangere vrouw.'
Johnstone knikte. 'Dus midden in de nacht zijn ze daar op die heuvel en zien ze opeens een auto op de oprit, die de heuvel af rijdt, weg van het feest. Maar je hebt daar een afgrond, een ravijn, en daar rijdt die auto op af. De mensen schrikken zich wezenloos en beginnen naar de auto te schreeuwen, want ze denken dat de vrouw die erin zit stomdronken is en niet meer weet wat ze doet, en ze komen allemaal de heuvel af rennen... En tot hun grote schrik zien ze de auto zó Buffalo Jump inrijden.'
'Het ravijn,' zei Virgil.
'Ja. Recht onder Judds huis. Het schijnt dat indianen het ravijn gebruikten om er op hol geslagen buffels in te jagen. Hoe dan ook, de auto kukelt over de rand en iedereen loopt te gillen en te schreeuwen. Judd komt het huis uit rennen, springt met een paar man in een auto en rijdt de heuvel af, om aan de voet de bodem van het ravijn in te rijden...
In de tussentijd roept een van de andere meisjes: "Ze is vast zwaargewond!" dus bellen ze de brandweer, die er onmiddellijk een reddingsploeg naartoe stuurt.'
'Ze overleed,' zei Virgil.
'Ja, maar toen nog niet. Ze was wat we nu hersendood noemen... ze had ernstige verwondingen aan haar hoofd en nek, maar haar hart klopte nog toen Judd en de andere mannen haar uit het wrak haalden. Toen kwamen

de jongens van de brandweer en die hebben haar snel naar het ziekenhuis gebracht. Ze overleed op de intensive care, maar de arts...'
'Gleason,' zei Virgil.
Johnstone keek zijn dochter lange tijd aan – tien, vijftien seconden – slaakte een diepe zucht en zei: 'Ja. Russell Gleason. Russ begeleidde de bevalling. Een moeilijke ingreep, maar de baby bleef leven. Er kwam een artikel in de krant, waarin hij "een wonderbaby" werd genoemd.'
'Maar waarom zou iemand Gleason vermoorden omdat hij de baby ter wereld heeft gebracht?' vroeg Virgil. 'Als hij op de intensive care van het ziekenhuis was, kan hij niet op het feest geweest zijn en had hij dus niks met die vrouw van doen.'
'Dat kan ik je niet vertellen,' zei Johnstone. 'Wat ik je wel kan vertellen is welk gerucht er ging, en wat mijn eigen gedachten erover waren.'
Virgil hield zijn hand op en maakte een 'vertel op'-gebaar met zijn vingers.
'Het gerucht ging,' zei Johnstone, 'dat die vrouw daar niet voor het feest was. Dat ze helemaal niet was uitgenodigd. Dat ze op eigen initiatief vanuit de Cities naar het huis was gekomen, met haar eigen auto. Dat ze daar al was voordat het feest begon en dat ze ruzie met Bill had gekregen. Bill kon een keiharde ploert zijn.
Niemand weet wat er precies is gebeurd, maar er wordt gezegd dat hij niet bij de anderen was toen ze de auto de heuvel af zagen schieten. Dat hij pas een minuut later het huis uit kwam rennen. De vraag is: waar was hij toen de auto begon te rijden? Toen die van de oprit raakte en rechtdoor reed, was het duidelijk dat hij in het ravijn zou storten. Wilde de vrouw zelfmoord plegen? Waarom heeft ze niet bijgestuurd, of op de rem getrapt?'
'Of ze was buiten bewustzijn toen de auto begon te rijden,' zei Virgil, 'en iemand anders heeft die de oprit af gestuurd.'
Johnstone knikte bijna onmerkbaar. 'Zo kan het gebeurd zijn. Je kunt de auto de oprit af laten rijden, het portier dichtgooien, terugrennen over de heuvel, want het was nacht en hartstikke donker, het huis binnengaan en later weer naar buiten komen.'
'Was er niemand die daar op dat moment aan dacht?' vroeg Virgil.
Johnstone schudde zijn hoofd. 'Nee.'
'Is de zaak onderzocht?'
Een kort hoofdknikje.
'Door Roman Schmidt,' zei Virgil.
'Ja.'
'Jerry, je hebt je diep in de nesten gewerkt,' zei Virgil terwijl hij achteroverleunde in de schommelstoel en die een paar keer liet schommelen.

‘God sta je bij als er in de komende dagen nog iemand wordt vermoord, voordat ik dit heb kunnen uitzoeken.’ Hij zat weer even te schommelen en herinnerde zich toen iets. ‘Je zei net dat je je eigen gedachten over het gebeuren had.’
‘Ja.’ Johnstone deed zijn handen omhoog, krabde zich boven zijn oren en zei: ‘Ik heb je dit niet willen vertellen omdat ik niet echt iets wéét. Maar ik herinner me dat toen het lijk van de vrouw op mijn tafel in het mortuarium lag, zwaar gehavend door de val en opengesneden in het ziekenhuis... dat ik dacht: hoe is ze aan die kneuzingen en blauwe plekken gekomen? Sommige daarvan waren vers, nog géén kwartier oud. Die waren niet ontstaan tussen het moment dat ze het ravijn in reed en in het ziekenhuis overleed, want die wonden waren úren oud. Maar de dokter zei dat ze door de val was omgekomen, en de sheriff...’
‘Wat is er met de wonderbaby gebeurd?’ vroeg Virgil.
‘Geadopteerd,’ zei Johnstone. ‘Daar ken ik de details niet van. Maar het kind is geadopteerd. Een jongetje.’

Virgil maakte het drietal nog een keer bang voordat hij vertrok. ‘Jullie blijven hier. Je loopt een zeker risico, maar als het Shrake en Jenkins een hele dag heeft gekost om jullie te vinden, zal de moordenaar dat zeker niet sneller kunnen. Als jullie besluiten dat jullie hier weg willen, als de grond te heet wordt onder jullie voeten, ga dan naar een motel. Jullie hoeven niet ver weg te gaan om onvindbaar te zijn. Als jullie naar een motel gaan, wil ik dat weten. Ik zal jullie mijn mobiele nummer geven...’

Terug in de pick-up zocht Virgil in de namenlijst van zijn laptop en belde dr. Joe Klein.
‘Als dat die verdomde Flowers niet is,’ zei Klein toen Virgil hem aan de lijn kreeg. ‘Wat wil je?’
‘Ga je uit vanavond?’
‘Nee. Ik lees Proust, vijftig bladzijden per avond, de hele zomer,’ zei Klein. ‘Ik ben op bladzijde tweeënveertig, van mijn portie van vandaag.’
‘Klinkt goed, en discipline moet er zijn,’ zei Virgil. ‘Zo heb ik ooit een scheikundeboek gelezen.’
‘Het was erg leuk om je weer eens te spreken, Virgil,’ zei Klein.
‘Hé, ik probeer sociaal te zijn,’ zei Virgil. ‘Hoe gaat het met de vrouw des huizes?’
‘Wat wil je?’
‘Ik wil bij je langskomen en je een foto laten zien,’ zei Virgil.
‘Kan ik dat in rekening brengen?’

'Jezus, dat weet ik niet. Ik betwijfel het.'

Klein was de patholoog-anatoom van Hennepin County. Hij vertelde Virgil hoe hij naar zijn huis in Edina moest rijden, vanuit Apple Valley eerst noord en dan west, dwars door de stad. Twintig minuten later stond Virgil voor de deur.

Kleins vrouw, Kate, deed open. Ze was lang en mager, en had een puntige neus en een brilletje met een dun gouden montuur. 'Geef me een knuffel, grote beer die je bent,' zei ze.

Virgil deed het, en het voelde best lekker...

'Zo is het wel genoeg,' zei Klein. 'Waar is die foto?'

Ze gingen ermee naar Kleins werkkamer. Kate, die kinderarts was, keek mee over hun schouders toen Klein de foto met een vergrootglas bestudeerde. Klein zei een paar keer 'hm' en 'tja', totdat zijn vrouw ten slotte zei: 'Mijn god, Joseph, je staat hier niet voor het federale gerechtshof. Vertel op.'

Klein tikte met zijn nagel op de foto, op de ribbenkast van de vrouw. 'Je doodgraver heeft gelijk. Als ze binnen vijftien of twintig minuten na de val is overleden, zijn deze blauwe plekken niet veroorzaakt door het ongeluk. Ik heb dit soort blauwe plekken trouwens eerder gezien... dit zie je wanneer iemand overlijdt na een kroeggevecht. Wanneer iemand in elkaar wordt geramd met een poolkeu, dan zie je deze strepen... als ze de tijd krijgen om op te komen. Stel dat er een kroeggevecht plaatsvindt, iemand krijgt er flink van langs en sterft de volgende dag. Dan krijg je wat je hier ziet. Als hij ter plekke sterft, zie je dit niet.'

Virgil belde Johnstone. 'Gerald, ben jij ooit bij Judd thuis geweest?'

'O, ja. Diverse keren. Ik was niet bijzonder geliefd bij hem, omdat ik doodgraver was en hij nogal bijgelovig, maar ik ben er een paar keer geweest.'

'Had hij een pooltafel?'

'Jazeker. Hij had alles. Zwembad, poolkamer, jacuzzi... al dat soort dingen. De grap ging toen dat hij zijn huis had laten inrichten door *Playboy*.'

'Poolkamer?' vroeg Kate Klein.

'Jep.'

'God, wat leid jij toch een overzichtelijk leven,' zei ze. 'Als je een rijke arts was geweest, zou ik misschien met je getrouwd zijn.'

'Dan had je achteraan moeten aansluiten,' zei Klein. 'Deze jongen is zo vaak getrouwd dat de moeten van de rijstkorrels nog in zijn wangen zitten.'

16

Virgil vertrok bij de Kleins.
Zaterdagavond en niets te doen.
Hij overwoog Davenport te bellen, maar hij had hem de afgelopen dagen al genoeg lastiggevallen, dus die liet hij maar liever met rust. Hij nam een kamer in het St. Paul Hotel, trok een schone spijkerbroek en een Flaming Lips-T-shirt aan, poetste zijn laarzen en liep naar het Minnesota Music Café voor een paar biertjes.
Hij liep Shrake tegen het lijf, die daar was met een secretaresse van het departement van Landbouw, die hoog opgekamd haar had en zei dat ze met Shrake uitging omdat hij een groot pistool had. Shrake wilde weten wat er met de Johnstones was gebeurd, er kwam nog een stel politiemensen uit St. Paul aan hun tafeltje zitten en Virgil danste met een vrouw die een getatoeeerde vlinder rondom haar navel had. Hij liep naar de bar voor zijn derde biertje toen hij een vrouwenhand in de achterzak van zijn spijkerbroek voelde en een bekende stem zei: 'Dit kontje zou ik overal herkennen.'
Virgil draaide zich om. 'Jezus, Jeanie. Hoe gaat het met je?'
'Goed,' zei ze, en tegen haar vriendin: 'Dit is mijn eerste ex-man, Virgil Flowers. Ik ben zijn tweede of zijn derde ex-vrouw, ik ben vergeten welke.'
'Toe, wees eens aardig,' zei Virgil. Hij nam haar op en vond dat ze er goed uitzag, heel goed zelfs. 'Zit je nog steeds in het onroerend goed?'
Ze rolde met haar ogen. 'Ja. Ik geef het niet graag toe, maar er is niks leuker dan een huis verkopen. Het geeft me een goed gevoel.'
Ze praatten nog wat en Virgil moest denken aan de betere tijden die ze hadden gekend, toen ze haar hand op zijn borst legde en zei: 'Zal ik je eens iets vertellen? Ik ga misschien weer trouwen.'
'Hé man, dat is fantastisch,' zei Virgil. 'Met iemand die ik ken?'
'Nee, nee. Hij werkt bij Wells Fargo, als vicepresident van de afdeling Hypotheken. Ik ken hem al jaren.'
'En hij is vrij omdat...'
Ze haalde haar schouders op. 'Zijn huwelijk is gestrand. Het oude liedje. Iedereen werkt, niemand praat met elkaar.'
'Heeft hij kinderen?' vroeg Virgil.
'Twee, maar hij wil er nog een paar.'

'Kan hij dansen?'
Ze begon te lachen. 'Niet zo goed als jij, Virgil. Hij danst wel, maar als een bankier.'
'Mijn god.'
Al met al was het best een leuke avond. Hij danste een paar keer met haar vriendin en om één uur 's nachts rolde hij enigszins aangeschoten zijn hotelbed in, alleen.
Waar hij nog een tijdje aan God dacht.

Zondag.
Niet echt een kater, maar hij voelde zich een beetje eenzaam. Hij nam een douche, at zijn ontbijt, checkte uit bij de balie en reed naar het Historisch Genootschap. De bibliotheek was gesloten. Hij belde een paar nummers en na enige tijd nam de weekendoproepkracht hem mee naar de viewers en gaf hem de ontbrekende rol microfilm.
Hij spoelde de film door tot aan een krant die was verschenen op 24 juli, de eerste na het 'man op de maan'-feestje, en daar was het.

Een 'wonderbaby' is ter wereld gekomen nadat een negenentwintigjarige vrouw uit Minneapolis afgelopen zondagnacht overleed op de intensive care van het Bluestem Memorial Hospital na een auto-ongeluk op Buffalo Ridge.
Margaret (Maggie) Lane, van Washington Avenue 604 in Minneapolis, verloor blijkbaar de macht over het stuur toen ze vertrok van een 'man op de maan'-feestje in het huis van William Judd. Getuigen hebben verklaard dat de auto over de rand van Buffalo Jump schoot nadat deze vijftig meter onder Judds huis van de oprit was geraakt.
Een autopsie toonde aan dat ze 0,7 promille alcohol in haar bloed had, wat onder de toegestane limiet is. Volgens Judd had ze tijdens het feest maar één of twee glaasjes wijn gedronken.
'Een afschuwelijke tragedie,' aldus Judd. 'Ze was een hartelijk, sociaal mens over wie niemand ooit een kwaad woord had gezegd.'
De sheriff van Stark County, Roman Schmidt, heeft verklaard dat zijn hulpsheriffs alle feestgangers hebben verhoord en dat iedereen het erover eens is dat Lanes dood een ongeluk was. 'Ze was maar een paar keer eerder bij Judd thuis geweest,' aldus Schmidt. 'Hoewel ze niet echt dronken was, had ze blijkbaar genoeg op om in de war te zijn geraakt toen ze bij het huis wegreed. Het heeft er alle schijn van dat ze rechtdoor is gereden toen ze halverwege de oprit naar rechts had moeten sturen.'
Een van de getuigen heeft de vrijwillige brandweer gebeld, die binnen tien

minuten een reddingsteam ter plekke had. Lane werd onmiddellijk overgebracht naar de intensive care, waar dr. Russell Gleason een gezonde, volgroeide baby van zeven pond en vier ons ter wereld bracht, ondanks het feit dat de moeder inmiddels was overleden aan wat Gleason 'ernstige, fatale verwondingen aan het hoofd' noemde.
De zorg voor het kind wordt overgedragen aan de Kinderbescherming van Minnesota.

Er stond één foto bij het artikel, van een autowrak op de bodem van het ravijn. De foto was van slechte kwaliteit, genomen met flits, en Virgil vroeg zich af of persfotografen in 1969 nog flitslampen gebruikten. Een paar bleke, onherkenbare gezichten op de achtergrond, en bij de auto stonden drie hulpsheriffs. Een van hen was de jonge Big Curly.

De volgende editie van de krant was van 31 juli en vreemd genoeg, vond Virgil, werd daarin niets over de wonderbaby gezegd. Geen woord. In zijn eigen geboorteplaats, dacht hij, zou zo'n verhaal minstens een maand blijven nagonzen.
Hij zocht de dagbladen van Worthington en Sioux Falls op en vond artikelen die vrijwel overeenkwamen met dat in de *Bluestem Record*. Maar de dagbladen verschenen op enige afstand van Bluestem en het ongeluk had plaatsgevonden op dezelfde dag dat de eerste mens op de maan was geland, dus was het artikel naar de achterste pagina's verschoven.
Virgil dacht er een tijdje over na, belde Stryker en vertelde hem over het artikel. 'Weet je dat ik daar nooit iets over gehoord heb?' zei Stryker. 'Je zou toch denken dat ik ervan zou weten. Ik bedoel, het is toch iets waar de mensen over praten.'
'Het werd overschaduwd door het nieuws over de maanlanding,' zei Virgil. 'Dus ga naar het ziekenhuis en zoek uit wat er met dat kind is gebeurd. Als je iemand met zijn dikke reet van de golfbaan moet schoppen, doe je dat maar, als we maar te weten komen waar dat kind is gebleven.'
'Ga ik doen.'

Virgil bleef nog enige tijd in het Historisch Genootschap rondhangen en bekeek een fototentoonstelling over de Burgeroorlog: mannen met lichte ogen en strakke gezichten. Stryker belde terug. 'Niks te vinden. Ik bedoel, er is wel iets, maar daar hebben we niks aan. Het kind is op 2 augustus 1969 overgedragen aan de Kinderbescherming. Dat is alles. We zullen van daaruit moeten beginnen.'
'En het is zondag.'

'Wat zou de DEA nu aan het doen zijn?' vroeg Stryker.
'Dat vroeg ik me ook al af. Als ik hier blijf en ze komen morgen in actie, loop ik het mis.'
'Nou... zet je researchchick erop en kom terug,' stelde Stryker voor. 'Ik heb erover nagedacht en kom steeds weer bij Feur uit. Geen mysteries, geen waanzin, alleen Feur.'
'Wat is je theorie?' zei Virgil.
'We zitten met een serie ernstige misdaden, moorden,' zei Stryker. 'Dan ontdekken we dat een beroepscrimineel vanuit onze eigen achtertuin drugs aan het hele land levert, en dat hij dat al jaren doet. In het begin had hij geld nodig om de zaak op te starten, én een dekmantel om zijn activiteiten te camoufleren. Dat speelde allemaal in de tijd dat veel kleine farmers een gesubsidieerd ethanolfabriekje begonnen. Bij Feurs misdaad, waar we van weten, zijn enkele mensen betrokken die ook in onze misdaden opduiken: de Judds. Ik weet niet hoe Gleason in het geheel past, maar voor Roman Schmidt kan ik wel iets verzinnen, want Schmidt hield daar de omgeving in de gaten, met behulp van de Curly's. Het is mogelijk dat de Curly's niet wisten wat daar aan de hand was. Jij zegt dat Schmidt bereid is geweest een moord te verzwijgen, en dat hij daar geld voor heeft aangenomen. Als je dat één keer doet, doe je het de tweede keer ook. Het kan zelfs zo zijn dat de Judds hem erbij hebben betrokken.'
'Ik weet het niet,' zei Virgil. 'Als iemand de Gleasons uit de weg moest ruimen, dan zouden ze dat op een onopvallender manier hebben gedaan. Hem wel vermoorden, maar hem niet in de tuin te kijk zetten. Proberen het op zelfmoord te laten lijken. Of zoiets... Maar de manier waarop hij nu is vermoord, is gestoord.'
'Haal je kop uit je reet, Virgil. Het is Feur.'
Virgil krabde aan zijn neus en hakte de knoop door. 'Oké, ik kom terug.'

Tegen vijf uur was hij terug, nadat hij een tussenstop had gemaakt in Mankato, om te kijken of er post was, een paar rekeningen te betalen en een was in de machine en daarna in de droger te stoppen. Voordat hij van huis ging, haalde hij zijn op twee na beste jachtgeweer, een Browning Lightweight Stalker halfautomaat, kaliber .30-06, een extra magazijn en een doos patronen uit de kast. Het geweer was niet zo nauwkeurig als zijn beste grendelgeweer, maar wel zo nauwkeurig als hij zelf was, en je kon er een flinke partij lood mee in een doelwit pompen als je haast had.
Hij reed weer naar het westen, in de zon, en had het gevoel dat er achter de horizon een of andere climax in de lucht hing. Er waren veel dingen tegelijk gaande, dus op een zeker moment moest er iets uit rollen.

Die avond gingen ze naar de Barnet's Supper Club in Sioux Falls, met z'n vijven: Stryker en Jesse Laymon, Virgil en Joan, en Laura Stryker. Er was één hachelijk moment tijdens de rit ernaartoe. Dat was toen Laura tegen Jesse zei dat ze Stryker zo ver moest zien te krijgen dat hij haar op een warme avond meenam naar het meertje op het plateau.
Jesse begon te giechelen en bekende dat ze daar al waren geweest. Toen moesten Joan en Virgil wel meedoen en Stryker ermee plagen, en gelukkig werkte het. Daarna keerden de drie vrouwen zich tegen Virgil en Stryker. Ze wisten dat er iets met de zaak gaande was en ze wilden weten wat, maar Virgil en Stryker hielden hun mond.
Later die avond, toen Virgil bij de jukebox stond en Laura Stryker terugkwam van het damestoilet, bleef ze bij hem staan en vroeg: 'Is het serieus tussen jou en Joanie? Het lijkt er wel op.'
'Niet echt serieus,' zei Virgil. 'Ze heeft me de les gelezen. Ze vindt me ongeschikt als echtgenoot. Ik ben haar overgangsvriendje.'
'Verdomme,' zei Laura. 'Ik wil een kleinkind. En ik wil nog zo lang rondlopen dat mijn kleinkind weet wie zijn grootmoeder is.'
'Je hebt nog wel een paar jaar de tijd,' zei Virgil.
'Ik heb genoeg tijd om overgrootmoeder te worden,' zei Laura. 'Maar de ene kant van de familie houdt op als Joanie geen kinderen meer krijgt. Misschien dat Jim en Jesse... dat zou weleens wat kunnen worden.'
Ze draaiden zich om en keken naar Joanie, die zich over de tafel boog om iets tegen Stryker en Jesse te zeggen. 'Het komt wel goed met Joanie,' zei Virgil. 'Ik ben haar overgangsvriendje, maar het zou me niet verbazen als ze al iemand op het oog heeft aan de andere kant van de overgangszone.'
'Dat hoop ik van harte,' zei Laura. 'Anders stel ik voor dat jij nog even doorgaat en haar zwanger maakt.'
Voordat ze vertrokken liep Virgil het parkeerterrein op en belde hij Sandy, Davenports researchmedewerker, die net terug was van haar weekendtrip. 'Verdomme, meisje, je hebt een slecht moment gekozen om weg te gaan. Je moet iets voor me opzoeken. Ik heb het morgenochtend nodig en je mag iedereen die je in de weg loopt met hel en verdoemenis dreigen. Ene Margaret Lane, roepnaam Maggie, is op 20 juli 1969 omgekomen bij een autoongeluk...'
Hij gaf haar de rest van de details en zei: 'Zorg dat je dat kind vindt.'

Maandag.
Virgil werd wakker in Joans bed. Joan lag op haar rug, met haar hoofd iets scheef, en een minder tolerant mens zou gezegd hebben dat ze snurkte, hoewel heel zachtjes. Ze had een T-shirt aan, als nachthemd, en had het

laken omlaag geduwd. Virgil trok het weer omhoog tot aan haar kin, stapte aan zijn kant uit het bed, geeuwde, rekte zich uit, deed zo geruisloos mogelijk zijn push-ups en sit-ups, pakte zijn kleren en liep naakt door de gang naar de badkamer. Hij gebruikte haar tandpasta, een gel die naar kaneel smaakte, en poetste zijn tanden met zijn wijsvinger. Toen hij de slaapkamer weer in kwam terwijl hij zijn T-shirt van de vorige dag over zijn hoofd trok, gingen haar ogen open en zei ze: 'Ik sta nog niet op.'
'Oké.' Hij keek op zijn horloge. 'Het is kwart voor acht. Ik ga terug naar het hotel. Zal ik je later bellen?'
'Ja, doe dat,' zei ze, waarop ze haar ogen sloot, zich omdraaide en weer in slaap viel. Hij trok zijn laarzen aan, tilde het laken op, keek naar haar kontje, zei: 'Meesterwerk', en liep de slaapkamer uit. De buurman was met zijn tuinsproeier aan het hannesen, en toen Virgil de treden van de veranda af kwam, stak hij zijn hand op en riep hij: 'Hoe gaat het, Virgil?'
'Prima,' zei Virgil.
'Dat geloof ik graag,' zei de buurman opgewekt, maar de jaloezie was van zijn gezicht af te lezen.

In het hotel nam hij een douche en koos hij voor een Decemberists-T-shirt, dat hij altijd bewaarde voor dagen waarvan hij het gevoel had dat ze beslissend zouden kunnen zijn. Daarna belde hij Sandy.
'Jezus, Virgil, ik ben nog maar net begonnen. Het kind is ter adoptie aangeboden door stichting De Goede Hoop, maar zo te zien bestaat die niet meer. Ik probeer er nu achter te komen wat er met hun gegevens is gebeurd. Ik werk ook vanaf de andere kant, via de Kinderbescherming.'
'Bel me zodra je iets vindt. Ik wil alles weten, elke stap van het proces.'
Ze belde tien minuten later, toen Virgil in het restaurant pannenkoeken met worstjes zat te eten. 'Ik heb iets gevonden, maar ik moet het nog onderbouwen.'
'Wat heb je gevonden?'
'Een lijst van zittingen van het districtsgerechtshof waarin uitspraken werden gedaan over adopties. De dossiers zelf kan ik niet krijgen, tenminste niet zonder mijn kont tegen de krib te gooien, maar het zijn er tientallen, en ik heb maar één kont.'
Virgil was geschokt. 'Sandy, niet zo ordinair.'
'Sorry, ik ben nogal lichtgeraakt vanochtend,' zei ze. 'Hoe dan ook, wat ik wel kan krijgen, zonder toestemming, zijn de onderwerpen van de computerdossiers, die kan ik zo opvragen. Daarin staan de namen van de adoptieouders vermeld. Ze staan op jaartal, en het zijn er... wacht even... ongeveer honderdzeventig vóór 1969. Als we ervan uitgaan dat de dossiers in

chronologische volgorde staan, en ik neem aan dat dat zo is, dan moet de adoptie van het kindje Lane in de laatste helft van het jaar hebben plaatsgevonden, waarschijnlijk in de laatste vier of vijf maanden. Dus wat ik kan doen, is je de namen van vijfentachtig adoptie-echtparen voorlezen en dan kunnen we kijken of je er een herkent.'
'Kunnen we dán het dossier opvragen?' vroeg Virgil.
'Misschien hebben we daar een gerechtelijk bevel voor nodig,' zei ze, 'maar dat kan Lucas voor ons regelen.'
'Oké, lees de namen voor.'
Ze begon: 'Gregory, Nelson, Snyder...' Virgil liet haar stoppen toen ze zei: 'Williamson...'
'Williamson?'
'Ja, Williamson, David en Louise.'
'Dat meen je niet,' zei Virgil.
'Dossier opvragen?'
'Ja. En bel me zodra je het hebt.'

Virgil stoof langs Strykers onsympathieke secretaresse, liep zijn kantoor in, deed de deur achter zich dicht, boog zich over Strykers bureau terwijl Stryker hem met open mond aankeek, en vroeg: 'Wat weet je over Todd Williamson?'
Stryker zei: 'Todd? Die is hier drie jaar geleden komen wonen, steekt soms de gek met me... Hoezo? Waar gaat dit over?'
'Hij is de wonderbaby. En als je erover nadenkt, over wat Judds schoonzus zei, dat je hem recht in zijn gezicht moest kijken... ik denk dat hij Judds biologische zoon is. Van zijn wenkbrauwen tot aan zijn lippen lijkt hij wel op een Judd.'
'O...' Stryker hief zijn handen ten hemel alsof hij wilde zeggen: wat nu weer? 'Jezus!'
'Er is me nog iets anders opgevallen,' zei Virgil. 'Hij was de grote afwezige.'
'Hoe bedoel je?'
'Hij is op elke plaats delict geweest, hij weet alles, maar bij de brand in Judds huis heb ik hem niet gezien. Waarom was hij daar niet? De brandweerwagens kwamen met gillende sirenes aanrijden, maar waar was Williamson?'
'Dat weet ik niet,' zei Stryker. 'Misschien... vluchtte hij van de brand weg?'
Virgil knikte. 'Hij is onze man. Ik wed met je om een dollar.'

Ze waren bij de rechter voor een huiszoekingsbevel toen Sandy weer belde. 'Lucas heeft iemand van de Burgerlijke Stand uitgescholden en nu willen ze het dossier niet geven zonder gerechtelijk bevel, maar ze hebben wel officieus bevestigd dat het om het jongetje Lane ging.'
'Volgende keer als ik daar ben, zoen ik je op je mond,' zei Virgil.
'Daar verheug ik me op,' zei ze preuts.

De rechter vond dat er te weinig bewijs was voor een huiszoekingsbevel.
'Verdomme, Randy, begin nou niet te zeuren over onbenullige zaken als bewijs. Het is voor vijftig procent zeker dat hij de dader is en dat hij nog meer mensen gaat vermoorden. Ik wil hem in zijn kraag pakken voordat hij daar de kans voor krijgt.'
'En als je niks vindt?' vroeg de rechter. 'Dan sleept hij je voor de rechter.'
'Niet mij maar Stark County,' zei Stryker. 'Als ik deze zaak niet verdomd snel oplos, raak ik hoe dan ook mijn baan kwijt, dus wat kan het me schelen? Teken dat bevel.'
'Oké, oké, jij je zin.'
Toen ze het kantoor van de rechter uit kwamen, met het huiszoekingsbevel in de hand, zei Virgil: 'Je aanpak van de rechterlijke macht is buitengewoon efficiënt.'
'Als je hier woont, moet je voor jezelf zorgen,' zei Stryker.
Hij liet Larry Jensen, zijn rechercheur, en vier hulpsheriffs naar zijn kantoor komen. Stryker en twee van de hulpsheriffs zouden de krantenredactie voor hun rekening nemen. Virgil, Jensen en de twee andere hulpsheriffs gingen naar Williamsons huis. 'Bel me elke vijf minuten en vertel me wat je hebt gevonden,' zei Stryker. 'Zorg dat je een .357 vindt.'
'En een typemachine,' voegde Virgil eraan toe.

Williamson woonde in een wit, vierkant huis van één verdieping, met een plat dak en een garage, ook met een plat dak, die wat verder naar achteren stond, en een brede, dichte veranda aan de voorkant, in een oude woonwijk aan de oostkant van de stad. Vanaf Williamsons huis, dacht Virgil, was het een korte oversteek naar het huis van de Gleasons, want hij woonde maar twee straten van de rivieroever vandaan.
In de stortregen tijdens de nacht van de moorden had hij de brug kunnen oversteken en de oever aan de overkant kunnen volgen, om van daar af de tuin van de Gleasons in te lopen. Na de moorden te hebben gepleegd kon hij binnen een kwartier weer thuis zijn. Geen obstakels, geen mensen, geen langsrijdende auto's. En dat, meende Virgil, was waarschijnlijk de reden dat de moorden tijdens een zware onweersbui waren gepleegd. De

buren zouden niet naar buiten komen en iedereen had zich bij de tv verschanst.
Virgil reed er in zijn eigen pick-up naartoe, want hij wilde kunnen komen en gaan wanneer het hem uitkwam. Jensen en de hulpsheriffs volgden in twee patrouillewagens van de sheriffdienst. Virgil stopte voor het huis en de hulpsheriffs reden door tot aan de garage om de achterdeur te dekken. Ze stapten uit en bekeken de deuren, Virgil met getrokken wapen en Jensen met zijn hand op het zijne. De hordeur van de veranda was open. Jensen liep de veranda op en bonsde op de voordeur. Geen antwoord. Hij voelde aan de deurknop: op slot.
'Momentje,' zei Jensen. Hij liep naar zijn auto, kwam terug met een lange Maglite en gebruikte het achtereind om het ruitje van de deur in te slaan. Hij stak zijn hand naar binnen en deed de deur van het slot. 'We zijn binnen.'

Ze liepen eerst het huis door om er zeker van te zijn dat Williamson er niet was en begonnen toen de boel overhoop te halen. Het meubilair was oud maar degelijk en comfortabel, alsof het uit een betere winkel voor tweedehands meubelen kwam. Het huis telde zes kamers, allemaal op de begane grond: een keuken, een kleine eetkamer, een woonkamer, een ruime badkamer, een slaapkamer die als kantoor werd gebruikt en de feitelijke slaapkamer. In de keuken was een deur die toegang gaf tot de garage, en er was natuurlijk de voordeur.
Virgil nam de slaapkamer, Jensen het kantoor en een van de hulpsheriffs deed de keuken. Virgil trok alle laden open en maakte ze leeg, werkte de kast door, voelde in de zakken van alle kleren, controleerde de muren en plinten op geheime bergplaatsen, stak de stekker van een lamp in alle stopcontacten om te zien of ze wel echt waren, klopte op het matras en draaide het om, deed hetzelfde met de boxspring en tilde het vloerkleed op.
Het enige wat ook maar enigszins interessant was, waren een zestal beduimelde nummers van *Penthouse* en een paar andere pornobladen onder het bed, bij het hoofdeinde, binnen handbereik.
Jensen was nog in het kantoor bezig. 'Veel papieren,' zei hij, opkijkend vanuit de bureaustoel met een stapel dossiers op zijn schoot. 'Tot nu toe niks over zijn adoptie. Veel werkspul, en hij is met het leger in Irak geweest, in 1990, bij Bevoorrading... Nergens wapens.'
De hulpsheriff in de keuken had niks gevonden en was naar de garage gegaan, waar hij op een trap stond, zijn hoofd door het luik in het plafond had gestoken en de ruimte onder het dak inspecteerde. 'Isolatiemateriaal,' zei hij, 'en een hele hoop stof. Zo te zien is dit luik in geen jaren open geweest...'

Virgil was in de woonkamer bezig – vond achter de dvd-speler nog een voorraadje porno, op video deze keer – toen hij de andere hulpsheriff hoorde roepen: 'Hé, hé, Todd. Wacht, blijf staan, Todd.'
Virgil trok zijn pistool, hoorde Jensen opstaan in het kantoor, en op dat moment rukte Williamson de hordeur open en kwam hij het huis binnenstormen. Vanuit zijn ooghoek zag Virgil door de hordeur dat Williamson zijn auto midden op straat had laten staan, met het portier open.
Williamson had niets in zijn handen, maar hij schreeuwde en kwam recht op Virgil af, zodat Virgil zijn wapen weer in de holster stak en toen Williamson met gestrekte armen dichterbij kwam, pakte Virgil een van zijn polsen vast, draaide die om en gaf hij hem een duw. Toen stond Jensen opeens naast hem, die Williamson ook een duw gaf, kwam de ene hulpsheriff vanuit de keuken de woonkamer in en de andere vanaf de gang, met getrokken pistool, waarop Virgil zich naar Williamson omdraaide en riep: 'Handen tegen de muur! Hoger, boven je hoofd!'
'Wat is hier verdomme aan de hand?' riep Williamson. 'Wat zijn jullie aan het doen?' Maar hij zette zijn handen tegen de muur en Virgil fouilleerde hem snel.
'Wat moet dit verdomme...'
'Je kunt inbinden,' zei Virgil, 'of we doen je de handboeien om. Als je je rustig houdt, mag je je handen van de muur halen.'
Williamsons gezicht was donkerrood en hij stond naar adem te happen alsof hij een hartaanval had. 'Wat is hier in godsnaam aan de hand?'
'We doorzoeken je huis. We hebben een huiszoekingsbevel.'
Williamsons mond ging open, maar er kwam een minuut lang geen geluid uit, totdat Virgil een kleine verandering zag die betekende dat hij zijn zelfbeheersing terugvond, waarna hij zich weer enigszins ontspande. Virgil deed een stap achteruit. 'Alles oké?'
Williamson was nog steeds boos, maar niet meer door het dolle heen. 'Wat... wat zijn jullie aan het doen?'
'We zoeken naar aanwijzingen die jou in verband brengen met de moorden op de Gleasons, de Schmidts en Bill Judd.'
'Wat... waarom?'
'We weten van je adoptie,' zei Virgil.
'Mijn adoptie? Mijn adoptie?' Zijn mond bleef weer even open staan, en toen: 'Wat is er met mijn adoptie?'
'Je bent hier in Bluestem geboren toen je moeder was omgekomen bij een auto-ongeluk na een feestje bij Bill Judd. Jij bent Bill Judds zoon.'

Williamson wankelde letterlijk achteruit. 'Dat kan niet. Dat is toch niet mogelijk? Wat een onzin.'
'Wist je het niet?' Virgil geloofde hem niet.
'Nee!' riep Williamson. 'Dat wist ik niet. Dat geloof ik ook niet. Mijn moeder...' Hij wankelde weer. 'Mijn moeder raakte in verwachting en heeft me ter adoptie afgestaan. Ze wilde me niet. Dat heeft mijn moeder me verteld. Mijn echte moeder.'
'Je echte moeder?'
'Mijn adoptieouders...' Williamsons gezicht was van donkerrood heel bleek geworden, maar begon nu weer rood te worden. 'David en Louise Williamson. Hoe komen jullie aan die onzin?' Hij keek om zich heen. 'En wat hebben jullie verdomme met mijn huis gedaan? Wat hebben jullie gedaan, stelletje klootzakken? Jullie gaan hiervoor boeten...'

Toen ze hem weer wat hadden gekalmeerd, zei Virgil: 'We gaan dit stap voor stap doornemen. Want het wil er bij mij niet in dat je bij toeval in Bluestem terecht bent gekomen, eerlijk gezegd.'
'Nee, niet bij toeval,' zei Williamson. 'Ik werkte in het noorden, in Edina, bij de plaatselijke krant, en Bill... het was Bills idee, niet het mijne. Mijn hoofdredacteur had Bill ontmoet op een of andere uitgeversbeurs. Mijn baas kwam terug en zei dat Judd mijn werk had gelezen en zich afvroeg of ik zin had om in een kleine stad te komen werken.'
'Dus je bent uit Edina vertrokken om in Bluestem te gaan wonen?' Virgil trok zijn ene wenkbrauw op. 'Zoiets hoor je niet vaak.'
Williamson keek om zich heen en vroeg: 'Is het goed als ik ga zitten?' Virgil knikte en Williamson plofte neer op de bank en veegde met de mouw van zijn overhemd het zweet van zijn voorhoofd. 'Het zit zo: ik werkte in Edina, in de Cities, verdiende achtendertigduizend per jaar en meer zou dat niet worden. Ik had in het leger journalistiek geleerd, niet op de universiteit. De grote kranten waren al mensen aan het ontslaan en de situatie werd alsmaar slechter. En toen zei Judd tegen me: "Kom naar Bluestem. Ik betaal je veertigduizend per jaar en stel me garant voor je, zodat je een hypotheek kunt krijgen."'
Williamson keek weer om zich heen. 'Weten jullie wat een huis als dit kost?'
Virgil schudde zijn hoofd, maar Jensen zei: 'Ik dacht dat het te koop stond voor vijfenveertigduizend.'
'Ze gingen akkoord met veertig. Ik betaal tweehonderd dollar per maand voor een heel behoorlijk huis. In de Cities had ik een derderangs appartement dat me achthonderd per maand kostte. En het werk werd er ook niet

beter op, als de krant het überhaupt zou overleven. Hier...' Hij haalde zijn schouders op. 'Hier heb ik mijn eigen huis, stel ik iets voor in de stad, en vind ik mijn werk leuk.'
Toen kwam zijn boosheid terug. 'Dus ga je gang en zoek maar, stelletje idioten. Maar jullie zullen niks vinden, want ik heb niks te maken gehad met welke moord dan ook.' En tegen Jensen: 'Weet je waar ik was toen de Gleasons werden vermoord? Op een liefdadigheidsbijeenkomst van de brandweer, in Mitchell's. Er waren minstens driehonderd mensen; ik heb er verslag van gedaan en er een praatje gehouden.' Hij begon weer te schreeuwen. 'Heb je daaraan gedacht, me naar een alibi te vragen?'
'Rustig aan...'
Maar hij bleef schreeuwen. 'En die onzin dat Bill mijn vader zou zijn... kom maar met bewijzen. Ik wil een DNA-test zien. Hé, hebben jullie voor de redactie ook een huiszoekingsbevel?'

Williamson was in de keuken, waar hij onder het toeziend oog van een hulpsheriff een kop koffie voor zichzelf maakte, toen Jensen tegen Virgil zei: 'Als dat toneelspel was, deed hij het verdomd goed.'
'Als hij die moorden heeft gepleegd, is hij een psychopaat,' zei Virgil. 'Psychopaten doen de hele dag niks anders dan mensen voor de gek houden. Doe jij de eetkamer? Dan neem ik de garage.'

17

Maandagmiddag.

Stapelwolken zo dik als proppen watten in een operatiekamer, en sommige waarvan de onderkant donkerblauw begon te worden, wat aangaf dat er nieuwe onweersbuien onderweg waren. Stryker zat achter zijn bureau, met zijn handen achter zijn hoofd en zijn voeten op de hoek van het werkblad, door het raam naar het parkeerterrein te staren. Virgil zat tegenover hem en zei niet veel.

Na een tijdje geeuwde Stryker, rekte zich uit, liet zijn voeten op de vloer ploffen en zei: 'Nou, dat was dus een misser van formaat.'

'Er moet een verband zijn,' zei Virgil. 'Dat móét gewoon. Ik wed met je om honderd dollar dat hij onze man is.'

'Vanochtend was het nog één dollar.'

'Honderd dollar,' herhaalde Virgil.

'Een tegen een? Honderd om honderd?'

Virgil dacht er even over na en zei: 'Nee, je moet me twee tegen een geven.'

Stryker probeerde te lachen, maar het lukte niet. Hij schudde zijn hoofd en zei: 'Verdomme, aanstaande donderdag nagelt hij ons aan het kruis.'

'Dan moeten we hem een beter verhaal bezorgen,' zei Virgil. 'Ik denk dat ik Pirelli ga bellen. Kijken of die al iets te melden heeft.'

'Ja, doe dat,' zei Stryker, en hij stond op. 'Ik moet ook nog iets doen. Ik zie je later, of morgen.'

Virgil liep het kantoor uit en maakte een tussenstop bij de toiletten. De op een na beste plek om na te denken, na de douche, was een schoon, stil urinoir.

Williamson beweerde dat Judd hém had gevonden, niet andersom. Daar zat een zekere rechtlijnige logica in, die Stryker wel aansprak. Als Williamson Judds zoon was, zou Judd dat hebben geweten. Was het mogelijk dat Judd, toen hij echt oud begon te worden, was gaan nadenken over zijn naderende einde, dat hij was gaan lezen in het boek *Openbaring*, wat minder hardvochtig was geworden en zijn kinderen dichter in zijn buurt had willen hebben? Was dat de reden dat zijn testament niet in zijn bankkluis-

je had gelegen? Was hij van plan geweest het te veranderen? En zou dat junior een reden hebben gegeven om zich van de oude man te ontdoen?
Aan de andere kant kwam Williamsons alibi, dat hij op de liefdadigheidsbijeenkomst van de brandweer was geweest, Virgil als iets te gemakkelijk voor. De bijeenkomst was gehouden in Mitchell's, de sportbar in de stad. De achterdeur van Mitchell's kwam uit op een parkeerterrein. Vanaf het parkeerterrein was het vijf minuten rennen naar het huis van de Gleasons, langs de spoorbaan, de brug over en daarna de heuvel op. Allemaal door het donker. En tegen tien uur was het eten al twee uur voorbij en het drinken allang begonnen. Zou het iemand opgevallen zijn wanneer Todd Williamson, de rest van de avond zo prominent aanwezig, een klein halfuurtje weg was geweest? Dat hij niet naar de wc was gegaan maar via de achterdeur naar buiten?
Wat Virgil betrof was dat alibi verre van waterdicht.
Stryker was het daar niet mee eens.
Hij kon de pot op.

Virgil stond zijn handen te wassen toen er een hulpsheriff binnenkwam, die een korte blik op de twee onbemande wc-hokjes wierp en zei: 'Ik wil even met je praten, maar ik wil niet dat bekend wordt dat we hebben gepraat.'
Virgil haalde zijn schouders op. 'Oké, maar...'
'Maar wat?' Op zijn naamplaatje stond dat hij 'Merrill' heette. Hij was nerveus en kortaf. Hij had een brilletje met een gouden montuur en een dikke borstelsnor.
'Maar we zijn met een moordzaak bezig,' zei Virgil. 'Als je iets weet, ben je verplicht het te zeggen. Ik kan je niet beloven dat het tussen ons blijft.'
Merrill wreef met zijn vinger over zijn neus, keek naar de deur en zei: 'Ik heb jou bij de brand bij Judd gezien.'
Virgil knikte, liet de man praten.
'Het heeft waarschijnlijk niks te betekenen... daarom zou ik het liever voor me houden, maar...'
'Zeg het gewoon,' zei Virgil. 'Ik bijt niet.'
'Jesse Laymon was daar ook. Stond een biertje te drinken, te kijken, net als iedereen.'
'Ja?'
'Nou, ze gaat nu om met de sheriff, privé, dat weet iedereen inmiddels. Waar het om gaat is dat ik haar auto ken, en dat ik die toen niet heb zien aankomen en ook niet heb zien wegrijden. En ik heb haar ook niet uit de auto van iemand anders zien stappen. Ik ken vrijwel iedereen in Stark

County, iedereen die bij de brand was, dus ik heb al die mensen gesproken... maar ik kan niemand vinden met wie ze heen of terug is gereden. Het regende als een koe die op een platte steen zeikt, dus het lijkt me onwaarschijnlijk dat ze lopend gekomen zou zijn.'
'Ze had een blikje bier in haar hand toen ik haar zag,' zei Virgil.
'Jep,' zei Merrill. 'Ik ging ervan uit dat ze met de mensen van de bar was meegekomen. Maar ik heb niemand kunnen vinden met wie ze is meegereden.'
'Weet je zeker dat je haar auto zou herkennen?'
'Man, Jesse is een van de lekkerste chicks van heel Stark County. Ik weet in wat voor auto ze rijdt. Elke keer als ik haar zie, zwaai ik naar haar.'
Virgil bleef hem even aankijken en zei toen: 'Hou je mond hierover.'
'Ga je er iets mee doen?'
'Ja.'

Buffalo Ridge was net zo'n soort heuvel als die bij de farm van de Strykers, maar dan veel en veel groter en hoger, bedekt met kniehoog prairiegras, afgewisseld met rood rotsgesteente, met een waterval, een beekje en een meer aan de noordkant, en Judds huis en het ravijn van Buffalo Jump aan de zuidkant. Er waren twee parkwegen, aan de noordkant en de zuidkant, waarvan de laatste vanaf de snelweg kwam en zich halverwege de top om de heuvel heen kromde. Judds oprit begon bij die weg en liep in oostelijke richting naar het huis, dat nu alleen nog maar een gat in de grond was. Virgil reed die weg af en parkeerde naast het gat van de fundering. Hij stapte uit en keek erin. De as was aangeharkt. Iemand was op zoek geweest naar een brandkast, vermoedde Virgil; junior, die een testament hoopte te vinden.
Oké. Als hij zelf iemand had willen vermoorden door diens huis plat te branden, hoe zou hij dan gevlucht zijn? Niet naar het zuiden, want dan viel je in het ravijn en was je dood. Ook niet naar het oosten, want daar was niets, alleen meer heuvelland vol onkruid en rotsen. Daar kon je in het donker je benen breken.
Je kon terugrennen over de oprit, tot aan de parkweg, en dan via die weg naar de ingang van het natuurpark. Maar zou je dat halen voordat de brandweer arriveerde? Dat was een afstand van bijna twee kilometer, en de brandweer had reactieteams die dag en nacht paraat waren. Met een auto of een pick-up reed je in een minuut naar de uitgang, maar rennend, zelfs met een zaklantaarn, zou het je minstens een minuut of acht kosten.
Je kon ook naar het noorden gaan, verder de heuvel op en er dan omheen. Die route was gevaarlijker, want de rotsen en spleten ertussen vormden

een risico, hoewel je het in de regen rustig aan kon doen en je achter de toeschouwers langs kon lopen...
Virgil kende deze weg, dus hij liep naar het noorden, verder de heuvel op. Hij kwam op de heuveltop en het eerste wat hij zag, waren de buffels. Die waren zo ver weg dat ze geen direct probleem vormden, maar hij hield ze toch in de gaten, net zoals zij hem in de gaten hielden. Het was weer een warme dag, een perfecte zomerdag, hoewel de bewolking weer begon toe te nemen. Hij liep heen en weer over de heuveltop, zocht naar een spoor van iemand die door het hoge gras was gelopen, maar zag niets opvallends. Het was een moeilijke afdaling, zeker 's nachts. Hij probeerde een stukje met zijn ogen dicht, maar liep al meteen te zwaaien als een geit op twee poten. Huh.
Virgil keek achterom, naar de weg. Hij móést via de weg gevlucht zijn.

Terug in Bluestem liep hij naar het kantoor van Judd junior. Zijn secretaresse stond in de deuropening van zijn kantoor met hem te praten, maar stopte toen Virgil binnenkwam. 'Meneer Flowers is er,' zei ze.
Judds hoofd verscheen in de deuropening, een glimlach om zijn mond. 'Heb je die ouwe Todd al aan een lantaarnpaal opgeknoopt?'
'Nog niet,' zei Virgil. 'Kan ik je even spreken?'
Judd gebaarde naar een stoel en zei tegen zijn secretaresse: 'Loop jij even naar Rexall en haal een zak popcorn voor me.'
Ze was liever gebleven om mee te luisteren, maar draaide zich om en liep hoofdschuddend weg. Virgil wachtte tot ze de buitendeur achter zich dicht had gedaan. 'Ik heb geen behoefte aan nog meer familieleden, meneer Flowers. Ik heb er al een te veel.'
'Ja, nou, dan moet je toch echt bij je vader zijn,' zei Virgil, en hij vroeg: 'Wie maaide het gazon van je vader? Dat korte gras tussen het huis en het ravijn? Ik heb nergens een grasmaaier gezien.'
De vraag verbaasde Judd. 'Nou, hij liet de hele tuin door Stark Gardens doen. Die hebben er een greenhouse neergezet en deden de gazons en het andere onderhoud. Hoezo?'
'Ik probeer helderheid over een paar zaken te krijgen, over wie er zoal bij het huis van je vader kwamen en gingen,' zei Virgil. 'Iets anders, over de nacht van de brand, heb je enig idee hoe lang het duurde voordat de brandweer er was?'
Judd schudde zijn hoofd. 'Misschien kun je dat daar vragen. Maar ik stel me zo voor, eens even kijken... er moest iemand bellen, die jongens moesten naar hun wagen, dan de stad door rijden... wat niet zo lang hoeft te duren, dus ik denk zo'n acht tot tien minuten.'

'Oké.' Virgil stond op. 'Bedankt.'
Judd leunde achterover in zijn stoel en zei: 'Ik wil jou ook iets vragen. Tussen jou en mij. Privé.'
'Ga je gang,' zei Virgil.
'Kom je ergens?'
'Ik denk het wel,' zei Virgil. 'Ik heb het gevoel dat de zaak elk moment opengebroken kan worden.'
'Jezus, ik hoop dat je gelijk hebt,' zei Judd. 'Ik heb een paar mensen in de Cities gebeld en naar je geïnformeerd. Ze zeiden dat je heel goed was. Ik wil niet veel langer rondlopen met het gevoel dat de kruisharen van een telescoopvizier in mijn nek zitten.'
Virgil dacht aan Pirelli en zijn DEA-team. 'Daar heb ik begrip voor. Niemand kan het je kwalijk nemen dat je de laatste dagen lichtelijk nerveus bent.'

In het kantoor van de sheriff vroeg hij naar Margo Carr, de forensisch deskundige. Ze werkte in het noorden van Stark County als hulpsheriff, als ze geen forensisch onderzoek deed. Virgil leende een radio en riep haar op.
'Bewaar jij je forensische spullen in je auto?'
'Ja,' zei ze.
'Ik wil ergens met je afspreken,' zei Virgil. 'Ik wil wat spionageapparatuur van je lenen.'
Het bleef even stil en toen zei ze, met een verholen glimlach in haar stem: 'Meneer Flowers, agent Flowers...'
'Kom nou maar,' zei Virgil.
Ze ontmoetten elkaar een kilometer of acht buiten de stad. Carr had rood haar en zag er nogal fors uit in haar uniform, niet al te aantrekkelijk, maar ze straalde wel iets uit, en Virgil had het vermoeden dat ze nooit een tekort aan mannen met belangstelling voor vrouwen had. Hij vroeg haar een metaaldetector te leen. 'Maar je had het over spionageapparatuur,' zei ze.
'Tussen jou en mij, dat was voor de meeluisteraars,' zei Virgil. 'En als iemand je vraagt wat ik heb geleend, dan zeg je dat niet.'

De zon was een rode bal die nog net boven de horizon stond, en er kwamen steeds meer onweerswolken aandrijven, toen Virgil de snelweg verliet en Roche in reed. Het was jammer dat het maandag was, want er gingen niet veel mensen uit op maandagavond. Het was echter gunstig dat Roche zo klein was. Hij kon ongeveer een kilometer verderop parkeren, op een stille weg langs het stadje, boven op een heuveltje, en het huis van de Laymons met zijn Zeiss-verrekijker observeren.

Wat hij nu deed. Er stonden een Ford Taurus en een gedeukte Ford F-150 naast het huis. Allebei hun eigen auto, vermoedde Virgil. Jesse was waarschijlijk al weg of zou straks uitgaan. Stryker kon geen dag zonder haar en zij ging graag een eindje rijden. Haar moeder was een andere zaak...
Omdat hij toch moest wachten, belde hij Pirelli. Die was aan het werk, kreeg hij te horen, en hij zou binnen een paar minuten of helemaal niet terugbellen.
Pirelli belde terug. 'De zaak is aan het rollen. Heb nog even geduld. Ik kan er niet via een mobiele telefoon over praten, maar we hebben een informant, een plaatselijke graanhandelaar. Er is daar een gebouw dat door iedereen "het lab" wordt genoemd en waar niemand uit de buurt ooit is binnengelaten. We weten het voor negenennegentig procent zeker, en na vanavond weten we waarschijnlijk genoeg. Dus...'
'Oké. Hou contact.'

Stryker verscheen om halfnegen.
Jesse wachtte niet tot hij uitstapte. Zodra hij voor de deur stopte kwam ze naar buiten, liep om de pick-up heen en stapte in. Stryker maakte een U-bocht en reed het stadje door, richting snelweg. Straks zouden ze minstens vijftien kilometer ver weg zijn, zodat het zeker twintig minuten zou kosten om terug te rijden, zelfs als ze ruzie kregen en hun afspraakje voortijdig beëindigden.
Nu moest hij op nummer twee wachten. Hij observeerde het huis in de vallende schemer, een kwartier, een halfuur, en hoopte dat ook Margaret Laymon nog even de deur uit zou gaan. Het was bijna negen uur toen ze naar buiten kwam en naar haar auto liep. Hij kon niet met zekerheid zeggen dat zij het was, maar de vrouw die in de Taurus stapte, keerde en reed richting snelweg.
Virgil startte de pick-up en ging haar achterna.
Zag haar achterlichten in de verte verdwijnen...

Was het mogelijk, vroeg Virgil zich af, dat Jesse, die al van haar moeder had gehoord dat ze een erfgenaam van Judd was, nu ook had ontdekt dat er waarschijnlijk nog een derde erfgenaam was? En dat ze niet wist dat die al in de stad was, en was begonnen met het wissen van alle sporen die naar hem leidden? Of was er misschien sprake van een samenzwering, om Jesse met een extra erfgenaam op te schepen?
Dat, dacht hij, klonk als een goedkope tv-film.
Waarom zit je hier dan in je pick-up, Virgil, met een botermesje in je

hand? Een botermesje dat je gewetenloos van die arme mensen van het Holiday Inn hebt gestolen?
Omdat een botermesje het perfecte gereedschap was om dat waardeloze slot van de voordeur van de Laymons open te wippen.

Hij deed het in alle openheid. Toen Margaret een flink eind de stad uit was, keerde hij, reed terug en parkeerde voor haar huis. Hij stak de kleine metaaldetector in de zak van zijn jasje en het botermesje in zijn rechtermouw. Belde aan, hard en lang. Belde nog een keer en bleef bellen. Liet het mesje in zijn hand glijden en keek achterom naar de snelweg. Nergens koplampen van auto's.
Hij stak het mesje in spleet naast het slot, zette kracht, voelde het slot meegeven, duwde de deur open met de neus van zijn laars en stapte de hal in. Vijf minuten om het huis te doorzoeken. Hij liep een slaapkamer in, zag oude foto's, een opgemaakt bed en een ingelijste Doors-poster. Dit moest Margarets kamer zijn.
Volgende slaapkamer: een iPod op het nachtkastje, het bed onopgemaakt. Jesses kamer. Maar waar...?
Virgil keek in het rond, zette de detector aan en ging op zoektocht. Hij liep snel de slaapkamer door en zag de naald van de detector vrijwel voortdurend uitslaan. Maar niet op plekken waar hij geen metaal zag...
Ten slotte sloeg de detector sterk uit bij een paar hoge winterlaarzen in de kast, de tweede plek die hij doorzocht, na de ladekast.
Hij draaide de laars om en een revolver viel op de vloerbedekking.
Hij raakte hem niet meteen aan, maar hij glimlachte. Heel goed. Hij haalde een pen uit zijn zak en draaide de revolver ermee om. Een Smith & Wesson .357 magnum. Hij stak de pen achter de trekkerbeugel, tilde de revolver op en liet die in een afsluitbare plastic zak glijden. Hij stak de plastic zak in de zijzak van zijn jasje, bleef op zijn hurken zitten en dacht erover na.
Een minuut later liep hij het huis uit, trok de voordeur zachtjes achter zich dicht en hoorde het slot klikken. In het donker kon hij het zien bliksemen in het zuidoosten en het noordwesten, maar donder hoorde hij niet. Die buien zouden Bluestem niet bereiken. Hij keek omhoog en zag de miljoenen fonkelende sterren van de Melkweg.

Virgil zat in zijn pick-up, die hij voor Strykers huis had geparkeerd, toen Stryker kwam aanrijden. Virgil stapte uit, met een vieze smaak in zijn mond. Stryker zette zijn pick-up in de garage en wachtte totdat de deur omlaag was gezakt, toen Virgil naar hem toe kwam lopen. 'Is er iets gebeurd?' vroeg Stryker.

‘Misschien,’ zei Virgil. ‘Maar ik weet niet goed hoe ik het tegen je moet zeggen.’
Stryker hield zijn hoofd schuin. ‘Wat betekent dat?’
‘Ik heb een tip gekregen, ik kan je niet zeggen van wie, dat Jesse in de nacht van de brand bij Judds huis is geweest, en dat de kans bestaat dat ze de heuvel af kwam lopen in plaats van dat ze vanaf de andere kant kwam.’
‘Dat is belachelijk,’ zei Stryker. ‘Ze was met een stel mensen van de bar meegekomen.’
‘Dan moet het geen probleem zijn om daar helderheid over te krijgen,’ zei Virgil. ‘Iedereen kent iedereen. Het enige wat we hoeven te doen is iedereen opzoeken die daar was en vragen met wie ze is meegereden. Mijn tipgever zegt dat ze niet met haar eigen auto was.’
‘Nou, laten we dat dan doen. We gaan naar de jongens die bij de ingang hebben gestaan en vragen hun wie er met wie naar binnen is gegaan.’
‘Morgenochtend vroeg?’
‘Nou... een paar van de jongens die toen nachtdienst hadden, hebben nu ook dienst. Ik zal Little Curly en George Merrill bellen. Die hebben bij de ingang gestaan. Kom op, aan de slag.’
Virgil reed achter hem aan naar het stadhuis. Ze gingen naar binnen. Stryker riep Curly en Merrill op met de radio en zei dat ze zich zo snel mogelijk moesten melden. Beiden bevestigden de oproep, waarna Stryker doorliep naar zijn kantoor, achter zijn bureau ging zitten en zei: ‘Als jij niet wilt zeggen van wie die tip afkomstig is, kwam die van een van mijn hulpsheriffs. Ik snap het probleem van de tipgever wel, maar jezus...’
‘Als je maar niemand onder druk probeert te zetten,’ zei Virgil. ‘De zaak zit al ingewikkeld genoeg in elkaar zonder dat jij je herverkiezingscampagne erdoorheen gooit. Hou je mond er nou maar over.’

Merrill was het eerst terug. Hij kwam binnen, bleef staan, met zijn duimen achter zijn riem, en keek Virgil en Stryker met een bezorgde blik aan. ‘Wat is er aan de hand?’
‘George,’ zei Stryker, ‘we hebben de namen nodig van iedereen die je in de nacht van de brand door de poort naar binnen hebt zien gaan.’
‘Nou, dat waren... je weet wel, de mensen die je altijd ziet,’ zei Merrill.
Little Curly kwam binnen toen ze de lijst aan het maken waren, en Stryker legde hem uit wat de bedoeling was. Curly bekeek de lijst en voegde er nog een naam aan toe. ‘Jullie hebben allebei Jesse Laymon gezien,’ zei Virgil. ‘Maar heeft een van jullie haar pick-up gezien?’
Merrill en Little Curly keken elkaar aan, keerden zich weer naar Virgil en schudden het hoofd. ‘Nee.’

'Dat is wat we wilden weten,' zei Virgil. 'Zeer bedankt.'
Toen ze weer vertrokken waren zei Stryker, terwijl hij naar de lijst bleef kijken: 'De rest doen we morgenochtend. Ik laat iedereen om tien uur naar mijn kantoor komen.'

Terug in het hotel haalde Virgil een biertje, nam het mee naar zijn kamer, startte de laptop op en opende zijn weinig samenhangende verzameling verhaaltjes over Homer en zijn moordonderzoek in Bluestem.
Hij ging zitten en begon te schrijven.

Met de .357 in zijn hand, licht op en neer wippend op zijn hurken, vroeg Homer zich af of iemand Jesse erin probeerde te luizen, het onderzoek te laten ontsporen en misleidend bewijs voor de latere rechtszaak te planten, of dat Jesse werkelijk iets met de moorden te maken had.
Wat het ook was, iemand had Merrill met opzet in het onderzoek laten infiltreren, wat de reden was dat Homer bij Bill Judd junior had geïnformeerd naar het onderhoud van de gazons. Hij had namelijk, voor zover hij had kunnen zien, in het gat in de grond dat ooit Judds huis was geweest, niets gevonden wat door een benzinemotor werd voortgedreven. Geen grasmaaiers of sneeuwblowers of terreinwagentjes. En als Jesse niet met haar pick-up de heuvel op was gereden, hoe had ze de benzine waarmee de brand was begonnen dan boven gekregen? Was ze in de stromende regen meer dan anderhalve kilometer de heuvel op gelopen met twee jerrycans die tezamen minstens veertig kilo wogen, en daarna weer met de lege jerrycans naar beneden?
Onzin, dacht Homer. Iemand probeerde haar erin te luizen en had Homer zo ver gekregen dat hij haar huis had doorzocht, waar de revolver op de op een na meest voor de hand liggende plaats was verstopt. Het was wel interessant om te weten of de .357 ook werkelijk het moordwapen was...
Hij kende ten minste één mogelijke verdachte die toegang had tot Jesses slaapkamer, maar dat lag er zo dik bovenop dat het gewoon niet waar kon zijn. Het kón Stryker niet zijn. Nee toch?

Virgil geeuwde en sloot de laptop af.
Wie had Merrill naar hem toe gestuurd?
Dat zou hij hem moeten vragen.

18

Virgil werd wakker toen er iemand op de deur van zijn hotelkamer klopte. Er kwam licht door de gordijnen, dus het moest ochtend zijn. Hij draaide zich om en keek op het klokje: 7.00 uur. Er werd weer geklopt, ongeduldiger nu.
'Wacht even,' riep Virgil. Hij pakte zijn pistool, laadde het door, liep naar de deur, niet ervoor langs, ging tegen de muur staan en rammelde met de ketting.
Er werd niet door de deur heen geschoten. 'Wie is daar?'
'Joan,' zei een gedempte stem.
Virgil haalde de ketting van de deur, deed open en stond daar in zijn boxershort en met zijn pistool. 'Wat is er aan de hand?'
Ze had een versleten spijkerbroek en een T-shirt aan, en had een sjaaltje om haar hoofd geknoopt. 'Ik was op weg naar de farm en kwam Jim tegen. Hij zei dat jij denkt dat het Jesse is. Ik wil weten hoe dat zit.'
'Kom verder,' zei Virgil. Ze kwam binnen. Virgil deed de deur dicht, legde het pistool weg en zei: 'Ik ben misschien iets op het spoor, maar in dit verdomde, kletsgrage stadje zeg ik voorlopig tegen niemand iets.'
'Ook niet tegen mij?' Ze sloeg haar armen over elkaar. Altijd een slecht teken als vrouwen dat doen, dacht Virgil. 'Een primeur,' zei ze. 'Virgil Flowers die zijn mond dicht houdt.'
'Ik moet me scheren,' zei Virgil. 'Je mag kijken als je wilt.' Ze liep achter hem aan naar de badkamer, waar hij zijn gezicht nat maakte en zei: 'Als je in een klein stadje als dit komt en een zaak hebt die doodgelopen is, moet je iets doen om dingen weer in gang te zetten. Ik praat met mensen. Dat werkt.'
Ze geloofde hem niet. 'Wil je daarmee zeggen dat je van nature een zwijgzame, teruggetrokken, introverte jongen bent die het liefst nooit iets tegen iemand zou zeggen, en dat al dat geklets van je alleen een manier is om ons Bluestemmers uit de tent te lokken?'
Virgil smeerde scheerschuim op zijn gezicht. Hij stopte onder zijn neus, keek haar aan in de spiegel en zei: 'Het is voor het eerst dat ik de woorden "zwijgzaam" en "Bluestemmers" in één zin hoor uitspreken.'
'Nou, vertel op. Of sta je me in de maling te nemen?'

'Joanie, je bent een fantastische vrouw en dat meen ik,' zei Virgil. 'Maar we zitten met ten minste vijf vermoorde mensen en één psychopaat. Ik ben hier om hem in zijn kraag te pakken. En dat ga ik doen.'
Er kwam een glimlach om haar mond. 'Dus het is Jesse niet. Je zei "hem".'
Virgil hield het scheermes onder het hete water en zei: 'De eerste avond dat wij uitgingen, heb ik tegen je gezegd dat je slimmer was dan ik dacht. Je hebt me zojuist een persoonlijk voornaamwoord ontfutseld. Wil je mijn rug wassen?'

Toen Joan vertrokken was, ging Virgil online om te kijken of er e-mail voor hem was. Sandy, Davenports researchmedewerker, had hem gestuurd wat ze over Williamson had kunnen vinden, maar veel opzienbarends was dat niet. Nooit gearresteerd, drie bekeuringen voor te hard rijden in twintig jaar, drie jaar in het leger, waarvan één jaar in Irak in 1990. Nooit getrouwd geweest. Zijn adoptieouders stonden niet in de staat Minnesota ingeschreven en hadden daar al minstens tien jaar geen inkomstenbelasting betaald.
Jesse sloeg hij over; haar verhaal kende hij al.
Judd: hij besteedde een uur aan het doornemen van alle papieren die hij over Judd had. De accountant, Olafson, had de cijfers al gedaan, maar hij hoopte op een naam, een gebeurtenis, een verband...
En hij vond niets meer dan wat hij van Jesse wist.
Hij dacht aan de .357. Hij vroeg zich af hoe lang hij moest wachten. Vroeg of laat, wist hij, zou iemand voorstellen om Jesses huis te doorzoeken. Virgil wilde afwachten van wie dat voorstel zou komen, maar wilde ook niet té lang wachten.

Hij trof Stryker om tien uur, in gesprek met een timmerman met een kater, en een verband om zijn linkerduim. De timmerman vertelde dat hij naar de brand was gereden met een vriend, die Dick Quinn heette. Stryker omzeilde de directe vraag of hij wist hoe Jesse Laymon daar was gekomen, liet de lijst met namen zien en nam met hem door wie er met wie mee was gereden en wie achter het stuur had gezeten.
De timmerman had Jesse wel gezien, maar wist niet hoe ze er was gekomen. Naderhand, toen ze naar Strykers pick-up liepen, vroeg Virgil: 'Heeft niemand haar pick-up gezien? Of haar een lift gegeven?'
'Er is één man die haar heeft gezien en die dénkt dat haar pick-up als laatste in de rij stond,' zei Stryker. 'Maar niemand heeft er echt op gelet; ze waren alleen in de brand geïnteresseerd.'
'Wil je weten wat ik zou doen?' vroeg Virgil.

Stryker schudde zijn hoofd. 'Na gisteren ben ik daar niet meer zo zeker van.'
'Ik zou één van je hulpsheriffs op Williamson zetten, één op Judd junior en één op Jesse. En zodra het erop lijkt dat twee van de drie met elkaar in botsing komen...'
'Als ik ze laat schaduwen, weet heel Stark County het binnen een kwartier,' zei Stryker. 'Inclusief zijzelf.'
'Dat is beter dan meer lijken stapelen,' zei Virgil.
'Virgil, laat me dit op mijn eigen manier regelen. Ik hoef nog maar met een paar mensen te praten. Daarna kunnen we het over schaduwen hebben. Wat ga jij vandaag doen?'
'Misschien Williamson verder onder druk zetten,' zei Virgil. 'Of Jesse. Of nog een keer met Judd praten. Ergens binnen die driehoek moet het antwoord te vinden zijn.'
'Oké, doe dat, dan werk ik mijn lijst af. Daarna praten we verder.'

Stryker was net in zijn pick-up gestapt toen Virgils telefoon ging. Hij klapte het toestel open: Pirelli.
'We zijn aan het verzamelen in het Holiday Inn in Worthington,' zei Pirelli. 'Het gerucht is verspreid dat we een inval gaan doen in de vleesverpakkingsfabriek, dat we op zoek zijn naar illegalen. Als jij en Stryker erbij willen zijn, moeten jullie hiernaartoe komen.'
'Hoe laat gaan jullie op pad?' Virgil claxonneerde naar Stryker, die omkeek. Virgil wenkte hem.
'Rond het middaguur,' zei Pirelli. 'Feur is op weg naar huis vanaf zijn farm in Omaha. We hebben net bij de ethanolfabriek een knaap tweehonderd liter benzine achter in zijn pick-up zien laden. Hij zou even na Feur op de farm moeten aankomen, tenzij een van beiden onderweg een tussenstop maakt.'
Virgil draaide zijn raampje open, legde zijn vinger op het microfoontje van zijn toestel en zei tegen Stryker: 'Het is Pirelli.'
Pirelli zei: 'Jullie moeten geïnstrueerd worden als jullie mee willen doen.'
'We zijn er tegen elf uur,' zei Virgil. 'Heb je nog meer mankracht nodig?'
'Nee. En we willen dit verder uit de lucht houden. We willen geen nieuwsgierige hulpsheriffs die hun neus erin steken. We hebben geen behoefte aan onbekenden met vuurwapens.'
'Geef ons een uur,' zei Virgil, en hij klapte zijn toestel dicht.
'Vandaag?' vroeg Stryker.
'We moeten nu meteen naar Worthington,' zei Virgil. 'Pirelli wil het stilhouden. Meld je af, verzin maar een of ander excuus, en dan gaan we.'
'Komt voor de bakker,' zei Stryker.

Ze gooiden Virgils uitrusting achter in Strykers Ford en Stryker belde de meldkamer om te zeggen dat hij enige tijd onbereikbaar zou zijn. Het bleef even stil aan de andere kant van de lijn en toen zei de hulpsheriff: 'Oké, begrepen.' 'Hij denkt dat ik naar Jesse ga voor een middagwip', zei Stryker tegen Virgil en hij gooide zijn hoofd achterover en begon te lachen.
'Geen slecht idee,' zei Virgil.
'Lastige keuze: neuken of vechten,' zei Stryker. 'Op de lange termijn geef ik de voorkeur aan het eerste, maar vechten is leuk om de uren ertussenin door te komen.'

In een halfuur waren ze in Worthington. De FBI had de achterste helft van een vleugel van het Holiday Inn bezet. Virgil en Stryker werden tegengehouden door twee agenten toen ze wilden doorlopen. Een van hen gaf hun namen door via zijn radio, knikte en zei: 'Laatste kamer rechts.'

Ze vonden Pirelli in de vergaderzaal, met een stuk of twintig agenten, allemaal in spijkerbroek, shirt met korte mouwen, en met een honkbalpet op. Pirelli stond naast een projectiescherm, de agenten zaten op klapstoeltjes ertegenover, als een kleuterklasje, maar dan zwaargewapend. Tussen de stoeltjes, in het midden, stond een hoge tafel met een computer en een projector.
Pirelli zag hen en zei over de hoofden van de agenten: 'Jullie zijn net op tijd voor de hoofdfilm.' En tegen de agenten: 'Dit zijn Jim Stryker, sheriff van Stark County, de man met de hoed, en Virgil Flowers, Bureau Misdaadbestrijding, met... wat staat er vandaag op je T-shirt, Virgil?'
Virgil trok de panden van zijn jasje opzij en showde zijn Arcade Fire-shirt.
'Wat is verdomme Arcade Fire?' vroeg een latino agent met een New Yorks accent.
'De beste buikorgelband van de hele wereld,' antwoordde Virgil.

Pirelli zei: 'Jongens, jullie hebben instructies gehad, maar nu we het plaatselijke gezag hier hebben, wil ik de omgeving nog een keer met jullie doornemen. Die hebben we verkend, we zijn eroverheen gevlogen en we verwachten geen grote problemen, maar we moeten overal op voorbereid zijn. John Franks en Roger Kiley hebben een crimineel verleden dat ver teruggaat.' Hij stopte en zei tegen Virgil en Stryker: 'Franks is degene die het spul van de ethanolfabriek naar Feurs farm brengt en Kiley is daar nu. Kiley en nog een stel mannen hangen daar rond en patrouilleren over het terrein. De anderen hebben we nog niet kunnen identificeren.'
'Een knaap die Trevor heet,' zei Virgil. 'De laatste keer dat ik hem zag, had hij een Remington met pompactie.'

Pirelli liep naar de computer, riep een werkscherm op en typte een zoekopdracht voor 'Trevor' in. Even later verscheen hij op het scherm, Trevor Rich, met een politiefoto uit Wichita Falls, Texas.
'Dat is hem,' zei Virgil, toen hij Trevors lichte ogen zag.
Pirelli keek naar de tekst en las die voor. 'Gewapende overvallen, mishandeling onder bedreiging van een dodelijk wapen, terroristische dreigementen. Ex-vrouw wordt al vier jaar vermist, niemand weet waar ze is. Hij zegt naar Californië. Als hij de bak in gaat, is dat voorgoed.'
'Het leek me zo'n aardige jongen,' zei Virgil.
'Kiley en Franks zijn van hetzelfde laken een pak: wapens, narigheid en bloedlink op de overheid,' zei Pirelli. 'Die gasten moeten we het eerst pakken.'
'Hoe was je dat van plan?' vroeg Virgil.
'Dat ligt wat gecompliceerd,' zei Pirelli.

De complicatie was dat Feur en de dope zich op hetzelfde moment op dezelfde plek moesten bevinden. Ze hadden een observatievliegtuig dat de dope vanuit de lucht volgde, twee auto's die hetzelfde over de grond deden, en een gps-zendertje dat ze onder de pick-up hadden geplakt.
'We willen dat Feur zich op zijn terrein bevindt en dan pakken we de dope voordat ze er iets mee kunnen doen,' zei Pirelli. Hij typte iets in op de computer en er verscheen een satellietfoto van de farm op het scherm. 'We weten niet precies waar ze het spul zullen opslaan, maar we vermoeden in deze schuur, eerder daar dan in het huis,' zei hij, en hij richtte de rode stip van de pointer op de schuur. Tegen Virgil en Stryker zei hij: 'Toen we elkaar in Mankato spraken, vertelden jullie dat Dale Donald Evans zijn pick-up met de achterkant naar de schuur had geparkeerd om de jerrycans in te laden. We verwachten dat Franks hetzelfde gaat doen, om ze uit te laden. Zodra Franks het erf op rijdt, komen we in actie,' vervolgde Pirelli terwijl hij met de rode stip de omtrek van het erf aangaf. 'Door de plek waar we van de snelweg komen, kunnen we dat tot op de minuut plannen. Zelfs als ze ons hier over de heuvel zien komen...' Hij wees het aan op de satellietfoto, '... hebben ze minder dan een minuut om te reageren. Als we ze op het erf kunnen pakken, hebben ze geen schijn van kans. We hebben er iemand naartoe gestuurd om foto's van de gebouwen te maken. Zo te zien stelt die schuur niet veel voor. Als ze van daaruit terugvechten, halen we hem neer. En het huis is nog krakkemikkiger...'
'Maar je wilt geen bloedbad,' zei Stryker.
'Nee,' zei Pirelli. 'We willen iedereen in hulpeloze toestand, zodat ze zich overgeven.'

'Weet je het zeker van de dope?' vroeg Stryker. 'Dat ze de meth vanuit South Dakota naar de farm brengen?'
'Ja,' zei Pirelli op vlakke toon. 'Dat lab in de ethanolfabriek is het beste dat we ooit in de States hebben gezien. Er zijn een paar goeie in Mexico, maar die zijn niet beter dan dit lab.'
'Die schuur kan je meer problemen opleveren dan je misschien denkt,' droeg Virgil bij.
Pirelli trok een wenkbrauw op. 'O ja?'
'Die heeft stalen deuren met gloednieuwe Medico-sloten. Wat geen probleem hoeft te zijn, als de rest van karton is.'
'Ben je binnen geweest?' vroeg Pirelli.
'Natuurlijk niet,' zei Virgil. 'Dat zou verboden zijn, zonder huiszoekingsbevel.'
'We hebben apparatuur om door die deuren heen te gaan alsof ze van vloeipapier zijn,' zei een van de agenten.
'Uiteraard, als je daar eenmaal toe besluit,' zei Virgil. 'Maar wat als Franks tien jerrycans in zijn pick-up heeft, met honderd liter benzine en de rest in meth, en hij krijgt de tijd om die twee met elkaar te vermengen, de hele zaak in de fik te steken en met zijn handen op zijn hoofd naar buiten te rennen. Misschien moet je ook een brandweerwagen laten komen.'
'We springen boven op hem voordat hij ze kan uitladen,' zei Pirelli. 'We zitten nog geen minuut achter hem en hij heeft geen reden om zich te haasten. Met een beetje geluk gaat hij eerst pissen voordat hij met uitladen begint.'
'Laten we het hopen,' zei Virgil. 'Maar het zit me niet lekker.'
'Met dit soort acties,' zei Pirelli, 'is er altijd ongeveer achtentwintig procent kans dat het op een ramp uitloopt. Dat is gewoon zo. Hoe we het ook doen, deze gasten verdienen het geëlimineerd te worden.' Hij keek nog eens naar de satellietfoto en zei tegen Virgil: 'Maar je hebt gelijk. We moeten het zekere voor het onzekere nemen.'

Ze praatten nog wat na met de agenten. Virgil leende de pointer van Pirelli, om met Stryker het terrein rondom het huis door te nemen... een greppel hier, een grote rots daar, plekken waar ze de scherpschutters konden positioneren.
Er liep een lange strook donkerder gras van dicht bij de schuur de heuvel op, tot aan een groep bosjes iets ten zuidoosten van de farm. Een van de agenten vroeg of dat een greppel was, die ze konden gebruiken om de gebouwen te naderen.

'Ik weet het niet,' zei Stryker. 'Wij kwamen uit het noorden toen we onze verkenning deden.'
Pirelli zat aan de telefoon met iemand uit een van de twee volgwagens die Feurs farm naderden. Ze probeerden te berekenen hoe ze gelijktijdig op het terrein konden arriveren, en om 12.40 uur zei Pirelli: 'Noordkant, vertrekken.'
Zes agenten stonden op en liepen het vertrek uit.
'Vijf minuten, jongens,' zei Pirelli. 'Over tien gaan we rijden. Chauffeurs, flink de sokken erin maar geen licht. Hou afstand totdat we bij de afrit komen, daarna strak gegroepeerd. Jullie weten dit allemaal al, dus onthou het ook. Iedereen: wees voorzichtig. We willen geen slachtoffers aan onze kant, en het is een onaangenaam stel. Virgil, Jim, blijf een beetje in de achterhoede. Niet helemaal achteraan, maar een beetje. We hebben een strak draaiboek voor onze aankomst.'
Na vijf minuten zei Pirelli: 'Oké, we gaan.' Iedereen stond op en liep de vergaderzaal uit. Niemand zei iets en er werden geen grappen gemaakt. Ze hadden haast.

19

Voordat ze in de pick-up stapten, trokken Virgil en Stryker hun verplichte kogelwerende vest aan. Echt zwaar geschut hield dat niet tegen, maar tegen riotguns en pistolen bood het voldoende bescherming. Sommige van de DEA-agenten hadden zwaardere vesten aan; zij zouden het eerst in actie komen.

Stryker vroeg of Virgil wilde rijden. 'Dan kan ik radiocontact met mijn mensen houden, als het nodig is.'

Vanaf de oprit bij Worthington tot aan de afrit bij Feurs farm was het vijfendertig minuten over de grote weg met de toegestane maximumsnelheid, en een halfuur wanneer je die zoals iedereen iets overschreed. Pirelli, die contact met de anderen onderhield via een microfoontje op zijn kraag, dirigeerde de snelheid van de DEA-wagens, zeven stuks, allemaal GMC Yukons met geblindeerde ruiten.

'Afstand houden noemen ze dat,' zei Stryker, die naar de wagens voor hen keek. 'Het lijkt verdomme wel een file.'

'Zolang Feur geen uitkijkposten bij de snelweg heeft, kan ons niks gebeuren,' zei Virgil. En een minuut later: 'Echt een dag voor een feestje als dit, vind je niet?'

'Absoluut,' zei Stryker opgewekt. Hij klikte zijn veiligheidsriem los, ging op zijn knieën op de stoel zitten, zocht achterin en haalde de M-16 tevoorschijn. 'Als je mij hiermee in een molshoop ziet schieten, zeg dan maar tegen jezelf: "Geen aandacht aan besteden, dat is mijn oude vriend Jim die een paar kogels afvuurt om zijn herverkiezing veilig te stellen."'

'Kruitsporen.'

'Precies,' zei Stryker.

'Toch geloof ik nog steeds niet dat Feur de Gleasons heeft vermoord, Jimmy,' zei Virgil. 'We zijn nog niet af van degene die dat heeft gedaan.'

'Als jij het zegt,' zei Stryker. 'Ik ben wel van plan alle eer voor het oprollen van het methlab op te eisen, in elk geval in de plaatselijke krant.' Hij trok het magazijn uit de M-16, zette een paar duimafdrukken op zijn patronen en zei: 'Wat heb jij bij je? Aan een riotgun heb je niet veel als ze binnen zitten.'

'Een Remington halfautomaat .30-06.'

'Daarmee schiet je een baksteen doormidden,' zei Stryker goedkeurend.
'Full Metal Jackets?'
'Ja.'
'Ik heb zestig patronen. Ik wilde dat ik meer clips had meegenomen.'
'Het is een arrestatie, geen oorlog,' zei Virgil.
'Wat je wilt,' zei Stryker. Hij sloeg het magazijn weer in het geweer, laadde het door en zette de veiligheidspal om.
'Ik hoop dat het gaat zoals Pirelli zegt,' zei Virgil. 'Ik heb begrip voor jouw behoefte om herkozen te worden, maar een moordlustige psychopaat in zijn kraag grijpen is belangrijker dan een paar harde werkers hun peppilletjes afnemen.'
Vóór hen minderden de GMC's vaart, dus nam ook Virgil gas terug, totdat ze nog maar tachtig kilometer per uur reden. Het lijkt bijna een file, dacht Virgil. Laten we hopen dat er niemand kijkt.
Er keek niemand, zou later blijken. Ze waren een kleine zeven kilometer van de afrit toen er weer harder werd gereden en Virgil door Pirelli op zijn mobiel werd gebeld. 'Feur is een kwartier geleden thuisgekomen. Franks is bij de afrit. We gaan hem achterna. Blijven jullie een beetje achteraan hangen.'
'Tien-zesennegentig,' zei Virgil, en hij klapte zijn toestel dicht.
'Wat betekent dat?' vroeg Stryker. 'Ik heb nog nooit van een tien-zesennegentig gehoord.'
'Dat betekent: "Krijg de pest",' zei Virgil, en hij verkleinde de afstand tot de GMC's.

'Ik ga op de achterbank liggen,' zei Stryker. 'Niet slim als we allebei voorin zitten.' Hij trok de hoofdsteun uit de rugleuning, gooide die achterin, en klauterde moeizaam over de leuning. 'Zal ik je Remington alvast uitpakken?' vroeg hij.
'Ja, doe dat maar,' zei Virgil. 'Ik hoop van harte dat ik hem niet nodig heb. Er zitten twee volle magazijnen in het zijvak van het foedraal.'

De eerste minuut nadat ze waren afgeslagen, meende Virgil dat de kans klein was dat iemand hen vanaf de farm kon zien. Maar toen ze op de gravelweg kwamen, spoot het stof achter de banden van de GMC's omhoog, hoorden ze een dof ronkend geluid, alsof er een trein langsreed, en moest iedereen achter de eerste auto vaart minderen. De afstanden tussen de wagens werden algauw groter, de chauffeurs begonnen opzij te sturen en een van de GMC's begon te slippen, terwijl Stryker riep: 'Moet je dat zien, moet je dat zien!'

'Hij kan je niet horen!' riep Virgil terug.
'Je ziet niks meer...' Stryker hield zich vast aan de rugleuning van de passagiersstoel en keek door de achterruit naar buiten, waar een enorme, dichte stofwolk achter hen opsteeg.

Ze reden over de heuvel ten zuiden van Feurs farm en als niemand hen nog gezien had, zou dat heel binnenkort gebeuren, want ze waren er bijna, nog maar een minuutje, en toen Virgil naar rechts stuurde om de stofwolk te ontwijken, riep Stryker: 'Franks' pick-up staat op het erf! Kijk, daar staat hij...'

De eerste twee wagens van de DEA schoten het erf op, de agenten sprongen eruit en riepen naar Franks, die net uit zijn pick-up stapte. Zo te zien riep Franks ook iets en er kwam een hond de pick-up uit vliegen, die een van de agenten besprong, waarna ze samen over de grond rolden.
De derde wagen reed de oprit voorbij en werd dwars op de weg geparkeerd. De vierde stopte voor de oprit, werd ook dwars op de weg geparkeerd en de vijfde meteen daarachter. Uit alle wagens kwamen agenten die de oprit op renden. Virgil reed om de GMC's heen, zette de pick-up in de greppel tegenover de oprit en riep: 'Links uitstappen.' Ze stapten uit en met de pick-up als dekking zagen ze de agenten het erf op rennen, toen het schieten begon.
Er waren inmiddels twee honden, een die tegen een aanstormende agent opsprong en hem in zijn gezicht beet, en de eerste hond die bij Franks' pick-up met een agent door het stof rolde. De laatste agent schreeuwde het uit van de pijn, slaagde erin de hond van zich af te werpen, een andere agent schoot op de hond maar miste, waarop de hond zich op hem wierp en een derde agent op de hond schoot.
Er waren vier of vijf agenten op het erf toen er vanuit het huis met een machinegeweer werd geschoten, een van de agenten tegen de grond sloeg, de anderen schreeuwend op het huis begonnen te vuren, er verfschilfers en houtsplinters in het rond vlogen en de ramen uiteenspatten. Franks, die met zijn handen op zijn hoofd had gestaan, keerde zich naar de schuur en wierp zich tegen de deur. Die ging open, zat niet op slot, Franks verdween en er waren twee agenten uitgeschakeld.
Stryker lag in de greppel, met de M-16 tegen zijn schouder, opende het vuur op de bovenste ramen van het huis en maaide die in een enkel salvo aan scherven.
Virgil stak de weg over, liet zich in de greppel aan de andere kant vallen, zorgde ervoor dat er een GMC tussen hem en het huis bleef, en toen hij ach-

ter zich opnieuw het geratel van Strykers M-16 hoorde, schoot hij de greppel uit en rende naar de pick-up op het erf. Een paar meter naast de pick-up lag een agent op de grond. Virgil pakte hem beet en sleepte hem achter de pick-up, waarbij de M-16 van de agent, die aan een draagband over zijn schouder hing, over de grond stuiterde.
Er zaten minstens vijftig kogelgaten in de pick-up, overal lag versplinterd glas en twee van de banden waren lek. De agent leefde nog, maar zijn benen waren aan flarden gebeten en hij begon het bewustzijn te verliezen. Een bruin met witte hond – het kon een pitbull zijn – die uit zijn flanken en kop bloedde, kwam om de pick-up heen strompelen, trekkend met zijn voorpoten, waarschijnlijk met een gebroken rug, met zijn kwaadaardige blik op Virgil gericht. Virgil hield van honden maar aarzelde geen seconde, trok zijn pistool en schoot de hond twee keer in zijn kop.

Hij hoorde iemand roepen. Een andere agent, achter een van de wagens die het eerst het erf op waren gereden, riep naar hem. Virgil zag dat hij in een plas bloed lag, maar hij was bij kennis en alert, en wees tussen de twee wagens, waar Virgil een derde agent zag liggen, en de tweede agent riep: 'Haal hem daar weg, dan neem ik het huis onder vuur. Ik kan me niet bewegen, ik ben geraakt...'
'Oké, doen we, nu!' riep Virgil, waarop de agent zich op zijn buik rolde, het vuur opende met zijn M-16, de rest van het glas uit de ramen maaide en Virgil achter het wiel van de pick-up vandaan schoot, de neergeschoten agent vastgreep en hem achter het wiel van de pick-up sleepte. De andere hond kwam op hen af, bloedend en met zijn tong uit zijn bek, zag de agent met de M-16, die aan het herladen was, en vloog hem aan op het moment dat hij een nieuw magazijn in zijn wapen sloeg. Maar de hond beet zich vast in het kogelwerende vest, niet in zijn arm, en rukte eraan totdat de agent zijn pistool kon trekken, het op de kop van de hond zette en de trekker overhaalde. De hond wankelde achteruit, draaide zich om, keek Virgil aan met een schaapachtige grijns om zijn bebloede bek en tuimelde toen om.
Virgil zat achter de pick-up met twee gewonde agenten, of misschien, dacht hij, één dode. Hij keek naar het gezicht van de agent en haalde diep adem. Nee, hij leefde nog. Hij trok het achterportier van de pick-up open, tilde de andere gewonde agent erin terwijl een regen van kogels de ramen aan de andere kant versplinterde en hij even moest wachten.
Hij pakte de tweede agent, de bewusteloze, zeulde hem omhoog en legde hem boven op de andere. Pakte de M-16 van de grond en gooide die ook achterin. Daarna kroop hij voorin, bleef gehurkt op de vloer zitten, pakte

het stuur boven zijn hoofd vast, zette de versnelling in de achteruit en duwde met zijn hand het gaspedaal in.
Hij voelde iets langs zijn hoofd striemen, maar sloeg er geen acht op, reed achteruit het erf af tot op de oprit, en hoorde de intensiteit van het vuur toenemen toen de DEA-agenten hem dekkingsvuur gaven. Hij bleef recht achteruitrijden, dwars door het veld, vijftig meter, tachtig meter, hobbelend over keien en rotsen, over bosjes en jonge bomen, deinend en slingerend, totdat hij na ruim honderd meter voelde dat ze de greppel in reden en hij de rem indrukte.

Hij pakte zijn mobiele telefoon en belde Pirelli. 'Hoe slecht zijn ze eraan toe?' riep Pirelli.
'Heel slecht, twee man,' riep Virgil. 'Als je een wagen hebt die het nog doet, stuur hem dan hierheen. Ze moeten onmiddellijk naar het ziekenhuis.'
'Ik roep het noordelijke team op; die komen praktisch langs je. Als je nog iets hebt om op het huis te vuren, doe dat dan, met alles wat je hebt...'
Virgil pakte de M-16 met de twee magazijnen en begon korte salvo's van drie kogels op het huis af te vuren toen hij vanuit het noorden op de gravelweg een stofwolk snel zag naderen.
Een van de wagens van het noordelijke team probeerde recht langs het huis te rijden. Toen hij dichterbij kwam, schoot Virgil de rest van het magazijn leeg op de bovenramen van het huis, van waaruit het meest gevuurd leek te worden, trok het lege magazijn eruit, sloeg er een nieuw in, en toen de GMC de oprit naderde, opende hij opnieuw het vuur op het huis.
De wagen van het noordelijke team kwam slippend tot stilstand in de dekking van de geruïneerde pick-up. Er sprong een agent uit, met een verwilderde blik in de ogen, en Virgil riep: 'Weet je waar het ziekenhuis is?'
'Ja, ja, we hebben de omgeving verkend.'
Ze brachten de twee gewonde agenten over naar de GMC en de agent van het noordelijke team riep: 'Hoe erg ben je zelf gewond?'
Virgil keek naar zijn kleren, die onder het bloed zaten, maar dat was niet van hem. De agent wees naar zijn voorhoofd, en Virgil voelde aan het zijne. Meer bloed, deze keer wel van hem. Hij voelde nauwelijks iets. 'Ga maar,' riep hij terug. 'Ga maar gauw.'
De agent reed weg, gevolgd door een paar kogels uit het huis toen hij uit de dekking van de pick-up kwam.
Virgil zocht achter in de pick-up, vond een kist met zes volle magazijnen, sloeg er een in zijn wapen, stopte de overige in de zakken van zijn jasje,

rende de weg over en zocht dekking in de greppel aan de westkant. Vanaf daar kon hij door het modderige water naar Strykers Ford kruipen.

Hij hoorde dat Stryker nog steeds vanachter de Explorer lag te schieten, en rende naar hem toe. Stryker keek op en riep: 'Ik heb meer munitie nodig.'
Virgil wierp hem drie van de magazijnen toe en Stryker riep: 'Ik geloof dat Pirelli gewond is. Hij ligt in de greppel aan de andere kant.'
'Als jij het huis nog een keer onder vuur neemt, kan ik wel bij hem komen,' riep Virgil terug. 'Even mijn verbanddoos pakken.'
Virgil kroop in de Ford, pakte zijn EHBO-kit, liet zich weer in de greppel zakken en riep: 'Klaar?'
Stryker richtte zich iets op en schoot een hele clip op het huis leeg terwijl Virgil de smalle weg over rende en zich in de greppel aan de andere kant liet rollen. Hij zag Pirelli, die met één hand met zijn M-16 lag te schieten, en zag dat de linkermouw van zijn shirt rood van het bloed was. Virgil kroop zijn kant op en riep: 'Hoe ernstig is het?'
'Het doet pijn,' riep Pirelli terug. 'Ik denk dat het bot van mijn schouder geraakt is.' Iedereen riep naar elkaar, overal schreeuwende mannen, in en om het huis, en de kogels vlogen met honderden tegelijk door de lucht. Het huis viel bijna uit elkaar, maar er werd nog steeds op geschoten.
Virgil haalde een dikke plak verbandgaas en een rol pleister uit zijn kit en wenkte Pirelli naar de bodem van de greppel, waar Pirelli op zijn rug ging liggen. Virgil vond de bloederige jaap die in Pirelli's schouder was geslagen, net naast de rand van zijn kogelwerende vest. Hij schoof het verbandgaas onder Pirelli's shirt, trok twee meter pleister van de rol, wond die er strak omheen en riep: 'Geen ader geraakt. Ik zie geen aderlijke bloeding.'
Pirelli knikte en zei: 'Herlaad mijn M-16 voor me, wil je?'

Toen het vuren vanuit het huis ophield, kwam een van de agenten tevoorschijn uit de greppel aan de rechterkant en rende naar de wagen waarachter de gewonde agent had gelegen, de man die Virgil dekkingsvuur had gegeven toen hij de bijna dode agent achter de pick-up sleepte. Weer een salvo vanuit het huis, maar de agent haalde het en de scherpschutters van de DEA namen het raam vanwaaruit was geschoten onder vuur.
Virgil, onder in de greppel, sloeg een nieuw magazijn in Pirelli's M-16 toen hij Stryker hoorde roepen: 'Kijk uit! Kijk uit!' Virgil richtte zich op, keek naar de schuur en zag Franks door de deur naar buiten komen, met een revolver met een lange loop in zijn hand. Hij deed drie stappen en begon te schieten op de agenten achter de pick-up, zonder moeite te doen

zichzelf te beschermen. De niet-gewonde agent kroop weg bij de man op de grond en probeerde bij zijn wapen te komen toen iemand Franks met een salvo vol in de borst raakte. Virgil zag Franks' shirt schudden, maar Franks bleef overeind staan, loste nog een schot met zijn revolver en zakte toen pas in elkaar.

Afgeleid door de onverwachte verschijning van Franks had Pirelli zich half opgericht toen er nog een salvo klonk, waarop Pirelli weer neerging en met zijn rechterarm om zich heen sloeg. 'Omlaag!' riep Virgil, maar het was te laat; Pirelli was weer geraakt. Virgil kroop naar hem toe terwijl Pirelli overeind probeerde te komen, zei: 'Ze hebben me', en weer ging liggen. Twee treffers: de ene in zijn been, de andere in zijn rechterarm. De wond in zijn arm bloedde hevig maar was niet slagaderlijk; de arm lag wel in een rare hoek en was duidelijk gebroken.

Virgil scheurde Pirelli's broekspijp open en zag dat deze treffer oppervlakkig was; er waren alleen een reep huid en een halve centimeter vlees verdwenen.

'Is het ernstig?' kreunde Pirelli.

'Je bent nog niet dood,' zei Virgil. Hij wond nog een paar meter pleister om de verwondingen, heel strak, om ze zo veel mogelijk dicht te houden. Toen zei hij: 'Dit gaat pijn doen, maar ik moet je over de weg slepen, naar de andere greppel, en vanaf daar moeten we je naar het ziekenhuis zien te krijgen.'

'Doe maar.'

Virgil zakte door zijn knieën, greep Pirelli's vest aan de bovenkant vast, zette zich schrap en riep naar Stryker. 'Tien seconden,' riep Stryker terug, en hij verdween uit het zicht toen hij naar een andere plek in de greppel kroop. Toen stak hij zijn hand op en riep: 'Gaan!' Virgil rende de weg over, sleepte Pirelli achter zich aan terwijl Stryker zich oprichtte, vijf meter van de plek waar hij eerder had gezeten, en nog een magazijn leeg schoot.

Pirelli gaf geen kik toen hij in het ondiepe water aan de overkant van de weg terechtkwam. Virgil ging meteen door en sleepte hem door de greppel, door de modder, naar de kapot geschoten DEA-wagen. Vijf minuten, zo'n honderd meter, en Pirelli maakte geen enkel geluid. Nog eens tien meter en ze waren bij de wagen. Virgil legde Pirelli erachter en zei happend naar adem: 'Blijf hier liggen. Iemand komt je straks halen.'

'Dat huis is een fort,' zei Pirelli. 'Dat wisten we niet, maar het is verdomme een fort.' Zijn gezicht was heel bleek, de blik in zijn ogen was vaag van de shock, maar hij klonk nog samenhangend.

'Ja, zoiets,' zei Virgil.
Op dat moment hoorden ze een explosie bij het huis. Niet oorverdovend, maar hard genoeg. Daarna nog een. Een van de DEA-agenten was met een granaatwerper bezig, en Virgil vermoedde dat hij eerst een hoog explosieve en daarna een gasgranaat het huis in had geschoten. Vanaf de heuvel in het noordoosten, waar Virgil en Stryker hun verkenningstocht waren begonnen, klonk een enkele BOEM! Virgil had er zelf nog nooit mee geschoten, maar hij vermoedde dat het een kaliber 50-geweer was. De DEA ging het huis innemen.
'Blijf hier liggen, ik kom zo terug,' zei Virgil tegen Pirelli, en hij kroop terug naar de greppel. Franks lag met zijn armen gespreid voor de eerste DEA-wagen, duidelijk dood. Twee agenten met kogelvrije vesten zaten achter de pick-up en een derde agent lag op de grond. Stryker lag nog steeds in de greppel en loste enkele schoten op het huis, maar er leek niet veel meer terug te komen.
Een van de agenten die het eerst was gearriveerd, zat gehurkt achter een van de wagens op de weg, die vier lekke banden had.
'Hoe is het met die gasten achter de pick-up?' riep Virgil.
'Harmon is dood,' riep de agent terug. 'Franks heeft hem in zijn hoofd geschoten. We hebben twee gewonden, niet ernstig, de anderen zijn oké. En jullie?'
'Het valt mee. We hebben nog vier hele banden. Ik wil proberen weg te rijden als jij die jongen met die granaatwerper kunt vragen nog een paar van die dingen het huis in te schieten. Pirelli is er vrij slecht aan toe. Hij moet naar het ziekenhuis.'
'Zodra je de motor hebt gestart, laat ik hem nog een paar granaten naar binnen schieten. Dan rij je meteen weg.'
Virgil kroop in de beenruimte van de Explorer. De raampjes aan de passagierskant waren kapot geschoten, de stoelen lagen vol brokjes glas en er zaten een paar kogelgaten in, maar de banden waren nog heel en op spanning, en niemand had het motorblok geraakt, zodat de elektronica waarschijnlijk nog in orde was.
De motor startte meteen en Virgil riep door het kapotte raampje: 'Ik ben er klaar voor!' Twee seconden later hoorde hij de eerste granaat exploderen en reed hij achteruit de greppel in, gaf iets meer gas, was even bang dat de banden zouden slippen op de natte bodem, en hoorde een tweede granaat exploderen, gevolgd door de BOEM! van de .50 op de heuvel. Toen hij een derde granaat hoorde, durfde hij overeind te komen, keek achterom en gaf gas totdat hij de weg op kon rijden en de dekking van de beschadigde DEA-wagen kon zoeken.

Pirelli lag er nog en probeerde overeind te komen. Virgil rende naar hem toe en Pirelli vroeg: 'Hoe laat is het?'
'Al sla je me dood,' zei Virgil. 'Nou, nog even volhouden,' zei hij, en pakte Pirelli bij zijn vest, sleepte hem over de weg naar de Ford, legde hem op zijn rug op de achterbank, en stapte zelf voorin. Hij reed nog tweehonderd meter achteruit, hoorde nog meer granaten in Feurs huis ontploffen, nam toen het risico te stoppen, een U-bocht door de greppel te maken en de weg weer op te rijden. 'Hoe laat is het?' riep Pirelli. 'Hoe laat is het?'
'Tijd om te gaan,' riep Virgil over zijn schouder, en dat was blijkbaar een bevredigend antwoord, want Pirelli zei niets meer.

In de achteruitkijkspiegel zag hij Feurs huis, waar rook uit kwam – van de granaten? – maar geen vuur. Toen hij over de heuvel heen en op de snelweg was, nam hij niet de moeite het ziekenhuis te bellen – daar reed hij trouwens veel te hard voor – want als ze hersens in hun kop hadden en al twee gewonde agenten hadden binnengekregen, zouden ze wel voorbereid zijn op meer gewonden. Een paar kilometer voor de afrit kwam hem een auto tegemoet die eruitzag als een DEA-wagen, en toen hij de kapot geschoten zijruit zag, wist hij het zeker: de agent die de eerste gewonden naar het ziekenhuis had gebracht, keerde terug naar het belegerde huis.
Acht minuten tot afrit Bluestem, linksaf en naar boven, de heuvel op, rechts afslaan naar het ziekenhuis en de grote pijl naar Spoedeisende Hulp volgen. Er stonden drie patrouillewagens geparkeerd, met de hulpsheriffs ernaast, die schrokken toen ze zijn piepende banden hoorden, en toen was hij er. Hij stapte uit en riep: 'Ik heb hier nog een gewonde, Pirelli. Hij is ernstig gewond. Een brancard, we hebben een brancard nodig!'
Het ziekenhuis had één fulltime chirurg, kreeg Virgil te horen, en er was een tweede onderweg uit Worthington. De chirurg die dienst had, was met de beide gewonde DEA-agenten bezig, en toen hij Pirelli zag, zei hij tegen een verpleegster: 'Maak hem schoon', en weg was hij.
De verpleegsters namen Pirelli mee. Virgil liep naar buiten, waar een van de hulpsheriffs tegen hem zei: 'We hebben onze mensen naar Feur toe gestuurd.' En: 'Die DEA-jongen is ook teruggegaan.'
'Heeft de dokter iets gezegd over de eerste twee gewonden?'
'Die zijn er slecht aan toe. De ene ligt op het randje van de dood en met de andere gaat het iets beter.' Zijn gezicht was bleek en stond angstig. 'Ik moet naar dat huis...'
'Nee, je bent hier nodig,' zei Virgil. 'Je moet coördineren. Roep je mannen op en zeg dat ze heel voorzichtig moeten zijn, want er is daar een oor-

log gaande. Als ze binnen een straal van tweehonderd meter van de farm komen, lopen ze het risico neergeschoten te worden. Het is het beste om op afstand te blijven, de farm van de buitenwereld te isoleren en de DEA-mensen hun werk te laten doen. Zet de wegen af, laat niemand het gebied in of uit en let op mensen die te voet zijn.'
'Ik ga het meteen doorgeven,' zei de hulpsheriff terwijl Virgil in de pick-up stapte en wegreed. Hij was halverwege de snelweg toen hij werd gebeld door een agent die Gomez heette. 'We hebben contact met Feur. Hij is nog in het huis. Met ons wil hij niet praten. Hij zegt dat jij hem moet bellen.'
'Ik ben over drie à vier minuten terug, als jullie hem nog even kunnen bezighouden. Dan kun je meeluisteren.'

Net achter de afrit hadden hulpsheriffs de weg afgezet. Ze lieten Virgil door. Vierhonderd meter verderop maakte Virgil een U-bocht, reed achteruit naar de kapot geschoten DEA-wagen en parkeerde de pick-up erachter. Met de M-16 van de ene DEA-agent en twee volle magazijnen sloop hij terug naar de greppel langs de weg.
Van het huis was niet veel meer over. De eerste verdieping was vrijwel verdwenen, voor een deel naar binnen en voor de rest op het erf gevallen. Om de paar meter stak Virgil zijn hoofd even boven de greppel uit en toen hij weer naar het huis keek, zag hij binnen olijfgroene zandzakken liggen, van het soort dat de Genie bij overstromingen gebruikt.
Ze hadden zich inderdaad ingegraven, dacht hij, alleen was het huis door de explosies van de granaten uit zijn voegen getrild.
Terwijl hij door de greppel kroop, viel het hem op dat er niet meer werd geschoten, dat hij helemaal weinig geluid hoorde. Er waren wel brandgevaarlijke stoffen. Vijf auto's allemaal aan flarden geschoten, die benzine lekten, en uit een ervan kwam rook.
Stryker lag niet meer in de greppel. Hij was de weg overgestoken en zat achter een van de wagens. Toen Virgil weer een granaat hoorde inslaan, rende hij de weg over en hurkte naast Stryker neer.
Een DEA-agent kwam naar hen toe rennen. Het enige wat hij zei was: 'Ben je klaar? Het is voor jou.' Hij had een mobiele telefoon in zijn hand, drukte op het groene knopje en gaf het toestel aan Virgil.
Feur antwoordde een minuut later. 'Wat is er?'
'Virgil Flowers hier,' zei Virgil. 'Zou je niet liever naar buiten komen?'
Feur grinnikte. 'Nee, dat denk ik niet. Maar ik heb een vraag voor je. Waarom zijn jullie in godsnaam meteen gaan schieten? Jullie hadden toch gewoon op de deur kunnen kloppen? Een paar jaar gevangenis kan ik wel

hebben. Maar jullie moesten meteen gaan schieten en nu zijn er politiemensen dood, en ik ben niet van plan om in een dodencel op mijn injectie te gaan zitten wachten.'
'Ah, man,' zei Virgil. 'Dat kwam door die verdomde honden van Franks. We schoten niet op jou. Een van de honden vloog een agent aan en begon hem af te kluiven. Iemand schoot op de hond en toen werd er teruggeschoten uit het huis.'
'Is dit allemaal gebeurd vanwege een paar honden?' Feur klonk niet echt verbaasd.
'Nou, nee. Als jij geen ton meth had geproduceerd, als je je huis niet tot een fort had omgebouwd en je niet had teruggeschoten... Was jij dat, of was het Trevor, of een van de anderen?'
'Trevor,' zei Feur. 'Stomme idioot. Die is altijd te gek op vuurwapens geweest. Maar hij heeft er een prijs voor betaald, hij is dood. We zijn nog maar met z'n tweeën, John en ik. We zijn allebei gewond en proberen te bedenken wat we nu moeten doen.'
'Jullie gaan in elk geval niet nog meer politiemensen met je meenemen,' zei Virgil. 'De DEA is in gesprek met de Nationale Garde. Die komen straks met een tank en rijden zo over je huis heen.'
Het bleef even stil en toen zei Feur: 'Bel me over twee minuten terug. John is gewond. Ik moet even aan hem vragen wat hij wil.'

Virgil beëindigde het gesprek. Hij had het toestel schuin bij zijn oor gehouden, zodat de agent kon meeluisteren. 'Goed zo,' zei de agent. 'Als hij praat, geeft hij zich wel over. Hoe is het met onze jongens?'
'Een is er slecht aan toe en een overleeft het misschien niet,' zei Virgil. 'Maar hij is nog niet dood en ze doen wat ze kunnen in het ziekenhuis. Pirelli is ook zwaargewond, maar hij overleeft het wel, denk ik. Hoe is het met de anderen?'
'We hebben er nog twee naar het ziekenhuis afgevoerd, het zag er niet best uit, maar niet uitzichtloos.' De agent beet op zijn lip en zei: 'Waarom heeft Franks die honden losgelaten?'
'Omdat hij niet goed snik is,' zei Virgil. 'Al die gasten in dat huis zijn niet goed snik.'

Hij keek naar de telefoon en belde Feur terug. Feur antwoordde en zei: 'We geven het op. Maar we kunnen er niet uit. We zitten ingesloten. We zullen niet schieten, maar jullie zullen ons eruit moeten halen.'
'Waar ben je?'
'In het midden van het huis. Op de begane grond. We hebben de hele

bovenverdieping op ons hoofd gekregen. Ik zie nergens een opening, alleen maar hout. John is er slecht aan toe.'
Virgil hoorde een mannenstem op de achtergrond, maar niet wat er werd gezegd. 'Het kan even duren,' zei Virgil. 'Ik wil wat van je weten, dominee, en je kunt maar beter antwoord geven. Ten eerste schiet je daar niks mee op, en ten tweede zijn de jongens hier knap link op je. Als ze per ongeluk nog een granaat naar binnen gooien, kun je een voorproefje van de hel krijgen.'
'Nee, nee, we geven ons over,' zei Feur.
'Het is maar dat je het weet,' zei Virgil. 'Waarom heb je de Gleasons en de Schmidts vermoord?'
'Ik lieg niet met mijn hand op de Bijbel, Virgil,' zei Feur. 'Met die moorden heb ik niks te maken gehad. Luister, het maakt geen enkel verschil meer of ik ze zou bekennen of niet. Niet met al die dode smerissen op mijn erf. Maar ik héb die mensen niet vermoord.'

De agenten namen de tijd, maakten eerst een observatiepost op de hooizolder van de schuur, met zicht boven op het huis, liepen er toen pas naartoe, haalden er een stel zandzakken weg en maakten een dekkingspost met uitzicht recht op de ravage.
De agent die Harold Gomez heette had de leiding genomen. Een andere agent zei tegen hem: 'We hebben kettingen nodig, en misschien een bulldozer, om de grote stukken weg te halen.'
Gomez knikte. 'Regel het. Laat er één komen. Nee, twee.'

Een tweede dekkingspost werd bij de tegenoverliggende hoek van het huis opgezet. Terwijl een agent daar het huis onder schot hield, liepen Virgil en Gomez eropaf om de situatie te bekijken. Links van hen legde een andere agent een deken over de lijken van de omgekomen DEA-man en Franks.
Het kapot geschoten huis stonk naar ruwhout, stof, oude verf en rotte eieren. Een paar agenten bewogen zich door het puin en wezen naar delen van een lichaam dat letterlijk in stukken was geschoten, onder het puin van de bovenverdieping, dat op het erf was gestort.
'Een voltreffer met een granaat,' zei Gomez.
Een agent legde zijn geweer neer, liep de treden naar de voordeur op en begon een neergestort raamkozijn en ander wrakhout weg te slepen. 'Kunnen jullie ons horen?' riep hij door de deur.
Geen antwoord.
'Voorzichtig,' zei Gomez. 'De kelder kan een probleem worden.'

Ze liepen verder om het huis heen en Gomez zei: 'Je hebt een snee in je voorhoofd.'
'Een stuk glas of metaal,' zei Virgil. 'Toen ik de pick-up achteruitreed.'
'Verdomme,' zei Gomez. 'Verdomme. O, man, wat moet ik tegen Harmons vrouw zeggen?'

Aan de andere kant van het huis was een agent met werkhandschoenen puin en wrakhout aan het weghalen. Hij had al genoeg ruimte gemaakt om een paar passen het huis in te lopen. 'Hallo?' riep hij. 'Hallo, zijn jullie daar?'
En tegen Gomez: 'Ik zie nog een lijk, of stukken ervan.'
Ze haalden nog wat hout weg, maar Virgil wist dat ze een bulldozer nodig zouden hebben. Hij haalde de mobiele telefoon uit zijn zak en belde Feur. Geen antwoord.
'Misschien is hij buiten westen geraakt,' zei Gomez, die nog een stuk hout naar buiten gooide. 'Ik moet naar de stad, naar mijn jongens in het ziekenhuis...' Gomez zat dicht tegen een shock aan, dacht Virgil.
Weer die geur van rotte eieren.
Virgil snoof, snoof nog een keer, en zei toen zachtjes tegen de agent in het huis: 'Kom naar buiten. Stel geen vragen maar kom nu meteen naar buiten.' En tegen de agent aan de andere kant: 'Hé, sst, ga daar weg, naar buiten, en haal de jongens achter die zandzakken vandaan. Allemaal achteruit...'
Hij praatte zo zacht als hij kon terwijl hij achteruit naar buiten liep. 'Wat? wat is er?' vroeg Gomez.
'Dat is propaan,' zei Virgil. 'Die stank van rotte eieren.' Hij keek om zich heen en zag de gastank naast de schuur. 'Ze laten het huis vol gas stromen. Ze gaan de tent opblazen.'
'Propaan...' Gomez was snel. Hij liep van het huis weg, draaide zich om, pakte zijn radio en zei zachtjes: 'Mannen, iedereen achteruit, bij het huis weg, zo geruisloos mogelijk. Maar maak dat je uit de buurt van het huis komt. Er is gas in het huis en er is een kans dat ze op het punt staan het op te blazen.'
Tien minuten later lag Virgil in de greppel aan de andere kant van de weg en voelde hij zich een beetje opgelaten. Een van de agenten bood aan naar de schuur te rennen en de kraan van de gastank dicht te draaien, maar de schuur stond te dicht bij het huis en het explosiegevaar was te groot. 'We wachten nog tien minuten,' zei Virgil. 'Misschien klets ik maar wat uit mijn nek.'

Elf minuten nadat Virgil de agenten bij het huis had weggestuurd, vloog de zaak de lucht in. Niet alsof er een bom ontplofte, maar met een holle WHOEMP! Vijf ton hout vloog rechtop de lucht in, meteen gevolgd door een pilaar van stof en rook, die bovenaan omkrulde zoals bij een atoombom. Virgil beschermde zijn hoofd met zijn handen, en toen er niets op hem terechtkwam, gluurde hij over de rand van de greppel. Wat er nog van het huis over was, vatte onmiddellijk vlam. 'Nu zou ik de brandweer laten komen,' zei hij.
'Godallemachtig,' zei Gomez. 'Grote genade.' Na een paar seconden kwam er een helikopter aanvliegen, en toen die keerde, zagen ze het logo van Channel Five op de zijkant.
Virgil schudde zijn hoofd. 'Ook dat nog. Net waar we behoefte aan hadden. Lachen, Harry, je bent op tv.'

Het was nog niet klaar.
Gomez pakte zijn telefoon, belde iemand en zei: 'Dat moet genoeg zijn om van die helikopter af te komen,' en terwijl die nog boven hun hoofd rondcirkelde, staken ze behoedzaam de weg over en liepen ze op het huis af. Uit het veld achter de schuur kwam een agent die naar de gastank rende, en Virgil zag dat hij de afdekplaat omhoog deed en de kraan dichtdraaide.
'Hij zal wel weer zo'n ultrarechtse legende worden,' zei Gomez. 'De laatste preek van dominee Feur.'
'Heeft er al iemand in Franks' pick-up gekeken?'
'Nee, nog niet.'
Ze liepen naar de pick-up, deden de klep van de laadbak open en zagen de rij jerrycans staan. Er kwamen nog een paar agenten aanlopen. Gomez pakte een van de jerrycans, draaide de dop eraf, rook aan de opening en zei: 'Benzine.' Hij hield de opening in het zonlicht om beter te kunnen kijken, liep naar de rand van het erf en begon de jerrycan voorzichtig leeg te gieten. Er kwam een liter of vijf benzine uit, en toen een glazen potje, en daarna nog een. Gomez bleef de jerrycan op zijn kop houden totdat alle potjes eruit waren gevallen, twintig in totaal, slanke glazen potjes waar ooit kruiden in konden hebben gezeten, maar die met wit poeder waren gevuld.
'Dus het was allemaal waar,' zei Gomez, en tegen een van de agenten: 'Wat moet ik tegen Harmons vrouw zeggen?'
De agent schudde zijn hoofd, dacht enige tijd na en zei: 'Dat we ze allemaal hebben gedood, alle klootzakken die het hebben gedaan.'

De agenten laadden de overige jerrycans uit en in alle zaten glazen potjes. Ze doorzochten de schuur en vonden nog vijf jerrycans, ook met glazen potjes erin. Feur en zijn maten hadden per keer tien tot vijftien kilo meth aangevoerd. 'En dat hebben ze jarenlang gedaan,' zei Gomez.
Ze beukten de deur uit de andere schuur en de hangar, maar vonden daar verder niets. Ze keken nog eens om naar het huis, dat aan stukken was geblazen en waaruit steeds hogere vlammen oplaaiden.
'De brandweer komt eraan,' zei een van de agenten. 'Niet dat het me iets kan schelen.'

De helikopter vloog weg en toen het irritante geklapwiek was weggestorven, was het opeens heel stil en hoorden ze alleen nog maar vogels en insecten. Virgil, Stryker en Gomez gingen naar de hooizolder om het huis van bovenaf te bekijken. Verbazingwekkend, dacht Virgil, wat je met gas kunt doen.
Ze waren daar nog toen de brandweer arriveerde. De brandweerlieden spoten drie tot vier minuten lang schuim op het vuur, en toen was het uit.
'We zullen iets moeten zeggen,' zei Gomez. 'Een persconferentie geven in Bluestem. We hadden er eigenlijk al een toegezegd voor vanavond. We zúllen ze iets moeten vertellen.'
'Bel Pirelli. Hij kon nog praten toen ik hem voor het laatst zag, dus misschien...'
Gomez haalde zijn mobiele telefoon tevoorschijn en belde. Geen antwoord.
Stryker kwam naar hen toe en zei: 'Stop die telefoon weg.'
'Wat?'
'Stop die telefoon weg en kom mee. Jullie moeten dit zien.' Hij ging hen voor naar de deur van de hooizolder, die uitzicht bood op het huis.

'Feur was een valse, kwaadaardige schoft,' zei Stryker. 'Dachten jullie nu echt dat hij zelfmoord ging plegen? Die had zijn moment in de rechtbank gewild, als we hem in de hoek hadden gedreven.'
Gomez hield zijn handen op. 'Waar heb je het over?'
Stryker wees naar de heuvel. 'Die satellietfoto die jullie in het hotel lieten zien. Een van je mannen keek naar die donkere streep die wegliep van het huis en vroeg of het een greppel was die we konden gebruiken om het huis te naderen. Dat wisten we niet. Maar toen we om het huis heen liepen, eroverheen, is mij niks opgevallen. Ik heb niks gezien. De enige manier waarop je het wel kunt zien, is vanaf een hoger standpunt. Zoals hier.'
'Ja?' Virgil keek naar de bodem, maar zag nog steeds niet veel.

'Die lijn daar, waar het gras groener is,' zei Stryker, en hij wees schuin omlaag. 'Zie je? Dat krijg je als je in de grond graaft. Vers groen. In een kaarsrechte lijn. Volgens mij heeft iemand daar een geul gegraven.'
'Wat?' Gomez' ogen werden groot van verbazing. 'Die smalle streep?'
'Het enige wat je hoeft te doen is een buis kopen, een graafmachine huren en een geul graven van het huis naar het groen daar op de heuvel. En als de politie ooit je huis belegert, ga je naar de kelder, je steekt een kaars aan, zet de gaskraan open, je laat je in de tunnel zakken en sluit het uiteinde goed af. Met een zware putdeksel bijvoorbeeld, en dan plak je de kieren dicht met tape, of je spuit ze dicht met kit. En dan kruip je door de tunnel je vrijheid tegemoet. Misschien schaaf je je knieën een beetje... Ik vroeg me al af waarom hij geen antwoord gaf toen Virgil hem de laatste keer belde.'
'De vuile schoft,' zei Gomez. Ze daalden snel de ladder van de hooizolder af en Gomez riep zijn mannen op met zijn radio. Een zestal agenten kwam al aanrennen.

'De streep loopt naar die bomen daar,' zei Stryker, en hij wees naar de heuvelrug. 'Het achterste groepje van de drie.'
'Misschien zijn ze er al uit,' zei Virgil.
'Pak je wapens,' zei Gomez tegen zijn mannen. 'Kom op, opschieten.'
Met acht man in een min of meer rechte lijn naast elkaar staken ze het veld over terwijl de twee nog functionerende DEA-wagens de zes agenten van het noordelijke team verplaatsten om het terrein erachter af te zetten. De laatste honderd meter kropen ze, met twee man tegelijk, en de DEA-mannen bewezen dat ze een goede infanterietraining hadden gehad. Gomez praatte zachtjes in zijn radio en zette het noordelijke team in positie terwijl zij de kring aan het eind van hun route kleiner maakten.
Toen ze er waren, vonden ze een holte die zo te zien als vuilnisdump van de farm had dienstgedaan, met twee verroeste autowrakken uit de jaren veertig en vijftig, een paar afgedankte landbouwmachines en een ouderwetse wasmachine die half boven de grond uitstak.
Een van de agenten bracht zijn vinger naar zijn lippen en wees. Daar, in de aflopende wand die naar het huis gekeerd was, op een plek die wel erg goed uitkwam, zat een stuk verweerd plaatstaal van het soort dat voor graansilo's wordt gebruikt. De agent sloop ernaartoe, luisterde, tilde de plaat een stukje op, bracht zijn vinger weer naar zijn lippen en liep geruisloos achteruit.
'De uitgang,' zei hij zacht tegen Gomez. Gomez gebaarde zijn manschappen dat ze achteruit moesten gaan, wat ze deden, in een cirkel die groter

werd, totdat Gomez zich omdraaide, na vijftig meter bleef staan, zijn radio aanzette en de rest van zijn mannen instructies gaf.
Een verdomd lang stuk om te kruipen, dacht Virgil, toen hij opkeek naar het huis op het erf, door een tunnel net breed genoeg voor je schouders en heupen, waarin je jezelf vooruit moest duwen met je tenen, met weinig zuurstof. Een tunnel breder dan zestig centimeter zou een hoop graafwerk vergen, en zo breed ziet die geul er niet uit...

Ze wachtten een uur en daarna werkten ze in teams die elkaar aflosten. Vanaf het moment dat ze Franks hadden besprongen totdat het huis de lucht in was gevlogen, was er amper een uur verstreken. Daarna had het een halfuur geduurd voordat ze de tunnel hadden ontdekt. Twee uur daarna zaten Stryker en vier DEA-mannen van enige afstand naar het stuk plaatstaal te kijken en waren Gomez en Virgil teruggegaan naar het huis, waar de overige twee agenten de andere kant van de tunnel bewaakten.
Toen kreeg Gomez een melding op zijn radio. 'Ze horen ze aankomen,' zei hij.
Hij rende met Virgil de heuvel weer op, gevolgd door nog twee agenten. Toen ze bij de holte kwamen, gebaarde de agent die het dichtst bij de uitgang van de tunnel stond dat ze stil moesten zijn.
De agenten ter plekke hadden zich verspreid en lagen op hun buik in een halve cirkel, verscholen achter hobbels in het terrein, met hun wapens op het stuk staalplaat gericht. De agent die de leiding had genomen stuurde hen naar een rode rotsuitstulping. Ze liepen ernaartoe, hurkten erachter neer en gluurden door het onkruid. Gomez trok zijn pistool en Virgil zei: 'Rustig aan.'
Stryker kwam naast hen zitten en fluisterde: 'We hebben ze horen praten. Het is vast erg knus daarbinnen.'
Ze wachtten nog eens twintig minuten en de agent die de leiding had genomen meldde Gomez op zijn radio: 'Nog even geduld, nog even geduld, ze komen eraan.' Gomez gaf het door aan Virgil en Stryker.
Na nog eens twintig minuten ging het stuk staalplaat omhoog en zagen ze er een mannenhoofd en een paar schouders onder vandaan komen. De man duwde een lang wapen naar buiten, zo te zien een M-16. Hij wurmde zich uit de tunnel, bleef even op zijn knieën zitten om op adem te komen, draaide zich toen om, kroop tegen de helling op en keek over de rand naar het huis. Hij bleef even kijken, liet zich weer zakken, tilde de staalplaat op, zei iets... en daar kwam Feur naar buiten kruipen. Hij krabbelde overeind, haalde een paar keer diep adem en keek om zich heen.
De twee zeiden iets tegen elkaar, Feur wees naar de heuvel en ze richtten

zich op, met hun wapen laag voor de buik. Op dat moment riep de agent die de leiding had genomen: 'Geen beweging! DEA! Handen op je hoofd!'
Beide mannen schrokken en Feur riep: 'Virgil?'
'Je bent slim, George,' riep Virgil. 'Laat je wapen vallen, allebei.'
Feur draaide zich met een ruk in de richting van Virgils stem en bracht de M-16 omhoog. Stryker schoot hem in de borst en de rest van de DEA-wapens schoten de twee mannen aan flarden. Naast Virgil was Gomez half overeind gekomen en hij schoot zijn pistool op de twee leeg.
'Jezus,' zei Virgil. 'Hou op, man, hou op...'

Ze liepen de holte in. Feur en de man die hij 'John' had genoemd – nam Virgil aan – lagen twee meter van de uitgang van de tunnel, op hun rug. Ze waren allebei veertig tot vijftig keer geraakt. Hun wapens waren omgebouwde M-15's.
Feur zag er niet vredig uit; hij leek op een dood stinkdier. John leek nergens op. Hij had geen gezicht meer.
Een van de gewapende agenten zei tegen Gomez: 'Ze boden weerstand. Het is legaal wat we hebben gedaan.'
Gomez knikte. 'Ja, dat is het,' zei hij. 'De vuile klootzakken.'

20

Een shovel plukte als een stalen vogelbekdier het versplinterde hout uit de restanten van het huis, de zon zakte langzaam achter de horizon en de lucht was zo oranje als de buik van een roodborstlijster.
Virgil zat in de deuropening van de hooizolder, met zijn benen bengelend over de rand, en at een broodje salami op kosten van de belastingbetaler. Twee DEA-agenten aten een hapje met hem mee en praatten nog wat na over het vuurgevecht toen Gomez over het erf naar de schuur kwam lopen en naar boven riep: 'We moeten naar de stad. De pers wacht op ons.'
'Val dood,' riep Virgil terug.
'Ik wist dat je dat zou zeggen. Ik heb Davenport gesproken en die zei dat hij je glimlachende gezicht op alle tv-zenders wil zien en dat je de gouverneur bedankt voor deze kans om samen met de grote jongens aan misdaadbestrijding te doen.'
'Davenport kan ook doodvallen,' zei Virgil.
'Schiet op en kom naar beneden. Ik ben te moe voor dit soort shit.' Gomez liep weg en bleef verderop staan om met Stryker te praten. Virgil stond op, klopte het zitvlak van zijn broek af, pakte een halfvol flesje Pepsi van de vloer en daalde de ladder af.
Een van de agenten, de latino met het New Yorkse accent die een opmerking had gemaakt over Virgils T-shirt, zei: 'Virgil, we staan bij je in het krijt. Dat je twee van onze jongens in je pick-up hebt gegooid en in veiligheid hebt gebracht... Wij betalen onze schulden. Als je ooit hulp nodig hebt, voor wat ook, dan bel je ons. Begrepen?'
De andere agent knikte en zei met een mond vol witbrood en salami: 'Voor wat ook...'

Gomez reed met Stryker en Virgil mee naar Bluestem, in Strykers doorzeefde Ford, gevolgd door twee agenten in een DEA-wagen van het noordelijke team. Die waren al een keer heen en weer gereden nadat Feur was gedood. De twee zwaargewonde DEA-agenten waren nog in leven. De ene zou het waarschijnlijk halen, de andere waarschijnlijk niet. Twee andere agenten, die Virgil niet kende, waren minder ernstig gewond geraakt, en

vrijwel iedereen zat onder de schrammen en de blauwe plekken van stenen en rondvliegend hout en metaal.
Pirelli lag flink in de kreukels, maar hij zou het wel overleven. Een kogel had zijn schoudergewricht verbrijzeld en het zou een hele klus worden om het te reconstrueren. Zijn gebroken arm was een ander probleem, en zou ook tijd nodig hebben om te helen.

'En Judd,' zei Stryker. 'Waar is die schoft?'
Een arrestatieteam van de DEA had Judd willen oppakken terwijl de inval op de farm plaatsvond, maar ze hadden hem nergens kunnen vinden. Zijn auto stond bij zijn kantoor, de deur was open, maar Judd was nergens te bekennen.
'Dit zit me niet lekker,' zei Virgil. 'Hoe kan hij ervandoor zijn?'
'Getipt?' vroeg Gomez.
'Door wie? Door een van jouw mensen? Toen Pirelli me belde, was ik bij Jim, en we zijn de hele dag bij elkaar geweest. Geen van ons beiden heeft iemand gebeld.'
Stryker knikte en Gomez zei: 'Misschien wel. Ik weet het niet.'

'Heb je een beter T-shirt dan dat?' vroeg Gomez.
'Een beter jasje ook,' zei Virgil. 'We kunnen langs het hotel rijden.'
'Dat jasje is prima, ik wil niet dat jullie er te opgeknapt uitzien,' zei Gomez. 'Ik wil dat jullie er flink gehavend uitzien, maar dat T-shirt is te veel van het goede. Het ziet er lachwekkend uit, en daarvoor zijn er te veel doden gevallen.'
'Ik heb een zwart AC/DC-shirt dat perfect is voor een gelegenheid als deze,' zei Virgil.
'Virgil.'
'Maak je geen zorgen,' zei Virgil. 'Ik ga het regelen.'
Ze maakten een tussenstop bij het hotel en twee minuten later stapte Virgil weer in met een verschoten olijfgroen T-shirt zonder opdruk, dat hem een enigszins militair uiterlijk gaf.
'Niet slecht,' zei Gomez.
'Wat een dag,' zei Stryker. Hij had drie sneetjes in zijn linkerwang, waar bloed uit kwam, maar ook hij ging zich niet opknappen.

Een communicatie-adviseur van de DEA was overgevlogen vanuit de Twin Cities, en hij had de persconferentie belegd in het stadhuis, in dezelfde rechtszaal waar Virgil en Stryker die van hen hadden gehouden na de moord op de Schmidts.

Meer pers deze keer: zes nieuwsbusjes, waaronder een van een onafhankelijke nieuwsdienst die zijn items per satelliet verspreidde, stonden op het gazon voor het stadhuis. Ze waren te laat voor het avondnieuws, maar niet voor het late nieuws, de kabelzenders en de ontbijtshows.

Gomez ging van start en gaf een helder, vijf minuten durend verslag van de inval, met de satellietfoto van de farm op de achtergrond, en een kort overzicht van het vuurgevecht, dat begon met de aanval van de honden – de tijd tussen de eerste schoten op de honden en het reactievuur vanuit het huis had hij wat ingekort – en eindigde met de dood van Feur en de man die nog steeds John werd genoemd. Hij liet een jerrycan vol glazen potjes methamfetaminen zien en liet het aan hun best ogende mediadame over om ze eruit te halen en voor de camera's te houden.

Terwijl zij dat deed, zag Virgil Joan en Jesse achter in de rechtszaal, waar ze met grote scepsis naar Stryker en hem stonden te kijken. Naast hen stond Williamson, die zich een paar keer naar Jesse omdraaide en haar grijnzend toesprak.

Aan het eind van de persconferentie sleepte Gomez Virgil en Stryker voor de camera's en zei hij: 'Onze bijzondere dank gaat uit naar sheriff James Stryker, die, zoals u kunt zien, lichtgewond is geraakt tijdens de schotenwisseling met de criminelen in het huis, en naar Virgil Flowers van het Bureau Misdaadbestrijding in Minnesota, die zijn leven heeft gewaagd om dat van twee van onze neergeschoten mannen te redden. Ik kon mijn ogen niet geloven toen Virgil die pick-up achteruit van de farm wegreed. Deze twee jongens zijn echt goed.'

Virgil geneerde zich dood, maar de pers was blij met de plaatselijke helden, in wat verder gezien zou mogen worden als een miskleun van formaat, met zes of zeven doden en vijf gewonden in het ziekenhuis.

Na de verklaring werden er vragen gesteld, waarvan sommige nogal kritisch, maar Gomez handelde ze heel professioneel af. Hij kaatste de kritiek terug door erop te wijzen dat ze genoeg meth hadden gevonden om enkele honderden levens te redden, 'met name het leven van jonge jongens en meisjes, aangezien methamfetaminen populaire drugs op de openbare scholen zijn'.

Williamson had een vraag voor Virgil. 'Betekent dit het einde van de epidemie van moorden in Bluestem? Waren de Gleasons, de Schmidts en Bill Judd senior allemaal door Feur en zijn mannen omgebracht? En wat was het verband?'

'Ik zou die vraag graag beantwoorden,' zei Virgil, 'maar dat kan ik niet, want ik weet het antwoord niet. Maar wat mij betreft wordt het onderzoek gewoon voortgezet.'

Toen hij zich na de persconferentie een weg naar buiten baande werd hij door Davenport gebeld. 'Je hebt het goed gedaan,' zei Davenport. 'Nou, wanneer ga je die gestoorde oppakken?'

Jesse en Joan stonden buiten op de stoep te wachten, tezamen met Laura Stryker en een stuk of tien mensen uit de stad. 'Wat hebben jullie daar in godsnaam gedaan?' vroeg Joan.
'Ons werk,' antwoordde Stryker kortaf. 'Ik ben de sheriff van Stark County. Ze hebben me niet aangesteld om honden uit de tuin te jagen.'
Er werd goedkeurend gemompeld in het groepje, maar Joan zette haar handen in haar zij en zei: 'Dus nu liggen er overal lijken en zitten jullie helemaal onder het bloed...'
Jesse was net zo boos als Joan, en Virgil bedacht dat ze goede schoonzussen zouden zijn. 'Ik moet ergens naartoe,' zei hij, waarna hij langs het groepje naar zijn pick-up liep, een U-bocht maakte en naar het ziekenhuis reed. Bij de ingang van Spoedeisende Hulp stonden nog steeds een paar patrouillewagens geparkeerd, met hulpsheriffs op de uitkijk alsof ze nog meer problemen verwachtten. Binnen was Pirelli in diepe slaap. Zijn schouder en arm waren omhuld met een laag glasfiber, en hij lag met zijn ene verbonden been schuin omhoog.
'Hallo, Virgil,' zei de DEA-agent op de gang, waarop Virgil vroeg: 'Hoe gaat het met deze twee?'
'Ze leven nog. Doug heeft het tot nu toe volgehouden, hij gaat het wel redden, denk ik.'
'Ik zal voor ze bidden,' zei Virgil, hoewel hij dat niet van plan was, want hij geloofde niet dat bidden zou helpen. Hij reed terug naar het hotel.

Joan kwam hem tegemoet in de gang naar zijn kamer, en vroeg: 'Ben je boos op me?'
'Een beetje,' zei hij. 'Ik wil geen gezeur over wat er vandaag is gebeurd. Daar heeft niemand behoefte aan, ik niet, Jim niet, en zelfs de slachtoffers niet. Het is gewoon gebeurd. De enige die er schuld aan heeft is Feur, en die heeft ervoor geboet.'
'We waren bang,' zei ze.
'Dat kan, maar ik wil er nu niks over horen. Morgen kun je me over je angsten vertellen.'
Ze raakte zijn haar aan, dat vol opgedroogd bloed zat. 'Ik kan je haar voor je wassen. Het zal wel pijn doen.'
'Ja, dat zou je kunnen doen,' zei hij.

Ze lagen tegen elkaar aan op het bed, geen seks, alleen een beetje knuffelen, Virgil stijf van de pijnstillers, met nat haar, toen Joan zei: 'Op de persconferentie, toen je zei dat je niet wist of er nu een eind aan de moorden was gekomen, bedoelde je toen dat je dat niet gelooft?'
'Inderdaad. Het is zelfs zo dat...'
'Wat?'
'We zijn op zoek naar Bill Judd. Junior. Er kijken mensen naar hem uit, maar hij lijkt van de aardbodem verdwenen te zijn. Waar het om gaat is dat ik denk dat hij dood is.'
Ze kwam half overeind en steunde op haar elleboog. 'Verdenk je Williamson nog steeds?'
'Dat met Williamson zit me niet lekker. Toen we hem ermee confronteerden, geloofde ik min of meer wat hij zei. Hij leek net zo verbaasd als ik, toen ik het ontdekte. Hij schreeuwde naar ons.'
'Dus?'
'Dus ik weet het niet. Als je een pistool op mijn hoofd zou zetten en me zou dwingen een naam te noemen, zou het de zijne zijn. Denk jij dat een man, die in de Cities woont, een journalist, niet zou willen weten wie zijn echte moeder was? Dat hij daar geen onderzoek naar zou doen? Hij zegt van niet, dat het hem niet uitmaakt wie ze was. En als hij wel onderzoek heeft gedaan, hoeft hij niet per se ontdekt te hebben dat Judd zijn vader was.'
'Als hij nooit een geboorteakte heeft opgevraagd, om een paspoort of zoiets aan te vragen...'
Virgil draaide zich op zijn rug, voelde de huid op zijn schedel en rondom de sneetjes in zijn gezicht trekken. 'Ik moet eens goed over hem nadenken. Waar had hij het trouwens met Jesse over? Ik zag jullie achter in de rechtszaal bij elkaar staan.'
'Nou, hij begon met haar een hand te geven, had het over zijn "lang verloren zus", en toen begon hij haar uit te dagen. Waar was ze de afgelopen week geweest? Wanneer had ze echt ontdekt dat ze Judds dochter was? Waar was haar moeder geweest?'
'Alsof hij dacht dat ze iets met de moorden te maken had?'
'Hij was heel onaangenaam,' zei Joan. 'Maar hij is nooit een erg aangenaam mens geweest.'
'Ik blijf maar denken: wie kan het anders zijn?'

Hij werd overmand door slaap. Toen hij om twee uur 's nachts wakker werd, was Joan er niet meer. Hij ging naar de badkamer, kroop weer in bed, zakte weg en dacht: wie kan het anders zijn? En niemand had een woord over de .357 gezegd.

Jesse zou dat natuurlijk niet doen, maar Virgil geloofde niet dat Jesse de moordenaar was, omdat dat esthetisch ongepast zou zijn. Daar was ze gewoon te mooi voor.
Hij glimlachte en schreef in gedachten nog een stukje van zijn verhaal, waarin de aantrekkelijkste vrouw nooit de schuldige kon zijn...

Homer schudde zijn hoofd. De inval bij Feur en diens dood hadden een eind gemaakt aan een belangrijke stroom potentiële informatie.
Het was wel briljant van Stryker dat hij die tunnel naar de heuvel had ontdekt. Homer zou die nooit hebben gezien. En goddank voor Strykers reflexen: hij had Feur neergeschoten voordat die zijn wapen op Homer kon richten.
Hm...

Hoe dan ook...
Het was aartshertog Franz Ferdinand van Oostenrijk die zich in 1914 in Sarajevo voor zijn kop liet schieten en daarmee de Eerste Wereldoorlog in gang zette. Zijn vrouw kwam daarbij ook om het leven. Bijna negentig jaar later vormden een stel gasten in Schotland een band die ze Franz Ferdinand noemden. Dat was de reden dat Virgil de volgende ochtend om zeven uur zijn Franz Ferdinand-T-shirt over zijn hoofd trok.
Hij moest weten hoe het met de jongens van de DEA was. Hij stopte bij het benzinestation schuin aan de overkant van het hotel en kocht een MoonPie en een blikje cola: suiker, onverzadigde vetten en cafeïne, het ontbijt der kampioenen.
Pirelli was wakker, lag in een standaardkamer, en Gomez lag te slapen op de bank bij het raam. 'Hoe gaat het?' vroeg Virgil.
'Ik heb pijn,' zei Pirelli, 'en niet zo weinig ook.'
'En je mannen?'
'Allebei nog in leven.' Pirelli strekte zijn goede arm en klopte af op het nephout van het nachtkastje. 'Ik denk, ik hoop...'
'En Harmon?'
'Ik heb zijn vrouw gisteravond gesproken,' zei Pirelli. 'Ze komt vandaag.'
'Daar wil ik niet bij zijn,' zei Virgil.
'Ik liever ook niet.'
Ze zwegen enige tijd, keken naar de hoek van de kamer, en toen vroeg Virgil: 'Was dit het waard? Als je had geweten dat de kans bestond dat er iemand zou omkomen?'
'Shit, nee, natuurlijk was dit het niet waard.' Pirelli schudde zijn hoofd. 'Zeg tegen niemand dat ik dat gezegd heb. Als ik had geweten wat er ging

gebeuren, waren we vijfhonderd meter van het huis gebleven en hadden we Franks en zijn auto en het huis met granaten bestookt totdat we het hele zootje hadden uitgemoord. Maar ik wist het niet.'
'En nu? Wat ga je nu doen?'
Pirelli haalde zijn ene schouder op. 'Vandaag sta ik de pers te woord. De artsen zeggen dat ik minstens zes maanden uit de roulatie ben. Daarna terug naar Chicago. Dan gaan we weer proberen uit te vinden waarom er in Gary opeens heroïne wordt verkocht. Het ouwe liedje...'
'Is er niemand boos op je?'
Pirelli schudde zijn hoofd. 'DEA-mensen komen om. We zijn de FBI niet.'

Stryker kwam binnen. 'Goeiemorgen, schone slaapster,' zei hij tegen Pirelli. Gomez zat rechtop, schudde zijn hoofd en smakte met zijn lippen. 'Ik heb je arts net gesproken,' zei Stryker. 'Je bent er minder erg aan toe dan ze dachten, maar ze gaan je vandaag wel naar Rochester overbrengen. Naar Mayo Clinic.'
'Het is toch niet nodig dat ik naar het Mayo...' begon Pirelli.
'Ze zeggen dat ze je schouder moeten reconstrueren,' zei Stryker. 'Er moeten een paar pennen in. Dat kunnen ze dan maar beter in het beste ziekenhuis doen.'

Ze praatten nog een tijdje. Er werd een DEA-team vanuit Washington overgevlogen om het vuurgevecht te reconstrueren, het huis te bekijken en een actierapport te schrijven. De ethanolfabriek in South Dakota was zonder schermutselingen ingenomen; het merendeel van de fabriek was trouwens legaal. Het lab was dat niet; dat was een schone, efficiënte productielijn van methamfetamine. Er was een landelijk opsporingsbevel voor Bill Judd junior uitgegaan.
Daar hadden ze het over toen Stryker werd gebeld, even luisterde en zei: 'Oké, vijf minuten.'
En tegen Pirelli, Gomez en Virgil: 'Bill Judd. Hij is dood. Bij het huis van zijn ouweheer.'

Stryker en Virgil reden er samen naartoe in een pick-up van de sheriffdienst. Gomez en een agent reden hen achterna in een van de geblindeerde DEA-wagens, de stad uit, de heuvel naar Buffalo Ridge op, de ingang van het natuurpark door en Judds oprit op.
Bij de uitgebrande fundering van het huis stonden vier patrouillewagens van de sheriffdienst. Tegen een van de wagens stond een hulpsheriff geleund die in zijn radio praatte, en verderop, in het hoge gras ten noor-

den van het huis, vlak bij de heuveltop, stonden er nog vier. Virgil en Stryker sprongen uit de pick-up, Stryker stak zijn hand op naar de hulpsheriff bij de patrouillewagen en samen met Gomez en de andere agent liepen ze verder de heuvel op.
'Het is me wat,' zei Big Curly toen ze kwamen aanlopen.
'Wat hebben ze met hem gedaan?'
'De kraaien zijn geweest. Maar het ziet ernaar uit dat iemand hem de hersens heeft ingeslagen. Zijn hersens... nou, kijk zelf maar.'
Judd lag op zijn rug, gekleed in pak en met zijn nette schoenen. Hij lag niet nietsziend naar de hemel te staren, want hij had geen ogen meer. De kraaien. De bovenkant van zijn hoofd was misvormd. Niet alsof het eraf was geschoten, maar alsof zijn schedel letterlijk in was geslagen. Afgevlakt.
'Er ligt hier een stuk pijp,' zei een van de hulpsheriffs. 'We zullen op Margo moeten wachten, maar er zit bloed en haar op.'
Virgil en Stryker liepen naar hem toe en keken: een roestig stuk pijp dat mogelijk uit het afgebrande huis was gehaald. 'Dat kan de klus geklaard hebben.'
Geen schotwonden. 'Eén ding is zeker,' zei Little Curly, 'het is geen zelfmoord.'

'Wat denken jullie?' vroeg Gomez. 'Feur?'
'We moeten het tijdstip van overlijden daarvoor weten, maar ik denk het niet,' zei Virgil. 'Dit is onze andere man.'
Gomez trok een lelijk gezicht, draaide zich langzaam om zijn as, keek naar het eindeloze prairieland om zich heen en zei: 'Interessante cultuur hebben jullie hier.'
'Het moet Feur geweest zijn,' zei Stryker. 'De Gleasons, de Schmidts, de Judds... duidelijk een opruimactie van Feur. Ze wilden eruit stappen en Feur kon geen getuigen in leven laten.'
'Ik vraag het me af,' zei Virgil.
Er stopte nog een patrouillewagen achter de andere. Margo Carr stapte uit, haalde haar instrumentenkoffer uit de kofferbak en kwam de heuvel op lopen. 'Weer één?' vroeg ze zwaar ademend.
'De laatste, of misschien nog één,' zei Virgil.
'Wat bedoel je daarmee?' vroeg Stryker.
Virgil haalde zijn schouders op.
Onder aan de heuvel stopte nog een pick-up, waar Todd Williamson uit stapte. De hulpsheriff bij de patrouillewagen stak zijn hand op om hem tegen te houden, maar Williamson liep in looppas langs hem heen en rende

hem eruit door het natte gras terwijl de hulpsheriff hem nariep dat hij moest blijven staan.
Big Curly hield hem ten slotte tegen. 'Je mag hier niet komen.'
'O nee?' zei Williamson. Hij wees naar Virgil en zei: 'Als dit genie hier gelijk heeft, ben ik een nabestaande. Dus vertel op, wat is er met mijn broer gebeurd?'

Virgil ging terug naar het hotel, maar eerst ging hij langs bij de accountant. Olafson was net op. Ze deed de jaloezieën van haar kantoordeur omhoog, trok een wenkbrauw op toen ze Virgil zag en deed open.
Virgil ging naar binnen en vroeg: 'Als Bill Judd junior iets zou overkomen, welke invloed zou dat dan hebben op de erfenis van zijn vader?'
'Is hij dood?' vroeg ze.
'Ja, nogal,' zei Virgil. Hij vertelde haar wat er was gebeurd en ze zei: 'Moge de Goeie God Zich over hem ontfermen.'
'De erfenis.'
Olafson mompelde iets en zei: 'Hoe het wettelijk zit zal ik moeten nakijken. Misschien bestaat er zelfs een speciale regel voor. Maar zal ik je eens iets zeggen? Volgens mij is het mogelijk dat als Jesse Laymon en Todd Williamson kunnen aantonen dat ze een bloedband met senior hebben, dat ze dan een groter deel van de erfenis kunnen claimen.'
De claim zou een ingewikkelde worden, vertelde ze, en afhangen van wat de Belastingdienst zou doen met juniors schuld, of ze die in mindering zouden brengen op de erfenis. 'En zolang er iemand rondloopt die alle erfgenamen vermoordt, zou ík hier misschien niet blijven om die beslissing aan te vechten.'
Virgil bedankte haar en reed door naar het hotel. Hij zette zijn mobiele telefoon uit, trok zijn laarzen uit, deed de ketting op de deur en ging op het bed liggen. Er liep een lijn door het hele gebeuren, dacht hij, tot aan de inval bij Feur toe. Als hij nu een van de uiteinden kon vinden en de lijn zou binnenhalen...

21

Virgil liet zich van het bed rollen, keek op het klokje – hij had een uur liggen dutten – poetste zijn tanden en ging onder de douche staan. Wanneer een zaak zijn einde naderde en de feiten zich hadden opgestapeld, werkte een dutje vaak heel verhelderend op zijn denkvermogen, en hadden de diverse feiten, her en der verspreid, de neiging naar elkaar toe te kruipen en een geheel te vormen.

En dat was nu gebeurd.

Over Feur: Jim Stryker had in elk geval voor een deel gelijk. Wanneer Virgil erover nadacht, leek het hem onwaarschijnlijk dat in een stadje zo klein als Bluestem tegelijkertijd twee afzonderlijke, heel grote misdaden plaatsvonden. Toch had Feur ontkend dat er een verband bestond, ook toen het voor hemzelf geen enkel verschil meer maakte. Was het mogelijk dat hij iemand had beschermd? Nee, het leek Virgil uiterst onwaarschijnlijk dat Feur iemand in Bluestem had gekend, een relatie waar niemand van wist, maar die wel zo hecht was dat hij bereid was geweest er zijn leven voor te geven en waarvoor hij zou liegen met zijn hand op de Bijbel.

Over de andere verdachten: Stryker, nu ook, of iemand anders van de sheriffdienst – de Curly's, of die jongen van Merrill, of zelfs Jensen of Carr – of een van de Laymons, of Williamson. Had hij, Virgil, een probleem met zijn observatievermogen? Was hij naar Bluestem gekomen en zag hij bepaalde mensen als verdachten alleen omdat het de enige mensen waren die hij had gezien, of had gesproken, of over wie hij had horen praten? Hij had Williamson stevig aangepakt. Had hij dat gedaan omdat Joan de naam van Williamson had genoemd toen hij haar voor het eerst had ontmoet? Hij dacht erover na en concludeerde: nee. Het zou gekund hebben, maar er was ook nog het boek *Openbaring*...

Het boek *Openbaring* in het huis van de Gleasons, de sigarettenpeuk bij de achterdeur van de Schmidts, het anonieme briefje, de bedrijfsinformatie in de computer van Judds secretaresse... alles had hem in de richting van Feur gestuurd, of van Feur en Judd samen. Hij was door iemand gemanipuleerd.

Een losse gedachte: Bill Judds secretaresse. Wie was zij? Het bewijs voor de link tussen Feur en Judd kwam uit háár computer. Hij had haar naam horen noemen, maar die niet onthouden...

Meer ideeën: kon hij iemand van zijn verdachtenlijst schrappen? Als hij Stryker als verdachte kon schrappen, of Williamson, of de Curly's, de Laymons of de Judds, dan zou dat meer duidelijkheid geven. Dan kwamen de andere verdachten scherper in beeld. Was Joan een verdachte? Ze had al contact met hem gezocht toen hij nog geen halve dag in Bluestem was. En Jesse Laymon, of haar moeder Margaret? Hoe lang hadden die in werkelijkheid op Judds dood gewacht?

En nog iets: op de een of andere manier was de moordenaar van de Gleasons en de Schmidts, en waarschijnlijk ook van de Judds, in de kast van Jesse Laymon geweest. Stryker was daar geweest, wist hij. Wie nog meer? Haar moeder, technisch gezien, maar Margaret zou haar dochter er toch niet inluizen? Tenminste, Virgil kon geen reden bedenken waarom ze dat zou doen. Een bijkomend probleem was dat de voordeur van de Laymons geopend kon worden door de eerste de beste tiener met een stokje.

Huh.

Virgil pakte zijn pistool, stak het in de holster onder zijn jasje, zette zijn strohoed op en belde Stryker.
'Toen we in Judds kantoor waren en in de computer van zijn secretaresse keken... hoe heet ze ook alweer?'
'Amy Sweet. Moeten we met haar gaan praten?'
'Dat hoeven we niet samen te doen,' zei Virgil. 'Ik loop wel even bij haar langs als ik in de buurt ben. Ik ben losse eindjes aan elkaar aan het knopen, meer niet eigenlijk. Het zit me niet lekker dat junior op die manier is omgebracht.'
'Mij ook niet. Ik denk nog steeds dat Feur het heeft gedaan. Jij nog steeds niet?'
'Ik begin een paar centimeter jouw kant op te schuiven,' zei Virgil. 'Maar ik hou het nog even open.'

Amy Sweet was een vrouw van tegen de vijftig, die mogelijk ooit een rocker was geweest maar daar nu te zwaar voor was, met mollige, ronde schouders. Ze was gekleed in een duster en had roze krullers in haar haar. 'Ik zou u met alle plezier te woord staan,' zei ze vanuit de deuropening van haar kleine huis, 'maar ik heb om één uur een sollicitatiegesprek in Sioux Falls.'
'Ik heb aan een paar minuten genoeg,' zei Virgil.
'Wat was al die opwinding een paar uur geleden?' Ze bracht haar gezicht vlak bij het zijne en kneep haar ogen halfdicht, alsof ze hem niet goed kon zien.
'Eh, er is weer een moord gepleegd.'
'O neeee...' Ze liep naar binnen, de kamer in, boog zich over een dienblad, pakte een bril met een stalen montuur en zette die op. 'Wie is het slachtoffer?'
'Bill Judd junior.'
'O neeee...' Zangerige, Zweedse *e*'s, die als *eu* klonken.

'Mevrouw Sweet, toen we het kantoor van Judd senior doorzochten, hebben we in uw computer een paar facturen gevonden, voor chemicaliën die blijkbaar zijn gebruikt in een ethanolfabriek in South Dakota.'
'Dat heb ik op het nieuws gezien. Was dat dezelfde? De fabriek waar ze die drugs maakten?'
'Ja, die was het,' zei Virgil.
'O neeee...'
Virgil werd gek van dat ge-'o neeee', alsof hij naar een heel slechte actrice luisterde. 'Wie in Bluestem wisten er van die ethanolfabriek?'
Ze keek van hem weg en legde haar vingertoppen op haar lippen. 'Nou, de Judds natuurlijk.'
'Allebei?' vroeg Virgil.
'Nou, junior is de fabriek begonnen, maar senior wist ervan.'
Hij drukte door. 'Weet u dat zeker?'
'Nou, ja. Hij tekende de cheques.'
'Hebt u gezien dat hij die tekende?' vroeg Virgil.
'Nee, maar de cheques heb ik wel gezien. Het was zijn handtekening die erop stond.'
'Weet u de naam van de bank nog?'
Ze schudde haar hoofd. 'Nee, die kan ik me niet herinneren.' Ze fronste haar wenkbrauwen. 'Ik weet niet eens of er wel een naam van een bank op stond.'
'Hebt u junior er ooit over aangesproken?'
'Nee, het was mijn zaak niet,' zei ze. 'Ze wilden het stil houden, want, u weet wel, toen ze met die ethanol begonnen, leek het nogal op dat gedoe met de jeruzalemartisjok, waar de Judds natuurlijk bij betrokken waren geweest.'

'Hoe stil wilden ze het precies houden?' vroeg Virgil. 'Wie wisten ervan? Hebt u het aan iemand verteld?'
Hij voelde het aankomen, het 'o neeee', maar het was al te laat.
'O neeee... Junior had tegen me gezegd dat ik er niet over mocht praten, vanwege zijn vader, zei hij. Dus heb ik dat niet gedaan.'
'Tegen niemand?'
Er kwam een verre blik in haar ogen. Ze dacht na, wat betekende dat ze het wél aan iemand had verteld. 'Het zou kunnen... misschien heb ik het tegen mijn zus gezegd. En ik geloof dat er in de stad over werd gepraat.'
'Denkt u nog eens goed na. Het is heel belangrijk.'
Ze legde haar vingertoppen tegen haar slaap alsof ze door middel van telekinese een paperclip ging verplaatsen en zei: 'Misschien heb ik er bij het bridgen iets over gezegd. Op onze bridgeclub. Dat er een fabriek gebouwd zou worden door een paar mensen uit onze stad.'
'Aha,' zei Virgil. 'En wie zaten er allemaal in die bridgeclub?'
'Nou, eens even kijken... we waren met negen of tien man.'
Ze noemde hem de namen op waarvan hij er maar één herkende.

Toen hij klaar was met Sweet, liep hij de heuvel op, naar het kantoor van de krant. Hij duwde de deur open en trof Williamson achter zijn balie, in gesprek met een vrouwelijke klant. Williamson keek langs de vrouw heen en vroeg kortaf: 'Wat wil je?'
'Ik heb een vraag voor je, als je klaar bent.'
'Oké, wacht.' Williamson had een T-shirt aan en zweetplekken onder zijn armen, alsof hij met keien had lopen sjouwen. 'Ik ben zo klaar.'
De klant probeerde haar Beanie Baby-verzameling te slijten – tien jaar te laat, volgens Virgil – en wilde een zo goedkoop mogelijke advertentie plaatsen. Ze kreeg twintig woorden voor zes dollar, maar voordat ze haar tekst opschreef, bleef haar blik van Virgil naar Williamson en weer terug gaan, en toen ze eindelijk klaar was en had betaald, zei ze tegen Virgil: 'Ik zou uw vraag dolgraag willen horen.'
Virgil keek haar aan over zijn zonnebril en grijnsde. 'Dat zal best,' zei hij, 'maar ik vrees dat die voorlopig privé moet blijven.'
'Verdorie.' Ze keek Williamson aan, die zijn schouders ophaalde, en zei: 'Nou ja...'

Toen ze de deur uit was, zei Williamson: 'Ik ben achter aan het werk. Je kunt het me daar vragen.'
'Nog steeds de pest in over die huiszoeking?'
'Dat kun je verdomme wel zeggen. Zou jij níét de pest in hebben?'

Virgil volgde hem naar de achteringang van het kantoor. Daar stond Williamsons busje geparkeerd, met de zijdeur open. Williamson was bundels onverkochte kranten aan het inladen, en er lagen nog twintig tot dertig bundels te wachten om ingeladen te worden. Williamson pakte er twee op aan de plastic bindstrips, droeg ze naar het busje en vroeg: 'Wat wilde je weten?'
Virgil pakte ook twee bundels, liep ermee naar buiten en gooide ze in het busje. 'Wanneer heb je junior voor het laatst gezien?'
'Ongeveer anderhalfuur geleden.'
'In leven.' Ze liepen in en uit met de bundels kranten.
Williamson bleef staan en hield zijn hoofd schuin. 'Eens even kijken... eergisteren. Bij Johnnie's, om lunchtijd.'
'Heb je hem hiernaast gehoord? Gisteren?' vroeg Virgil terwijl hij nog twee bundels in het busje gooide.
'Nee. Hij was er niet. Ik ben bij hem langsgegaan, wilde hem vragen waar ik het geld van de verkochte kranten naartoe moest sturen. Zijn kantoor was op slot.'
'Hoe laat was dat?'
'De eerste keer om een uur of negen. Meteen nadat ik hier was aangekomen. Later, toen het schieten bij Feur was begonnen – ik hoorde het van een hulpsheriff – ben ik ernaartoe gereden, naar Feur, maar alle wegen waren afgezet. Maar voordat ik ben vertrokken, ben ik naar hiernaast gerend om het aan Bill te vertellen.'
'Waarom?'
Williamson haalde zijn schouders op. 'Weet ik veel, zomaar. Het was groot nieuws. Misschien had het iets met zijn ouweheer te maken.'
'Oké,' zei Virgil. Hij gooide nog twee bundels in het busje en liet de laatste drie voor Williamson liggen. 'Dus hij is hier gisteren de hele dag niet geweest. En gisteravond?'
'Ook niet. En ik ben tot laat gebleven.'
Virgil knikte. Als Judd een paar uur voor de inval bij Feur was verdwenen, betekende dat dat zowel Stryker als Feur, of een van Feurs mensen, hem vermoord kon hebben.

Williamson stapelde de laatste drie bundels op elkaar en bukte zich om ze op te tillen. Toen hij dat deed, schoof de mouw van zijn T-shirt omhoog en werd er een tatoeage van een half maantje zichtbaar. Het maantje had een oog en een puntneus: een man in de maan. De tatoeage was nogal slordig, met rafelige lijnen in donkerblauwe ballpointinkt.
Virgil knipperde met zijn ogen. Nóg een man in de maan.
De vuile schoft.

Hij liet Williamson bij het busje achter, liep terug naar zijn pick-up en belde Joan. 'Wat ben je aan het doen?' vroeg hij.
'Ik ben onderweg naar Worthington voor een of ander bureaucratisch onzingesprek over mijn oogstverzekering. En jij?'
'Ik moet naar de Cities,' zei Virgil. 'Misschien blijf ik daar vannacht.'
'Ik zou graag meegaan,' zei ze, 'maar ik kan niet onder deze afspraak uit, als ik de farm draaiende wil houden. Ik heb alles in vijfvoud moeten invullen en ze willen het vandaag hebben.'
'Oké, dan zie ik je morgen.'
Ze moest lachen om de toon waarop hij het zei. 'Ik sla me er wel doorheen.'

Hij belde de Laymons, maar er nam niemand op. Hij belde Stryker en vroeg hem het mobiele nummer van Jesse. Hij schreef het op en zei: 'Ik ga naar de Cities. Ben morgen weer terug.'
'Iets goeds?'
'Een of ander bureaucratisch onzingesprek. Hoe ziet je herverkiezing eruit?'
'De mensen glimlachen naar me,' zei Stryker. 'Ik kan minstens een week niet stuk, of zolang jij ernaast zit wat Feur betreft. Als er nog iemand wordt vermoord nu Feur dood is, ben ik terug bij af.'

Virgil belde Jesse. Haar toestel ging een paar keer over voordat ze antwoordde. 'Virgil?'
'Jesse, luister naar me. Ik ben op weg naar de Cities. Het is heel belangrijk dat jij en je moeder op een veilige plek onderduiken. Zorg dat jullie niet alleen zijn met een derde persoon, het maakt niet uit of je die persoon kent of niet. Misschien kunnen jullie het best naar Worthington of Sioux Falls gaan en daar een motel nemen. Alleen voor vannacht. Morgen ben ik weer terug.'
'Denk je dat iemand ons kwaad wil doen?' vroeg ze.
'Die kans bestaat. Ik wil het risico niet nemen. Zorg ervoor dat jullie tot morgen onvindbaar zijn.'
'Mama is op haar werk,' zei Jesse.
'Haal haar daar op,' zei Virgil. 'Hou haar uit de buurt van het huis.'
'Ik was van plan vanavond uit te gaan...'
'Jesse, luister naar me. Voor de zekerheid... blijf ook uit de buurt van Jim Stryker.'
'Jim?'
'Alleen voor de zekerheid. Totdat ik terug ben.'

Hij ging langs het hotel, haalde zijn tas op en reed naar de snelweg. Zodra hij de stad uit was, deed hij zijn flitslichten aan en gaf een flinke dot gas. Hij zette zijn laptop alvast aan en belde Davenport. Die was niet op kantoor, maar hij kreeg hem te pakken op zijn mobiel. 'Kan ik Sandy, Jenkins of Shrake een paar uur van je lenen?'
'Jenkins en Shrake zijn iemand aan het oppakken,' zei Davenport. 'Sandy is met iets bezig, maar als het belangrijk is...'
'Ik ben de zaak aan het openbreken,' zei Virgil. 'Ik heb een paar namen nodig en er moeten gegevens worden nagegaan.'
'Ze belt je terug.'

Virgil dacht aan wat hij Laura, Joans moeder, had horen zeggen over grootmoeders. Dat ze zo graag grootmoeder wilde worden, dat ze haar kleinkinderen wilde zien opgroeien en dat ze zelfs de tijd had om haar achterkleinkinderen geboren te zien worden.
Laura Stryker was nog niet zo oud; een babyboomer, goed beschouwd. Een hippie. Van dezelfde leeftijd als Williamsons moeder. Williamsons moeder was misschien niet meer in leven, maar zijn biologische grootouders misschien nog wel. En grootouders waren, mits ze enigszins normaal waren, geïnteresseerd in hun kleinkinderen.
Dus was het mogelijk, dacht Virgil, dat er in de Cities een paar oude mensen waren met een grote interesse in het wel en wee van Todd Williamson...

Het móést Williamson zijn, dacht Virgil.
Judd seniors schoonzus, Betsy Carlson, van wie de gedachten laveerden tussen waan en werkelijkheid, had het gehad over de man ín de maan. Virgil had dat toegeschreven aan het 'man op de maan'-feestje bij Judd, maar Betsy had het over iets anders gehad toen ze zei dat ze de man in de maan had gezien. Ze had op een zeker moment met Williamson gesproken, had een Judd in hem herkend en zijn tatoeage gezien, wat bij haar was blijven hangen.
En Williamson had geen reden gehad om met Betsy Carlson te gaan praten, tenzij hij wist dat Judd zijn vader was.

Een nieuw feit: toen Stryker en hij Williamsons criminele verleden doornamen, hadden ze helemaal niets gevonden. Maar de tatoeage op Williamsons arm was niet afkomstig uit een tatoeagesalon. Die was in de gevangenis op zijn arm gezet, met een naald en ballpointinkt. Hij kón natuurlijk buiten de gevangenis zijn aangebracht, door iemand die had gezeten en wist hoe het moest, of misschien had Williamson om esthetische redenen voor een ama-

teuristische tatoeage gekozen, maar Virgil durfde te wedden dat Williamson zelf in de gevangenis had gezeten, in elk geval een tijdje.
Maar waarom wisten ze daar dan niets van? Waarom waren ze geen strafblad tegengekomen? Virgil kon maar één reden bedenken...
Hij keek op de snelheidsmeter: honderdvijfenzestig kilometer per uur. Hij belde de verkeerspolitie in Marshall en liet de weg voor zich vrijhouden.
Hij legde zijn toestel neer en pakte het weer op toen het overging.
Sandy.

'Sandy, ik wil dat je de adoptieouders van Todd Williamson voor me opzoekt. Kijk in elke database die je kunt vinden. Bekijk hun belastinggegevens, zoek uit wanneer ze zijn opgehouden belasting te betalen en check alle omliggende staten, plus Florida, Californië en Arizona, om te zien of ze daar misschien naartoe zijn gegaan. Bel hun vroegere buren, als het nodig is.'
'Oké, kan ik doen,' zei ze.
'Dan zoek je voor me op: Margaret Lane, overleden 20-7-'69. Kijk of je een geboorteakte kunt vinden en zoek uit of háár ouders – Todd Williamsons grootouders – nog in leven zijn. Dan zoek je in de politiecomputer naar ene Lane, voornaam onbekend, geboren 20-7-'69.'
'Denk je dat hij de naam van zijn moeder heeft gebruikt?' vroeg Sandy.
'Als hij een geboorteakte heeft, kan hij daarmee een rijbewijs en een burgerservicenummer hebben aangevraagd. Als hij hetzelfde heeft gedaan op naam van zijn adoptieouders, heeft hij twee perfecte identiteiten die worden bevestigd door officiële staatsdocumenten.'
'Hoe snel heb je het nodig?'
'Ik ben met honderdzestig per uur op weg naar jullie toe,' zei Virgil. 'Mail me de gegevens zodra je ze hebt. Als je die mensen vindt, geef me dan door waar ze wonen en hoe ik er moet komen.'
Hij legde zijn toestel neer en keek weer op de snelheidsmeter. Honderdzeventig. Hij had altijd van hard rijden gehouden, maar de pick-up zwaaide als een idioot.

Sandy belde terug toen hij de I-35 naar het noorden nam. 'In de NCIC-politiecomputer zit ene William Lane, geboren 20-7-'69, met arrestaties in '87 en twee keer in '88, de eerste keer voor het in bezit hebben van een kleine hoeveelheid cocaïne, en in '88 twee keer voor mishandeling in huiselijke kring. Voor de laatste keer heeft hij vier maanden in Hennepin County Jail gezeten. Wacht even, blabla... ene Karin Biggs. Ik zal kijken of ik haar kan vinden.'
'Mail het naar me.'

Ze belde een kwartier later. ‘Ik heb die vrouw van Biggs gevonden. Ze woont in Cottage Grove en heet tegenwoordig Johannsen. Een heel stel bekeuringen voor rijden onder invloed. Ik heb William Lane gecheckt en die had in ’88 en ’89 hetzelfde adres als Todd Williamson.’
‘We hebben hem,’ zei Virgil.
‘Jep,’ zei Sandy. ‘Ik heb zijn adoptieouders nog niet gevonden, die zijn te lang geleden vertrokken.’
‘Blijf zoeken. En de grootouders?’ vroeg Virgil.
‘Ralph en Helen Lane. Ralph is lang geleden overleden. Helen leeft nog; ze woont in Roseville, maar ik heb haar nog niet kunnen bereiken.’
‘Geef me die adressen.’ Hij legde de laptop op het stuur, keek met één oog naar de weg en typte de adressen in.

Tien minuten later belde Sandy weer. ‘De Williamsons wonen in Arizona. Ik heb een adres maar nog geen telefoonnummer.’
‘Goed. Als het nodig is, zoek je uit wie de buren zijn en laat je ze bij de Williamsons aanbellen om het telefoonnummer te vragen.’
‘Oké,’ zei Sandy. ‘Trouwens, ik kijk hier naar de foto’s van de rijbewijzen van Williamson en Lane. Ze zijn inderdaad dezelfde persoon. Alleen heeft Lane meer gezichtsbeharing en een ringetje in zijn oor.’
‘Mail ze naar me.’
Hij legde zijn toestel weer neer, hield zijn voet op het gaspedaal en werd door Davenport gebeld toen hij de I-35E naar de zuidkant van de Cities op draaide. ‘Ik sprak Sandy net. Ze zegt dat je de zaak goed aan het rollen hebt.’
‘Ja, dat denk ik.’
‘Heb je al iets voor een rechtszaak?’ vroeg Davenport. ‘We moeten de rechtszaak in gedachten houden.’
‘Nog niet. Daar zullen we iets leuks voor moeten bedenken. Op dit moment ben ik nog bezig om hard te maken dat mijn verdachte een psychopaat is.’
‘Oké. Hou contact.’

Virgil verliet de I-35E, sloeg iets ten zuiden van de Cities rechts af, de I-494 op, en daarna in zuidelijke richting via Highway 61 – dezelfde waar Bob Dylan ooit over zong – richting Cottage Grove. Bij 80th Street belde hij Sandy, die MapQuest voor zich had en hem rechtstreeks naar Johannsens huis leidde.
Johannsens zoon deed open, in rapperjeans, met het kruis op zijn knieën, een T-shirt dat vier maten te groot was, en een GameBoy in zijn hand. Zijn

ogen waren maar half geopend en de geur van marihuana kwam Virgil tegemoet zodra de deur openging.
'Ze is op haar werk,' zei de jongen lusteloos.
'Waar is dat?'
'Of bij de SuperAmerica of bij Tom Thumb,' zei hij. 'Ze werkt bij allebei, maar ik weet niet waar ze vandaag is.'

Karen Johannsen was bij de SuperAmerica, waar ze net oude donuts in een container gooide. 'Ik heb een paar vragen over William Lane, die is veroordeeld nadat hij u had mishandeld,' zei Virgil, en hij liet haar zijn legitimatie zien.
'Tjonge, dat is bijna twintig jaar geleden.' Ze was een kleine, gedrongen vrouw met zwart haar, vochtige bruine ogen, een stomp neusje, en zag er ouder uit dan ze was.
'Dat weet ik,' zei Virgil. 'We proberen ons een beeld te vormen van wat voor een soort man hij is. Die mishandelingen, waren die het zware werk, of gewoon een huiselijk vechtpartijtje?'
'Hij probeerde me te vermoorden,' zei Johannsen ronduit. Ze wuifde met haar hand voor haar gezicht alsof ze het warm had. Ze stonden te dicht bij de container, die naar rotte bananen, vlees en zure melk stonk. 'Het zou hem gelukt zijn ook, als hij sterker was geweest. De eerste keer ging hij me te lijf met een stoel, maar hij had niet genoeg ruimte om uit te halen en ik liep steeds weg, natuurlijk, zodat hij me nooit echt kon raken. De buren hebben de politie gebeld. Die hadden een wagen in de buurt, dus ze waren op tijd. Anders zou hij me doodgeslagen hebben.'
'Hoe begon het?' vroeg Virgil.
'We zaten te drinken en kregen ruzie,' zei ze. 'Ik werkte en hij niet, en ik maakte hem uit voor waardeloze lamzak omdat hij niet eens de huur kon betalen. Toen gaf hij me een stomp op mijn arm en sloeg ik hem terug met mijn tasje, boven op zijn hoofd, en toen ging hij helemaal door het lint.'
'En de tweede keer?' vroeg Virgil. 'Toen hij ervoor naar de gevangenis moest?'
'Toen heeft hij geprobeerd me te wurgen,' zei ze. Haar hand ging naar haar hals alsof ze het zich nog goed herinnerde. 'Hij kwam thuis, dronken. Ik lag te slapen en hij maakte me wakker, want hij wilde, u weet wel... en ik niet. Hij begon tegen me te schreeuwen en toen ik me omdraaide, dook hij boven op me en kneep mijn keel dicht. Hij had een paar vrienden mee naar huis genomen, die zaten in de woonkamer en hoorden dat het niet goed ging. Een van die vrienden heeft hem van me af getrokken, maar ik kreeg geen adem meer, dus toen heeft de vriendin van die vriend de politie

gebeld. Toen is er een ambulance gekomen en die hebben me weer aan het ademen gekregen.'
'En dat was het einde van jullie relatie?'
'Ja,' zei Johannsen. 'Toen hij in de gevangenis zat, ben ik verhuisd. Ik heb geen adres achtergelaten en een geheim telefoonnummer genomen. Wat niet betekende dat ik hem nooit meer zag. We hadden dezelfde vrienden. Maar het was afgelopen met ons, hij kwam niet meer bij me over de vloer. Maar goed ook, want vroeg of laat zou hij me vermoord hebben.'
'Heeft hij het weleens over zijn ouders gehad?' vroeg Virgil.
'Hij zei dat zijn moeder was omgekomen bij een auto-ongeluk,' zei ze. 'Over zijn vader heeft hij het nooit gehad.'
'En over zijn adoptieouders, een echtpaar dat Williamson heette?'
Ze schudde haar hoofd. 'O, ik dacht dat die alleen een soort pleegouders waren. Hadden ze hem geadopteerd?'
'Ja. Toen hij een baby was.'
'Jezus, dat wist ik niet,' zei ze. 'Dat maakt het nog erger.'
'Erger?'
'Ja. Ik heb ze twee of drie keer ontmoet, denk ik. Bill en ik gingen daar weleens een biertje drinken. Hij had de sleutel. Maar het waren afschuwelijke mensen.'
'O ja?'
'Ja,' zei ze. 'Volgens mij geloofden ze nog in slavernij. Het enige wat ze deden was hem inpeperen hoeveel hij hun schuldig was. In geld, bedoel ik. Bill is van huis weggelopen toen hij veertien was, hij leefde op straat toen ik hem ontmoette. Hij was weggelopen omdat hij altijd in hun winkel moest werken. "Kost en inwoning verdienen" noemden zij dat, maar de meeste kinderen van dertien of veertien hoeven geen zestig uur per week te werken. Dat verlangden ze van hem. Echt, het waren schofterige uitbuiters.'
'Heeft Bill zichzelf weleens Todd Williamson genoemd?'
Ze schudde haar hoofd. 'Nee. Voor ons, de mensen met wie hij omging, was hij Bill Lane.'
'Goeie jongen, slechte jongen?' vroeg Virgil. 'Als hij nuchter was, bedoel ik.'
'Hij viel best mee als hij nuchter was,' zei Johannsen. Ze keek naar haar duim, waar poedersuiker op zat, en veegde hem af aan de container. 'Een kwaaie als hij had gedronken. Maar dat was twintig jaar geleden. Hij was nog maar een tiener. Als je in een zaak als deze werkt, zie je dat veel tieners rotzakken zijn, maar de meesten veranderen als ze ouder worden.'
'Bill ook?'

Ze haalde haar schouders op. 'Dat weet ik niet. Hij was als een hond die tien jaar lang is geslagen. Het is niet de schuld van de hond als hij uiteindelijk vals wordt.'

Sandy belde. 'Ik heb zijn grootmoeder gesproken. Ze is thuis. Ik heb tegen haar gezegd dat ze niet moet weggaan.'
'Bel haar terug en zeg dat ik er over een halfuur ben,' zei Virgil.

Hij nam afscheid van Johannsen, reed naar het noorden en na twintig minuten kwam hij terecht in een boomrijke buitenwijk met groene gazons, opritten met barsten erin, oudere huizen in ranchstijl en splitlevels, en twee langharige tieners die acrobatische stunts op mountainbikes deden.
Helen Lane, Williamsons echte grootmoeder, zat alleen in de woonkamer tv te kijken toen Virgil de oprit opreed. Ze kwam naar de deur maar liet de hordeur op slot. 'Ik weet niet waar Bill is. Ik wil het ook niet weten. Hij heeft een tijdje in de gevangenis gezeten. Heeft hij weer iets gedaan?'
'Heeft hij ú ooit iets gedaan?' vroeg Virgil.
'Hij pikte geld van me,' zei ze. 'Sloop door het huis en pikte mijn geld.'
'Hoe heeft hij ontdekt dat u zijn grootmoeder bent?' vroeg Virgil.
'Hij was slim,' zei ze, 'had de hersens van mijn dochter. Ik vermoed dat de Williamsons papieren over hem hadden, zijn geboorteakte, misschien.'
'Heeft hij ooit ontdekt wie zijn echte vader was?'
Ze fronste haar wenkbrauwen en zei: 'Niemand van ons wist wie dat was. Ik geloof dat Maggie het niet eens zeker wist. Ze was nogal een wilde in die tijd.'
'Hebt u het ook nooit geweten?'
'Nee, en nadat ze was omgekomen, werd het heel moeilijk om dat nog uit te zoeken. Er kwamen in elk geval geen mannen aan de deur om zich te melden.'
'En het kind?'
'Dat is geadopteerd. Wij hadden geen geld, mijn man was voortdurend ziek. Hij was dakdekker, maar hij had een slechte rug.' Er kwam een uitdrukking van zelfmedelijden op haar gezicht. 'Ik was altijd aan het werk, dus leek het ons het best om het kind te laten adopteren.'
'Ja?'
'Ja. U weet wel, door een goed, degelijk gezin.'

22

Op de terugweg naar Bluestem ging Virgil even de snelweg af, haalde iets te eten bij McDonald's en vervolgde zijn weg na tien minuten, toen de hele cabine naar zijn *quarterpounder* met kaas en Franse frietjes rook. Hij reed in de vallende schemer en bedacht dat Williamsons verleden er anders uitzag dan hij had vermoed. Je kon het excuus van de geslagen hond erop toepassen: dat Williamson gestoord was omdat hij als kind was verwaarloosd en mogelijk door zijn adoptieouders was misbruikt. Maar hoe akelig dat ook voor hem was, een valse hond bleef een valse hond.
Je kon het ook anders bekijken: een weeskind, misbruikt door zijn adoptieouders, zwerft op jonge leeftijd al over straat... krijgt op de een of andere manier grip op zichzelf, gaat het leger in, leert een vak en wordt een fatsoenlijk burger.
Virgil, die van nature een vriendelijk mens was, gaf de voorkeur aan het tweede scenario. Maar zijn politiebrein hield hem voor dat een valse hond een valse hond bleef, ook al was het niet de schuld van de hond.

Even voor elf uur was hij terug in Bluestem. Larry Jensens huis was verlicht als een kerstboom en toen Virgil op de oprit uit de pick-up stapte, voelde hij de grond trillen onder zijn voeten, alsof iemand in Jensens kelder met een zwaar wapen aan het schieten was, hoewel het toch iets anders voelde.
Hij liep de veranda op, belde aan en na enige tijd kwam Jensens vrouw naar de deur. Ze was vrij klein van stuk, had een glimmend gezicht en was heel erg zwanger. Ze deed het verandalicht aan – Virgil voelde het huis trillen, van wat het ook was – keek door het raampje in de deur, deed open en zei: 'Jij bent Virgil.'
'Ja. Is Larry thuis?'
'Hij is aan het werk in de kelder,' zei ze. 'Is er iets aan de hand?'

Jensen, met ontbloot bovenlijf, was met een voorhamer de betonnen vloer aan het slopen. De wanden waren al kaal tot op de ruwhouten staanders, waar isolatiemateriaal tussen zat.
Virgil kwam de keldertrap af op het moment dat Jensen de voorhamer op

het beton liet neerkomen. Hij keek op en er kwam een scherpe blik in zijn ogen toen hij Virgil zag. 'Wat is er aan de hand?' vroeg hij terwijl hij het zweet van zijn voorhoofd veegde.
'Een extra badkamer, hè?'
'We krijgen er een kind bij,' zei Jensen, en hij zette de voorhamer met de steel tegen de muur. 'Drie dochters en een zoon, dus we redden het niet meer met één badkamer. Wat kan ik voor je doen?'
'Ik heb een vraag voor je, Larry. Als Strykers populariteit in een vrije val terechtkomt, ga jij dan een gooi doen naar de baan van sheriff?'
Jensen bleef hem even aankijken, zonder antwoord te geven, en vroeg toen: 'Waarom wil je dat weten?'
'Larry, doe me een plezier en geef gewoon antwoord op mijn vraag, oké?'
Jensen veegde het zweet weer van zijn voorhoofd, droogde zijn hand aan zijn spijkerbroek en zei: 'Nee. Ik heb het naar mijn zin met wat ik heb. Als ik vijfenveertig ben, heb ik vijfentwintig dienstjaren, misschien dat ik dan iets nieuws probeer. Dat zien we dan wel.'
'De macht spreekt je niet aan,' zei Virgil.
Jensen schudde zijn hoofd. 'Waar ben je op uit, Virgil? En nee, de macht spreekt me niet aan.'
'Kom mee. Trek je jasje aan. We gaan iemand bellen.'
'Het is bijna middernacht, Virgil. Weet Jim hiervan?'
'Ga je jasje halen, Larry. We gaan iets doen wat ik niet alleen kan. Ik heb een getuige nodig. En we gaan Margo Carr bellen. Jim weet hier niet van, omdat het hem in verlegenheid zou brengen als hij het wist. Beroepsmatig.'
Jensen zette zijn handen in zijn zij. 'O, shit.'
'Kom op, Larry...'

Ze haalden de sleutel uit de bewijzenkast en reden in stilte naar het huis van de Schmidts. 'Dit bevalt me helemaal niet,' zei Larry.
'Mij ook niet,' zei Virgil.
Het was donker en stil bij het huis van de Schmidts, er ging een zekere dreiging van uit. Ze parkeerden op de oprit en toen ze naar de voordeur liepen, zei Jensen gekscherend: 'Je bent toch niet bang voor spoken, hè?'
'Nee,' zei Virgil. 'Niet dat ik graag met ze in de clinch ga, als het niet nodig is.'

Toen ze binnen waren, zette Virgil de computer aan en controleerde hij Schmidts e-mails. Die van de Curly's waren verdwenen, wat Virgil al had verwacht.

'Dat hoeft niets te betekenen te hebben,' zei Jensen.
'Nee, dat is waar,' zei Virgil. 'Helemaal onschuldig is het niet, maar het hoeft ook niet echt ernstig te zijn. Misschien wilden ze alleen voorkomen dat ze hun billen brandden.'
Het licht van een paar koplampen draaide de tuin in en na een minuut kwam Margo Carr binnen. 'Wat hebben jullie voor me?'
'Ik wil graag dat je deze computer mee naar huis neemt – niet naar het bureau maar naar je huis – en hem achter slot en grendel zet,' zei Virgil. 'En ik wil dat je morgenochtend het Staatsforensisch Lab belt en een afspraak maakt met iemand die gewiste bestanden kan herstellen. Zo moeilijk moet dat niet zijn. Het hoeft niet meteen te gebeuren, maar maak de afspraak alvast.'
Haar blik ging van Virgil naar Jensen en weer terug. 'Waar zijn we naar op zoek?'
'Roman Schmidts e-mails,' zei Virgil. 'Al zijn e-mails.'

Virgil werd opgewacht door Stryker en Jensen toen hij de volgende ochtend om negen uur met een beker koffie het kantoor van de sheriff binnenkwam. 'Waar is Merrill?' vroeg hij.
'Onderweg,' zei Stryker. 'Hoor eens, Larry heeft me bijgepraat, en ik denk dat je dit beter ergens anders kunt doen. Je kunt de rechtszaal gebruiken.'
Virgil knikte en zei: 'Nog nieuws over de jongens van de DEA? Redden ze het?'
Stryker knikte. 'Tot nu toe wel; ik heb Pirelli vanochtend gesproken. Wat ben je precies aan het doen, Virgil? Je hebt Larry niet alles verteld over wat je...'
'Dat vertel ik je straks,' zei Virgil. 'Stuur Merrill naar me toe als hij binnenkomt.' En tegen Jensen: 'Kom, we gaan die rechtszaal regelen.'

Er was niemand in de rechtszaal. Virgil liep naar de voorkant, deed de deur van de rechterskamer dicht en vroeg aan Jensen: 'Wanneer denk je die badkamer klaar te hebben?'
'Virgil, ik ben nu niet in de stemming voor koetjes en kalfjes,' zei Jensen. 'Deze mensen zijn vrienden van me.'
'Maak je geen zorgen,' zei Virgil. 'Als ze echt in de fout zijn gegaan, kunnen we het altijd in de doofpot stoppen.'
Daar moest Jensen om lachen, heel even. Toen schudde hij zijn hoofd en zei: 'Ik zal het onthouden, voor als ik in de getuigenbank sta en ze me de duimschroeven aandraaien.'
'Hoor eens,' zei Virgil, 'is er hier iemand die lesgeeft in EHBO? Je weet wel,

met zo'n pop om mond-op-mondbeademing te oefenen?'
Jensen keek hem verbaasd aan. 'Ja. De jongens van de brandweer doen dat, op scholen. Hoezo?'
'Zomaar,' zei Virgil. 'Ik probeer je alleen een beetje op je gemak te stellen.' Hij hoorde voetstappen in de gang en fluisterde: 'Daar hebben we nummer één.'

Merrill kwam de rechtszaal binnen, keek naar Virgil en zei tegen Jensen: 'Je wilde me spreken?'
'Toen je me in de toiletten vertelde over Jesse Laymon,' zei Virgil, 'dat je haar auto niet had gezien, bij de brand bij Judd, waar was jij zelf toen? Ik heb jou daar niet gezien.'
'Ik was op de heuvel, probeerde te voorkomen dat de mensen te ver doorliepen naar de brand. Ik heb jou voorbij zien komen.'
'Je zei dat je Jesses pick-up niet had gezien. Heb je alle geparkeerde auto's bekeken?'
'Nee.'
'Waarom pik je er dan juist Jesse uit?' vroeg Virgil.
Merrill stak zijn duimen achter zijn broekriem, wat voor een smeris suggereerde dat hij zich in de verdediging gedrongen voelde. 'Ik hoorde zeggen dat niemand haar pick-up had gezien. En aangezien ik die ook niet had gezien, vond ik dat je dat moest weten.'
'Door wie heb je dat horen zeggen?' vroeg Virgil.
Merrills blik ging naar Jensen. 'Wat heeft dit te betekenen, Larry?'
'Niks bijzonders,' zei Jensen. 'We proberen er alleen achter te komen wie dat tegen je heeft gezegd.'
'Dat is nogal vertrouwelijk...'
'Voor ons niet,' zei Virgil. Zijn stem klonk vriendelijk en zacht, zodat Merrill zich op hem moest concentreren. 'Als ik je voor de rechter moet dagen en je voor een jury moet zetten om het uit je te krijgen, doe ik dat. Dan ben je natuurlijk wel je baan kwijt. En als er juridisch meer haken en ogen aan zitten, kun je zelfs een paar jaar naar Stillwater gaan.'
'Wat krijgen we nou?' barstte Merrill uit. 'Ik heb je een tip gegeven.'
Virgil keek naar Jensen. 'Je kunt hem maar beter zijn rechten voorlezen. Is dat eigenlijk nodig bij hulpsheriffs? Laten we het voor de zekerheid maar doen.'
'Wat...?'
'We moeten echt weten wie het tegen je heeft gezegd. Dat is alles. Het is nu nog geen misdaad. Het kan er wel één worden. Hangt ervan af. Nou, wie heeft het tegen je gezegd?'

Merrill keek eerst naar Jensen en toen weer naar Virgil. 'Jezus, ik bedoel, het stelt eigenlijk niks voor. Ik had het van Little Curly gehoord.'
Virgil glimlachte. 'Zie je? Zo moeilijk was het toch niet? We vermoedden al dat het van hem kwam. Je kunt gaan. Maar hou dit voor jezelf. En hulpsheriff, ik bedoel, écht voor jezelf. We zitten midden in een gecompliceerde zaak en je kunt je maar beter een beetje gedeisd houden.'

De Curly's kwamen samen binnen. Jensen had Little Curly gebeld, tegen hem gezegd dat hij zijn vader moest ophalen en dat ze naar de rechtszaal moesten komen. Little Curly was in uniform, maar Big Curly had geen dienst en was gekleed in een rode korte broek en een T-shirt dat strak om zijn buik spande.
'Ga zitten,' zei Virgil.
Ze gingen zitten en Big Curly vroeg aan Jensen: 'Wat is er aan de hand, Larry?'
'Jullie praten met mij,' zei Virgil. 'Niet met Larry. Hij is hier alleen als getuige.'
Big Curly keek zijn zoon aan en vroeg toen aan Virgil: 'Waar heb je het verdomme over?'
'Ik zal jullie eerst de regels uitleggen,' zei Virgil. 'Jullie hóéven niet met me te praten. Als jullie dat niet doen, kan de bal alle kanten op rollen. Maar door een van jullie, of door jullie allebei, zijn er dingen gedaan die in het voordeel van de moordenaar van de Gleasons, de Schmidts en de Judds zijn geweest...'
'Wat?' riep Big Curly. 'Wat is dat voor gelul?' Hij keek zijn zoon weer aan, schudde zijn hoofd en vroeg aan Jensen: 'Larry, doe jij mee aan deze onzin?'
'Je kunt beter even naar hem luisteren,' zei Jensen.
'Of jullie het wisten of niet,' vervolgde Virgil, 'maar nogmaals, als jullie niet willen meewerken, zal een openbaar aanklager zich daar zeker in vastbijten. Of we kunnen het binnenskamers afhandelen, en als ik denk dat het allemaal niet zo veel voorstelt, kunnen we het daar misschien bij laten. Hoewel ik het er wel met Jim over zal moeten hebben.'
'Ik weet nog steeds niet waar je het over hebt,' zei Little Curly.

Virgil vroeg: 'Wie is Schmidts huis binnengegaan en heeft de e-mails van Roman Schmidts computer gewist?'
De Curly's keken elkaar aan en toen zei Big Curly met een nors gezicht: 'Dat heb ík gedaan. Maar dat had niks met de moorden te maken. Dat was een persoonlijke zaak.'

'Ik weet het... over de verkiezingen,' zei Virgil. 'We hebben de computer in beslag genomen en kunnen de e-mails herstellen. Hou dat in gedachten. Nou, hebben jullie na de moorden iemand in het huis binnengelaten?'
Little Curly schudde zijn hoofd. 'Ik niet. Waarom zou ik?'
'Ik ook niet,' zei Big Curly.
'En in het huis van de Gleasons? Na de moord?'
Little Curly schudde zijn hoofd weer, maar Big Curly liet het zijne hangen, kreunde en zei: 'Die verdomde Williamson.'
'Waarom?' vroeg Virgil.
'Vanwege de verkiezingen,' zei Big Curly, en hij keek op naar Virgil. Zijn ogen waren vochtig, alsof hij elk moment in tranen kon uitbarsten. 'Ik wilde Todd een plezier doen, want de krant is hier de enige manier om campagne te voeren... de enige betaalbare manier. Zijn stukken konden de toon zetten voor de verkiezingen, en je hoefde er niet eens voor te betalen. Jim begon in de problemen te komen door de moorden, en het begon er steeds meer op te lijken dat iemand zijn baan zou overnemen.'
Virgil wendde zich tot Little Curly. 'Jij hebt Merrill naar mij toegestuurd om te suggereren dat Jesse Laymon mogelijk iets met de moorden te maken had. Dat haar pick-up daar niet was in de nacht van de brand bij Judd. Die was er wel, dus waarom zou je tegen mij laten zeggen dat hij er niet was?'
Little Curly schudde zijn hoofd. 'Ik heb hem niet gezien. Ik heb haar wel gezien, maar haar pick-up niet. Ik sprak Todd onlangs, die begon erover.'
'Hebben jullie Todd daar gezien?'
De Curly's keken elkaar aan en Little Curly zei: 'Nou, nee, eigenlijk niet. Ik ging ervan uit dat...'

'Waarom heb je het zelf niet tegen me gezegd?' vroeg Virgil. 'Over Jesse.'
'Omdat... ah, shit, omdat ik niks met jou te maken wilde hebben. Ik had geen zin om met jou te praten.'
'Of was het vanwege de verkiezingen? Omdat als je Jesse zwartmaakte, Jim daar ook onder zou lijden, omdat hij met Jesse omging?'
Little Curly schudde zijn hoofd. 'Luister. Todd zei dat haar pick-up er niet was. Ik had die ook niet gezien. We vonden dat je dat moest weten.'
'En dat Jim daardoor zwart werd gemaakt was een leuke bijkomstigheid?'
'Val dood,' zei Little Curly.
'Oké,' zei Virgil. En tegen Big Curly: 'Toen je met Williamson door het huis liep, heb je hem toen alleen gelaten, ook al was het maar heel even?'
'Nou, misschien een paar seconden, hier en daar... dat hij naar het ene keek, aantekeningen maakte, en ik naar iets anders...'

Virgil keek Jensen aan. 'Heeft Jim je op je donder gegeven omdat je het boek *Openbaring* niet hebt zien liggen?'
Jensen haalde zijn schouders op. 'Niet echt op mijn donder, maar hij heeft Margo en mij naar zijn kantoor laten komen en gezegd dat we het niet over het hoofd hadden mogen zien. Dat het een schande voor het korps was dat jij het als eerste had gevonden. Het waren niet de meest aangename vijf minuten van mijn leven.'
'Jullie hebben het niet gezien omdat het er niet lag,' zei Virgil. 'Williamson heeft het daar neergelegd toen Big Curly hem het huis liet zien. Hij probeerde ons in de richting van Feur te sturen. Net zoals hij dat heeft gedaan met die Salem-sigarettenpeuk bij de achterdeur van de Schmidts. Hij wist dat we die zouden vinden. Ik wist dat Feur rookte en dat het merk vermoedelijk Salem was. Dat zou zeker een keer aan de orde komen, tijdens een proces, bedoel ik.'
'Maar waarom?' vroeg Little Curly. 'Waarom zou hij dat allemaal doen? Was hij op Judds geld uit?'
Virgil schudde zijn hoofd. 'Nee. In feite heeft hij het gedaan omdat hij niet goed bij zijn hoofd is. Gestoord maar zorgvuldig, en hij dacht dat hij slim genoeg was om buiten schot te blijven. Ik denk dat hij zich gewoon niet heeft kunnen beheersen, als het om de eerste vijf moorden gaat... op de Gleasons, de Schmidts en Judd senior. Het is mogelijk dat hij Judd junior heeft vermoord omdat die hem in de weg liep.
Maar nadat hij de Gleasons had vermoord, is hij op het idee gekomen om de schuld op Feur te schuiven, vermoed ik. Om zich alvast in te dekken. En misschien wist hij, omdat zijn kantoor naast dat van de Judds was, dat Judd junior en Feur samen met iets bezig waren. Het was redelijk simpel om Feur verdacht te maken, en dus besloot hij op die manier twijfel te zaaien, voor het geval we misschien bij hem terecht zouden komen. Dus begon hij met het boek *Openbaring* neer te leggen. Daarna kwam de Salem-peuk. En nog iets anders, die aanwijzing die we in Judds computer vonden, zat niet in zíjn computer, maar in die van zijn secretaresse.'
'Alsof iemand die erin had gestopt?' vroeg Jensen.
'Dat weet ik niet,' zei Virgil. 'Maar toen Jim die facturen zag, trok hij wel verdomd snel de lijn van watervrije ammonia naar ethanol en meth. Alsof die hem op een presenteerblaadje werd aangeboden.'
'Williamsons kantoor staat in verbinding met dat van de Judds,' zei Big Curly. 'Achter alle drie de kantoren zijn opslagruimten met binnendeuren. En hij had alle tijd van de wereld om de sloten open te maken, 's nachts

bijvoorbeeld. Of misschien zaten ze niet eens op slot. Alle drie de kantoren maakten gebruik van hetzelfde beveiligingssysteem. Hij werkte wel vaker de hele nacht door, dus niemand zou er iets van denken als hij daar midden in de nacht de deur uit kwam.'

'Die verdachtmaking van Feur,' zei Jensen, 'die zou nog steeds kunnen standhouden.'
'Misschien wel,' zei Virgil. 'Een slimme strafpleiter had Judd en Feur in de beklaagdenbank kunnen zetten en hun de moord op de Gleasons en de Schmidts in de schoenen kunnen schuiven. Die hadden tenslotte meegeholpen een moord in de doofpot te stoppen.'
'Wat?' riep Jensen.
'Dat moet ik nog even voor mezelf houden,' zei Virgil. 'Maar ik zal het je later vertellen.'
De drie hulpsheriffs keken elkaar aan. 'Wat ga je nu doen?' vroeg Big Curly.
'Niks, op dit moment. Dus hou je gedeisd en hou je ogen goed open.'
Little Curly stond op en zei: 'Dat is alles?'
Virgil knikte. 'Ja. Ik ben bereid dit gesprek onder ons te houden. Ik ben niet verplicht een officieel rapport in te dienen. Maar ik zou het wel op prijs stellen wanneer jullie afzagen van verdere verkiezingsplannen. Misschien is het zelfs een goed idee om Jim Stryker een beetje openbare steun voor zijn herverkiezing te geven.'
'Shit,' zei Big Curly.
'We hebben tot nu toe zes doden,' zei Virgil. 'Jullie relatie met Williamson kan iets worden wat in de aanloop naar de verkiezingen moeilijk uit te leggen is.'
Big Curly liet zijn blik door de rechtszaal gaan en zei: 'Er gebeuren hier dingen die gewoon niet kloppen.'
'Hou je mond, pa,' onderbrak Little Curly hem. Tegen Virgil zei hij: 'Afgesproken. Wij steunen Jim.' En tegen zijn vader: 'Kom op, pa. We gaan.'
Ze liepen de rechtszaal uit, maar na een paar seconden stak Big Curly zijn hoofd om de hoek van de deur. 'Het spijt me,' zei hij, en toen was hij weg.
'En nu?' vroeg Jensen. 'Ik vraag me af of dit voldoende zal zijn voor een veroordeling.'
'Ik ga een boodschap doen,' zei Virgil. 'Begin van de middag ben ik weer terug.'

Jesse Laymon zat aan de bar een cheeseburger te eten en was in gesprek met een man met een rood hoofd en stekeltjeshaar, wiens arm gevaarlijk

dicht naast de hare lag. Ze hadden allebei een glas bier voor zich staan. Haar kontje zag er fantastisch uit op een barkruk, vond Virgil. Hij ging naast haar zitten en zei: 'Dag schat, ben ik te laat?'
De man met het stekeltjeshaar wierp hem een dodelijke blik toe en Jesse zei: 'Hallo, Virgil.' Ze wees naar de man met het rode hoofd en zei: 'Dit is Chuck, eh...'
'Marker,' zei de man met het rode hoofd.
'Marker,' herhaalde ze. 'Hij is hulpsheriff in Kandiyohi County. We hebben een paar gemeenschappelijke vrienden in Willmar. En Chuck, dit is Virgil Flowers van het Bureau Misdaadbestrijding, die probeert te voorkomen dat ik word vermoord.'
Marker ging rechtop zitten. 'Wat?'
'Ze vormt het middelpunt van een heel grote... zeg, hoe lang kennen jullie elkaar al?' vroeg Virgil, en hij keek van de een naar de ander.
Marker pakte zijn glas. 'Ongeveer tien minuten. Ik kan beter naar mijn gezelschap teruggaan.'
Toen hij weg was glimlachte Jesse, klopte Virgil op zijn arm en zei: 'Dat was niet erg aardig van je.'
'Nou, ik heb niet veel tijd,' zei Virgil. 'Ik ben hier om jou zo gek te krijgen dat je iets voor me doet waar je niks voor voelt.'
'Krijg ik een zendertje opgeplakt?'
'Nou, opplakken hoeft niet meer, want ze zijn tegenwoordig heel klein, maar zoiets is het wel,' zei Virgil. 'Ik wil dat je met Todd Williamson gaat praten.'
'Hij heeft al een paar keer naar mijn mobiel gebeld, maar ik heb het gesprek niet aangenomen,' zei ze.
'Eet je cheeseburger op, dan neem ik er ook één. Daarna ga je hem terugbellen. Ik zal je vertellen wat je moet zeggen.'
'Denk je dat hij het is?'
'Misschien,' zei Virgil. 'De bewijzen stapelen zich op.'
'En jij denkt dat hij aan mij gaat bekennen dat hij de dader is?'
'Moeilijk te zeggen,' zei Virgil. 'Maar misschien is hij wel als was in de handen van een mooie vrouw...'
'Ja, ja...' Ze stak haar hand op naar de barkeeper. 'Bill, één cheeseburger voor deze meneer hier.'

23

Virgil luisterde mee, hoorde de telefoon vier keer overgaan en toen nam Williamson op.
'Todd, sorry dat ik nu pas terugbel,' zei Jesse. 'Ik was gisteravond in slaap gevallen. Je had gebeld?'
'Alleen om te zeggen dat ik rechter Solms gisteren heb gesproken en dat hij voorstelde dat we allebei een DNA-test doen. We kunnen een setje krijgen van hetzelfde lab waarvan de sheriffdienst gebruikmaakt, de test doen in het bijzijn van iemand van het gerechtshof of een hulpsheriff, en dat dan naar het lab sturen. Dan hebben we duidelijkheid over ons recht op de erfenis. Ik ben zelf nog niet overtuigd, maar ik heb gehoord dat jij al vrij zeker van je zaak bent?'
'Ah, jij bent een Judd,' zei Jesse. 'Dat kun je zien, als je goed kijkt. Aan mij kun je het ook zien. Hoe werkt dat, zo'n test? Gaan ze ons bloed afnemen of zoiets?'
'Nee, nee... het is gewoon een soort wattenstaafje, en dat halen ze langs de binnenkant van je wang. Niks met bloed of zo. Het doet geen pijn. Het is net alsof je je tanden poetst. Solms zei dat we het best van hetzelfde lab gebruik kunnen maken, want dat scheelt in de prijs als ze ons DNA met dat van de andere Judds vergelijken.'
'Oké,' zei Jesse. Ze klonk geïnteresseerd. 'Wat moet ik doen, de sheriffdienst bellen en een afspraak maken?'
'Bel Solms' secretaresse,' zei Williamson. 'Dan regelt zij de rest voor je. Misschien willen ze Margo Carr van de sheriffdienst erbij hebben, om er zeker van te zijn dat we het goed doen.'

Virgil kreeg de indruk dat Williamson een eind aan het gesprek wilde maken, dus keek hij Jesse aan en maakte een draaiende beweging met zijn wijsvinger. Jesse knikte en zei snel: 'Ik wilde nog iets anders met je bespreken. Het gaat over Virgil Flowers. Het is iets waar ik echt niet uit kom. Het zit zo, mijn moeder en ik gaan weleens bij Betsy Carlson op bezoek, in het verpleeghuis in Sioux Falls... Ken je Betsy?'
'Ik weet wie ze is,' zei Williamson, 'maar ik heb haar nooit gesproken.'
'Nou, de laatste keer dat we daar waren, zat ze een beetje te raaskallen. We

hadden haar verteld wat er hier zoal aan de hand was, dat Bill Judd dood was, want misschien stond zij ook wel in zijn testament. Maar goed, zodra we dat hadden verteld, raakte ze helemaal opgewonden en zei ze dat ze de man in de maan had gezien. Ze raakte echt door het dolle heen en bleef maar zeggen dat ze de man in de maan had gezien.'
'Sorry,' zei Williamson, 'maar waar wil je naartoe?'
'Nou, ik heb een keer gezien dat jij een tatoeage op je arm hebt, een half maantje met een gezicht erin. Ik dacht dat ze het misschien dáárover had. En Virgil begon tegen mij over de man in de maan vanwege mijn oorbellen in de vorm van halve maantjes, en, nou ja, nu vraag ik me af: wat is dat gedoe over de man in de maan?'
'Dat weet ik niet,' zei Williamson. 'Het lijkt me sterk dat Betsy het over mij had. Waarom zou ze? We hebben elkaar nooit gesproken.'
'Ik dacht... ik weet het niet,' zei Jesse. 'Omdat je een beetje op Bill Judd lijkt, en misschien heb je haar weleens geïnterviewd of zoiets.'
'Nee, nooit gedaan,' zei Williamson. 'Ze zat al jaren in dat verpleeghuis toen ik hier kwam wonen.'
'Oké,' zei Jesse. 'Maar toch... toch zou ik met jou eens over Virgil willen praten. Ik ben nu in Worthington, met mijn moeder, en we zijn pas laat terug, pas als de winkels dichtgaan. Maar denk je dat we misschien ergens in Bluestem kunnen afspreken? In de Dairy Queen bijvoorbeeld? Ik denk dat ik om halftien, tien uur wel terug ben.'
'Wacht even... hoe laat gaan ze dicht? De Dairy Queen?'
'Om elf uur.'
'O. Weet je wat? Dan spreken we daar om tien uur af. Ik moet vanavond werken, en daarna loop ik ernaartoe.'
'Tot vanavond dan,' zei Jesse.

Ze beëindigde het gesprek en Virgil liet zich achterover op het bed vallen.
'Geweldig,' zei hij.
'Denk je echt dat hij het heeft gedaan?' vroeg Margaret Laymon vanaf het andere bed, waar ze geamuseerd had zitten toekijken terwijl Jesse en Virgil het telefoontje afhandelden.
'Ja, waarschijnlijk wel,' zei Virgil. 'Maar helemaal zeker weet ik het niet. Als hij vanavond komt opdagen, kan hij zijn eigen graf graven. Of hij kan zichzelf van alle blaam zuiveren. En dan kan ik, welke van de twee het ook wordt, een belangrijke verdachte van mijn lijst schrappen.'
Margaret keek haar dochter aan. 'Ik zei het je toch? Een smeris in hart en nieren.'

24

De politiemensen van buiten de stad stonden bij de saladebar en Virgil herkende een hulpsheriff uit Dodge County, met wie hij een paar maanden daarvoor een klus had gedaan. Hij heette Steve Jacobs. Nadat ze hun telefoongesprek met Williamson hadden beëindigd, nam hij Jesse mee en stelde hij haar aan Jacobs voor. Jacobs was in gezelschap van een andere hulpsheriff, ene Roger Clark uit Goodhue County. Virgil vertelde hun over de moorden in Bluestem en dat Jesse een van de mensen was die werd bedreigd.
'Het zou mooi zijn als we haar tot vanavond lijfelijke bewaking konden verschaffen,' stelde Virgil voor.
'Ik verschaf haar lijfelijke bewaking zo lang ze maar wil,' zei Jacobs.
'Ik ook,' zei Clark.
'Ha, ha, ha,' zei Jesse, maar ze genoot van de aandacht.
'Ik meen het, Jesse,' zei Virgil. 'Ik wil niet dat je alleen naar buiten gaat. Die Todd is een slimme vogel, en zolang we nog niet weten hoe we hem kunnen pakken, moet je voorzichtig zijn.'
'Mama en ik wilden gaan winkelen, daarna hier terugkomen en een film bekijken,' zei Jesse.
'Als je er maar voor zorgt dat je niet alleen bent,' zei Virgil. 'Dan kan je weinig gebeuren, denk ik. Ik ben om acht uur terug met je zendertje. Als je ook maar het geringste vermoeden hebt dat er iets niet in de haak is, ga je naar Steve of Roger hier, of naar een van de andere hulpsheriffs, en zeg je het.'
'Ik red me wel,' zei Jesse.
'We houden wel een oogje op haar,' zei Jacobs.
'Wat ga jij doen?' vroeg Jesse aan Virgil.
'Ik heb een afspraak bij de brandweer voor een korte cursus EHBO, en daarna ga ik wat rondneuzen en kijken of ik Todd kan vinden zonder dat het te veel opvalt.'
'EHBO?'
'Ja, je weet wel, om mensen het leven te redden,' zei Virgil.
Ze fronste haar wenkbrauwen en schudde haar hoofd. 'Het zal wel. Pas goed op jezelf.'
Virgil liet haar achter bij Jacobs en Clark, reed terug naar Bluestem en

maakte een tussenstop bij de brandweerkazerne. Een grote man met een hangsnor wachtte hem op, nam hem mee naar de EHBO-kast en deed de deur open. 'Alsjeblieft,' zei hij.

Op de terugweg naar Bluestem belde hij Joan. 'Waar ben je?'
'In het postkantoor,' zei ze.
'Wat ga je daarna doen?'
'Hm, misschien ga ik naar huis, een beetje tv-kijken,' zei ze. 'Wat ben jij aan het doen?'
'Ik probeer mijn dierlijke lusten te bedwingen.'

Het mooie van seks overdag, dacht Virgil, is dat je kunt kijken. Vrouwen houden niet zo van kijken, wat begrijpelijk is, want die moeten naar mannen kijken, en vrijende mannen zijn volkomen oninteressant, tenminste, dat vond Virgil. Naar vrijende vrouwen kijken, was een stuk leuker. Daarom hield hij van seks overdag.
En Joan zei: 'Ik moet hiermee ophouden en op zoek gaan naar regelmaat in mijn leven.'
'Je hád regelmaat in je leven,' zei Virgil.
'Dat klopt,' zei ze. 'Eén keer per jaar is regelmatig. Maar niet erg frequent. Ik heb behoefte aan regelmaat én frequentie. En verdomme niet op alle momenten van de dag, 's morgens, 's middags en 's nachts.'
'De zogenaamde middagwip.'
'Weet je, die term wordt al vijftig jaar niet meer gebruikt,' zei ze. 'Wat ben je toch een kleinsteeds mannetje.'
'Ik heb hem anders al vier keer gehoord sinds ik hier ben,' zei Virgil. 'Op de een of andere manier blijft die in je hoofd zitten.'
'Hopelijk is daar genoeg ruimte voor je verzameling kleinsteedse gemeenplaatsen,' zei Joan.
'Kus m'n...,' zei Virgil.

Ze draaide zich op haar buik en vroeg: 'En, wat is het grote mysterie?'
'Ik ga Todd Williamson vanavond de gelegenheid geven zijn hoofd in de strop te steken. Of zichzelf vrij te pleiten. Ik neem met beide genoegen.'
Haar wenkbrauwen gingen omhoog. 'Hoe was je dat van plan?'
'Dat is gecompliceerd en geheim. Maar we hebben twee kansen. Als ik hem van mijn verdachtenlijst kan schrappen... hm. Laat maar zitten.'
Op weg naar buiten zag Virgil een dikke stapel formulieren in diverse kleuren op de keukentafel liggen. 'Oogstverzekering,' zei Joan. 'Alles wat de federale overheid aanraakt, vermenigvuldigt zich tot het vier- of vijf-

voudige, en het kost je dagen om alles in te vullen. En daarna moet je het nóg een keer doen.'
Virgil bekeek het bovenste formulier. 'Jezus, ik begrijp die woorden niet eens.'
'Die vormen een soort voorspel,' zei ze, 'voor hun bureaucratische gang-bang. Kijk zelf maar.'

Virgil reed bij Joans huis weg en passeerde de achterkant van het kantoor van de krant.
Hij voelde zich terneergeslagen, een beetje bedroefd.
Hij zag Williamsons busje staan, dus Williamson was waarschijnlijk binnen. Hij zette zijn pick-up op het parkeerterrein van Ace Hardware, twee straten verderop, hield twintig minuten lang de voorkant van het kantoor in de gaten maar zag niets gebeuren. Hij reed door en parkeerde achter McDonald's, zodat hij door de ramen van het restaurant naar het kantoor van de krant kon kijken en hij zich min of meer onzichtbaar voelde. Hij had daar drie kwartier gezeten toen Williamson zijn kantoor uit kwam, snel de straat in liep, halverwege overstak en bij Johnnie's Pizza naar binnenging. Vijf minuten later kwam hij naar buiten met een pizzadoos en een kartonnen frisdrankbeker in zijn handen. Hij liep terug naar zijn kantoor en ging weer naar binnen.
Williamson was dus aan het werk. Virgil belde Stryker. 'Ik heb vanavond jou en een stuk of zes hulpsheriffs nodig: de Curly's, Jensen, Carr en nog twee mensen. Vanaf acht uur. Tot zo lang het duurt.'
'Wat gaan we doen?'
'Surveilleren en misschien een arrestatie. Iedereen krijgt instructies, om acht uur in het stadhuis. Zeg dat ze op tijd komen en dat ze hun mond dicht houden. Ik wil niet dat een van de andere hulpsheriffs ervan weet.'
'Denk je dat...'
'Er zou iets kunnen gebeuren. Of niet. Ik kan geen risico's nemen.'

Na het telefoontje bleef hij nog tien minuten in de pick-up om op zijn laptop naar het nieuws te kijken. Vijf uur. Het zou een lange avond worden. Hij had de afspraak van Williamson en Jesse Laymon expres laat gepland, want hij vermoedde dat de moordenaar zich in het duister veiliger zou voelen. Er waren dan minder mensen buiten en als de moordenaar naderhand achter Jesse aan ging, zou hij gemakkelijker te volgen zijn.
Hij moest nog lang wachten. Misschien kon hij teruggaan naar Joan? Nee, beter van niet. Hij dacht erover na, startte de pick-up en reed terug naar Worthington.

Margaret en Jesse waren in hun motelkamer en keken naar een film over stijve Britse dames en heren die begin negentienhonderd in Londen woonden.
'We zitten er helemaal in, in de film, dus kunnen we de planning misschien daarna doen? Hij duurt nog maar twintig minuten.'
'We hebben tijd genoeg,' zei Virgil. Hij legde het etui met de afluisterapparatuur op het nachtkastje en ging naar de lounge, waar hij een biertje dronk en naar het laatste stuk van een wedstrijd tussen de Twins en de White Sox keek. Om zeven uur ging hij terug naar de motelkamer.

'Je loopt wel enig risico,' zei hij tegen Jesse, 'maar minder dan wanneer we hem zijn gang laten gaan. Ik denk niet dat hij je in de Dairy Queen iets zal doen, maar voor de zekerheid zetten we daar een hulpsheriff neer – ik dacht aan Margo Carr – met een ijsje en een pistool.'
'Als Todd gestoord is,' zei Margaret, 'hoe weten we dan zeker dat hij niet meteen doordraait en mensen begint dood te schieten?'
'Omdat hij, als hij gestoord is, dat op een speciale manier is,' zei Virgil. 'Hij is een planner. Hij is heel nauwgezet. Hij zal wel doen wat hij zich heeft voorgenomen, maar hij zal het risico dat hij wordt gepakt zo klein mogelijk houden. Hij gaat niet meteen wild om zich heen schieten.'
'Wat gaat hij volgens jou dan wel doen?' vroeg Jesse.
'Hij gaat met je praten, je inpalmen, proberen erachter te komen wat je van plan bent. Naderhand komt hij je pas achterna. Misschien heeft hij een geweer in zijn pick-up, komt hij naast je rijden als je op weg naar huis bent en waagt hij een schot op je als je de snelweg af bent. Of hij laat zijn pick-up ergens staan en komt lopend naar jullie huis, om jullie allebei te vermoorden. Daar hopen we eigenlijk op.'
'Daar hópen jullie op?' riep Margaret.
'Jim Stryker en ik en de Curly's en Larry Jensen zitten vlak achter hem. Margo zit in de Dairy Queen. Twee extra hulpsheriffs zitten al in jullie huis. Die zetten we daar al vroeg af. Ik heb een huissleutel van een van jullie nodig. Dus Jesse gaat naar de Dairy Queen en praat met Todd. Daarna stapt ze in haar pick-up en rijdt ze weg. Als ze op de snelweg is, begint het pas echt.' Hij keek Jesse aan. 'Je rijdt zo hard als je zelf prettig vindt.'
'Ik voel me het prettigst bij honderdveertig,' zei ze.
'Uitstekend. Het is maar een kilometer of vijf tot jouw afslag, en als je er flink de sokken in zet, kan hij je niks doen voordat je thuis bent. Vóór je op de snelweg rijden twee mensen van ons. Als je thuis bent, ga je door de achterdeur naar binnen en loop je meteen door naar de kelder. Onze mensen die voor je zitten, rijden de afslag voorbij, stoppen een stukje verder-

op en komen dan lopend terug. Dus als hij jou tot aan het huis volgt, hebben we twee man binnen, twee man buiten, en nog twee man die achter hem aan gereden zijn.'

'Wat moet ík al die tijd doen?' vroeg Margaret.
'Ik zou graag willen dat je hier blijft,' zei Virgil. 'Of dat je in mijn hotelkamer in Bluestem wacht. We houden je op de hoogte van alles wat er gebeurt.'

Virgil pakte het etui met de afluisterapparatuur en trok de rits open. Het zendertje was niet groter dan een luciferdoosje en de twee microfoontjes waren zo plat als muntjes. 'Dit is het zendertje,' zei Virgil, en hij liet het aan de twee vrouwen zien. 'En dit zijn de microfoontjes, die allebei een eigen kanaal hebben. Alles is draadloos, ongeveer zoals een mobiele telefoon, maar de geluidskwaliteit is veel beter. We plakken de microfoontjes op je borst – je kunt het best een T-shirt aantrekken – en haken het zendertje achter de band van je spijkerbroek, op je rug. Zo kunnen we jullie horen en alles opnemen wat er wordt gezegd.
Als jullie aan de praat raken, probeer je hem uit te horen over zijn tatoeage en die "man in de maan"-praatjes,' vervolgde Virgil. 'En dat hij geweten moet hebben dat Judd zijn vader was, want hoe kan een journalist in de Twin Cities, toch een nieuwsgierig mens, met al die archieven in St. Paul, nou níét willen weten wie zijn vader is? En had hij dan geen grootouders, en zouden die het dan niet weten? Hij zal het niet leuk vinden dat je hem die vragen stelt en waarschijnlijk wordt hij zelfs boos. Ja, ik denk wel dat hij je achterna komt.'
'En als hij dat niet doet?' vroeg Jesse. 'Als hij gewoon naar huis gaat en in bed kruipt?'
'Tja, jeetje, dan moeten we overnieuw beginnen en iets anders verzinnen,' zei Virgil. 'Maar hij heeft jou gebeld omdat hij iets van plan is. Tenminste, dat denk ik.'
'Ik wilde dat het achter de rug was,' zei Jesse.
'Dat willen we allemaal,' zei Virgil. 'Nou, zou je nu je shirt willen uittrekken?'

Toen hij voor de tweede keer Worthington uit reed, om halfacht, was de afluisterapparatuur grondig getest, zowel het directe geluid als het opnamesignaal, en wist Jesse wat ze moest doen.
Om vijf over acht parkeerde Virgil de pick-up voor het stadhuis. De zon stond nog net boven de horizon, wierp lange schaduwen in Main Street, en

het oranje licht werd weerkaatst door de ramen op het westen. Om een paar minuten voor negen zou de zon helemaal onder zijn.
Virgil werd opgewacht door Stryker, de twee Curly's, Jensen, Carr en twee jongens die Padgett en Brooks heetten.

Virgil zat op de hoek van Strykers bureau. 'Ik heb bewijs verzameld dat aangeeft dat Todd Williamson mogelijk de Gleasons, de Schmidts en vader en zoon Judd heeft vermoord. Ik ga hem dat bewijs voorleggen, vanavond, met de hulp van Jesse Laymon, in de hoop dat hij zich gedwongen zal voelen een ondoordachte daad te begaan. Ze ontmoeten elkaar om tien uur in de Dairy Queen. Na het gesprek, dat ik meeluister en opneem, vertrekt Jesse zo snel mogelijk naar huis, zó snel dat Williamson niet de kans krijgt haar in een hinderlaag te lokken of haar van de weg te rijden.
Padgett en Brooks...' Virgil knikte naar de twee nieuwe hulpsheriffs, '... zijn dan al in haar huis en wachten haar op. Jim en Larry houden in de gaten waar Williamson zich bevindt en volgen hem als hij naar de Dairy Queen gaat. De twee Curly's blijven áchter de Dairy Queen, in aparte auto-'s. Zodra Jesse naar buiten komt, wil ik dat jullie voor haar uit richting haar huis rijden. De rest rijdt achter Williamson aan, zodat we hem in de tang hebben als hij rare dingen van plan is.'
'En ik?' vroeg Carr.
'Wat ik voor jou heb is een beetje link, als je bereid bent het te doen,' zei Virgil. 'Ik wil jou in zijn directe omgeving. Maar gewapend, want die gast is gevaarlijk. Je blijft in je auto zitten en zodra Larry ziet dat Williamson de Dairy Queen binnengaat, ga je hem achterna, je koopt een ijsje en dat ga je buiten, op een van de bankjes bij de deur, zitten opeten. Met één hand op je pistool.'
Ze glimlachte. 'Klinkt goed.'
'En waar ben jij?' vroeg Stryker aan Virgil.
'Ik zit in mijn pick-up en sta achter Jane's Nagelstudio geparkeerd. Ik moet in het donker blijven, maar ook binnen radiobereik, om het gesprek te kunnen volgen.'
'Ik heb een paar vragen,' zei Brooks.

'Goed, laten we de details doornemen,' zei Virgil. 'Maar eerst: we moeten een uur van tevoren in positie zijn, om negen uur. Williamson is nu in zijn kantoor, we mogen hem niet uit het oog verliezen.' Hij liep naar de plattegrond van Bluestem, aan de muur achter Strykers bureau, en wees twee straathoeken aan. 'Ik stel voor dat Stryker en Jensen zich hier en hier

opstellen, zodat ze de voor- en achterdeur van Williamsons kantoor in de gaten kunnen houden.'
Toen hij klaar was, vroeg Carr: 'En als Todd niks doet, gaan we dan allemaal gewoon weer naar huis?'
'Nee. We gaan hem serieus op de kast jagen, totdat hij niet langer het risico kan nemen dat Jesse Laymon met mij praat. Ik denk dat hij wel iets móét doen. Als Jesse vertrekt en Williamson naar huis gaat, of terug naar zijn kantoor, of waar ook naartoe, blijven we hem schaduwen. In elk geval de rest van de nacht. En voor het geval hij toch op de een of andere manier aan ons weet te ontsnappen, wil ik dat Padgett en Brooks vannacht bij Jesse blijven.' Hij knikte naar de twee mannen. 'Als er niks gebeurt, kom ik morgenochtend vroeg naar jullie toe, breng ik Jesse terug naar haar schuilplek en probeer ik iets anders te verzinnen.'
'Het klinkt allemaal een beetje wankel,' zei Brooks.
'Dat is het ook, heel wankel zelfs,' zei Virgil. 'Maar om je de waarheid te zeggen, met wat ik nu aan bewijs heb, en wat ik waarschijnlijk nog zal vinden, denk ik niet dat we genoeg hebben voor een veroordeling. Dan gaat hij vrijuit, tenzij hij nog iemand vermoordt en een fout maakt. We moeten de gok nemen.'
'Daar is niks op tegen,' zei Brooks. 'Ik zeg het alleen maar.'
'En ik begrijp wat je bedoelt,' zei Virgil. 'Maar geloof me, ik maak me meer zorgen dan jij.'

'En als hij het echt niet heeft gedaan?' vroeg Jensen.
Virgil glimlachte. Hij had die vraag verwacht. 'Dat is bijna net zo goed,' zei hij. 'Als we hem van de lijst kunnen schrappen, denk ik dat ik wel kan uitvissen bij wie we dan moeten zijn. We beschikken over redelijk veel details, als je het materiaal schift.'
'Wat voor details?' vroeg Stryker.
Virgil haalde zijn schouders op. 'Ik heb aantekeningen gemaakt. Kleinigheden. Ik zal ze je later laten zien.'

Ze namen de operatie nog een keer door, maar het was geen kernfysica, dus om kwart voor negen waren ze al klaar. Ze waren allemaal scherp, erop gebrand om te beginnen, en tegen negen uur, toen Virgil alleen in zijn pick-up zat, belde hij Jesse. 'Ben je er klaar voor?'
'Ja. Maar ik ben een beetje zenuwachtig.'
'Goed zo,' zei Virgil. 'Dat hóór je te zijn. Margo Carr zit straks buiten. Je hoeft maar één kik te geven en ze is binnen, gewapend. Ik ben vijf seconden van je vandaan, op de hoek bij Sherwin-Williams. Nou, denk aan wat

we hebben afgesproken. Je belt me als je bij de afslag bent, zodat wij Margo op weg kunnen sturen, en nog een keer als je bij de Dairy Queen komt. Ik zorg ervoor dat je veilig naar binnen kunt. Dus je stapt pas uit je pick-up als ik je het groene licht geef.'
'Oké. Ik vertrek hier om halfnegen.'
'Hou contact met me,' zei Virgil. 'Je hebt mijn nummer. Bel me, voor wat dan ook.'

Om tien over negen zat Virgil achter twee plastic vuilnisbakken bij de achterdeur van Jane's Nagelstudio, met het dopje van zijn mobiele telefoon in zijn ene oor en het dopje van de politieradio in het andere. Stryker meldde zich. 'Alles oké. Ik heb Williamson in beeld. Hij is in zijn kantoor. Ik heb zijn hoofd net achter het raam gezien, haarscherp.'
'In zijn huis is alles donker,' zei Jensen. 'Ik kom nu naar zijn kantoor, naar het straatje erachter.'
Een minuut later: 'Ik ben er. Zijn busje staat bij de achterdeur.'
Nog een minuut later zei Stryker: 'Ik heb hem weer gezien. Hij is nog aan het werk.'

Stryker zag hem nog twee keer en de wijzer van de klok kroop naar halftien.
Virgil zei: 'Luister, allemaal, Jesse is onderweg. Margo, ben je daar?'
'Ik zit in mijn auto, bij mijn huis,' zei ze. 'Ik kan er binnen twee minuten zijn.'
'Big Curly?'
'Hier.'
'Little Curly?'
'Ik kijk naar de Dairy Queen.'
'Oké, rustig aan, allemaal.'
Maar zelf voelde Virgil zich helemaal niet zo rustig. Hij lag achter de twee vuilnisbakken, met zijn riotgun, en keek naar zijn pick-up aan de overkant van de straat. Negen uur tweeëndertig. Negen uur vijfendertig.

Maar...
... hij schatte de kans dat Williamson de moordenaar was op ongeveer dertig procent, een op drie. En áls Williamson het was, dan zou hij Jesse in de Dairy Queen ontmoeten en zou Jesse hem confronteren met een heleboel zaken die Virgil haar had ingefluisterd: dat hij een strafblad had, dat hij eigenlijk Lane heette, dat hij geweten moest hebben dat hij Judds zoon was, en ze zou hem uitdagen met Betsy Carlson te gaan praten, om te kij-

ken of Betsy wist wie hij was. Als het zo zou gaan, zou Williamson haar naar haar huis volgen en proberen haar te vermoorden, en zouden zij hem pakken.

Maar de Curly's hadden bewezen dat ook zij tot onfrisse zaken in staat waren. Big Curly was erbij geweest in de nacht dat Maggie Lane was omgekomen, en hij moest gezien hebben dat ze halfdood was geslagen voordat ze verongelukte. En ze hadden met een plaats delict geknoeid, dat was zeker. Ze zeiden dat het Todd Williamson was die Jesse Laymon als mogelijke verdachte had opgevoerd, en Big Curly had gezegd dat hij Williamson in het huis van de Gleasons had binnengelaten en dat die daar waarschijnlijk het boek *Openbaring* had neergelegd. Maar dat was wat de Curly's zeiden...
Een andere mogelijkheid: een van de Gleasons, die wist dat er een luchtje aan de dood van Maggie Lane zat, had zich tot het geloof bekeerd. Misschien zelfs met de hulp van Feur. En om hun ziel te redden, waren ze erover gaan praten, om hun geweten te ontlasten. Dus waren de Gleasons tot zwijgen gebracht door iemand anders die bij deze doofpotaffaire betrokken was geweest: Big Curly.
Judd had iets vermoed, dus Judd moest er ook aan.
Roman Schmidt was begonnen de stukjes in elkaar te passen, dus ook de Schmidts moesten dood.
Dertig procent kans, dacht Virgil.

Maar de familie Stryker zat er evengoed in, en diep ook. Ze hadden een motief om zich van de Judds te ontdoen, want Judd was schuldig geweest aan de dood van hun vader en echtgenoot. En toen Amy Sweet aan Virgil had bekend dat ze haar bridgeclubje had verteld over Judds ethanolfabriek, had Virgil van de leden van de bridgeclub maar één naam herkend, die van Laura Stryker. Dus ten minste een van de Strykers had geweten dat Judd van plan was weer met ethanol te beginnen, een mogelijke zwendel die wel heel erg leek op die met de jeruzalemartisjok.
Het was mogelijk, dacht Virgil, dat de Strykers, een van hen of alle drie, helemaal niet wilden dat Williamsons naam werd gezuiverd, wat Virgil een uur geleden als mogelijkheid had aangegeven. En Stryker had een gewelddadig trekje, zoals Jesse hem had verteld. Hij had Feur en de man die ze John noemden doodgeschoten zonder met zijn ogen te knipperen.
Twintig procent kans, voor één Stryker of alle drie.

Er bestond een mogelijkheid, hoewel ze daar nooit duidelijkheid over zouden krijgen als het zo was, dat het toch George Feur was geweest die overal achter zat, zoals Jim Stryker geloofde. Goed genoeg om in gedachten te houden, want Stryker was niet dom.
Vijftien procent.

Margaret Laymon was een andere mogelijkheid, hoewel Virgil echt niet kon geloven dat zij die revolver in Jesses laars had gestopt. Hij kon ook niet bedenken welke reden ze daarvoor kon hebben gehad.
Dan bleven nog over Jensen en Margo Carr. Er was íémand die het boek *Openbaring* had neergelegd, en de Salem-peuk bij de achterdeur, en die had geweten dat Carr die zou oprapen.
Deze drie tezamen: vijftien procent.

Dat bracht het totaal op honderdtien procent.

Virgil had ze nu allemaal van elkaar gescheiden, en er bestond een kans dat een van hen zich ernstige zorgen maakte. Hij had iedereen op de mouw gespeld dat hij over meer informatie beschikte, en dat hij meer ideeën had over wie de dader kon zijn.
Dus misschien was een van hen, de gestoorde, de man in de maan, nu wel met een wapen onderweg naar hém, om zich van het probleem Virgil Flowers te ontdoen.
En als niemand dat deed? Nou, dan was het misschien toch Feur geweest. Misschien...

Virgil keek op zijn horloge. Kwart voor tien.
Het móést Williamson zijn, dacht Virgil. Hij was nog in zijn kantoor, onder surveillance.
Als het een van de anderen was, zou hij of zij allang in actie zijn gekomen.
Of misschien was het wel een samenzwering en kwamen ze allemaal tegelijk...
Op dat moment maakte Moonie zich los uit de schaduw...

25

Virgil had net met Stryker gesproken. 'Doet hij al iets?'
'Nee, niks. Het licht brandt nog.'
'Heb je gezien of hij...'

Op dat moment kwam er achter de heg bij de Sherwin-Williams-winkel een gedaante vandaan, helemaal in het zwart gekleed, maar met reflecterende strepen op de hielen van zijn sportschoenen, piepkleine, bewegende lichtbakens in het duister. Het was moeilijk te zien, maar het was een hij. Williamson kon het niet zijn, want die was nog op kantoor.
Half voorovergebogen en geruisloos rende de moordenaar naar de achterkant van Virgils pick-up en sloop langs de zijkant. Virgil kwam half overeind toen de gedaante de loop van een riotgun omhoog bracht, op het voorportier richtte, een stap achteruit deed en een enkel schot loste dat als donder en bliksem door het duister klonk, het zijraampje in een wolk van glassplinters veranderde en de hele kop van de EHBO-pop, die achter het stuur zat, eraf blies.
In de flits van het schot zag Virgil zijn gezicht.

'Williamson!' riep Virgil. 'Leg dat wapen op de grond.'
Virgil had het nog niet gezegd of Williamson, die hem nooit als bijzonder lenig was voorgekomen, draaide zich om zijn as, maakte een pompbeweging met zijn linkerhand en vuurde, maar het schot ging ver naast. Virgil liet zich op de grond vallen en loste zelf ook een schot, maar Williamson was al verdwenen. Virgil meende dat hij redelijk goed had gemikt, hoewel hij al jaren wist dat een riotgun niet erg zuiver was op de langere afstand. Die verdomde Williamson!
Hij hoorde Strykers stem via de radio en riep: 'Williamson is ontsnapt. Hij is achter Sherwin-Williams langs gerend. Trap de deur van zijn kantoor in en overtuig je ervan dat hij niet terug is gekomen. Hij heeft een riotgun en wie weet wat nog meer, en hij schiet, dus wees voorzichtig. De anderen: blijf in je auto en probeer erachter te komen waar hij naartoe is gegaan.'
'Alles oké met jou?' Stryker schreeuwde nog steeds.
'Ja. Ik ben alleen geschrokken. Pas goed op, allemaal. Laten we kijken of

we hem kunnen insluiten. Margo, ben je daar? Jensen?'
'Hoe is hij ontsnapt?' riep Stryker. 'Hoe is hij verdomme buiten gekomen?'

Iedereen meldde zich vanuit de auto.
Little Curly: 'Ik ga bij de spoorbaan kijken.'
Big Curly: 'Ik ben achter Marvin's en rij richting graansilo.'
Een paar seconden later ging het tornadoalarm af. De hulpsheriff van de meldkamer belde. 'Ik ben iedereen aan het wakker maken met het weeralarm. Binnen vijf minuten weet de hele stad dat het Williamson is en zullen ze allemaal uit het raam kijken.'
Margo Carr: 'Kan hij teruggegaan zijn via Poplar? Als hij de rivieroever weet te bereiken, zal hij moeilijk te zien zijn.'
Jensen: 'Tommy, geef nog een bericht uit: zeg tegen de mensen dat ze hun deuren op slot doen en dat ze ons bellen als iemand een auto probeert te stelen.'
Tommy: 'Louis Barth zegt dat hij iemand door het steegje achter zijn huis heeft zien rennen, een minuut geleden.'
Carr: 'Ik ben daar vlakbij, ik ga kijken.'
Virgil trok het portier van de pick-up open, gooide de onthoofde pop achterin, veegde het glas van de stoelzitting, startte en riep: 'Wees voorzichtig, Margo. Laat je niet in een hinderlaag lokken. Waar moet ik naartoe, weet iemand dat?'
Hij zag knipperende lichten ten noorden van hem, reed die kant op en zag nog meer knipperende lichten naderen. De meldkamer zei: 'Ik heb iedereen die kant op gestuurd, Margo. We komen naar je toe...'

Virgil hoorde een schot, niet ver weg, niet meer dan een paar straten van hem vandaan, en riep: 'Geweervuur, we hebben geweervuur'. Hij zag de knipperende lichten voor zich uit, sloeg links af, gaf gas, sloeg nog een keer links af, zag een patrouillewagen dwars op de weg staan, een lichaam op de grond, Stryker ernaast, en hoorde via de radio: 'Margo is uitgeschakeld, ze is geraakt. Hij heeft haar auto gepikt, rijdt op Clete, in oostelijke richting, draait nu de 75 op, naar het noorden...'
Virgil sprong uit de pick-up en Stryker riep: 'Ze is er slecht aan toe, heel slecht...'
'We leggen haar in je wagen en jij rijdt haar naar het ziekenhuis.' Samen tilden ze haar op de achterbank van de patrouillewagen. Ze had hagelwonden in haar gezicht en hals, was half bij bewustzijn en bloedde hevig. Stryker scheurde weg en Virgil riep in zijn radio: 'Meldkamer, bel spoedeisen-

de hulp en zeg dat er iemand met een ernstige schotwond onderweg is. We hebben een chirurg en zakken bloed nodig.'
'Ik geloof dat ik hem zie,' meldde Jensen. 'Ja, ik zie hem.'
Big Curly: 'Ik zie hem ook, hij rijdt naar het noorden op de 75.' En een derde hulpsheriff, die Virgil niet kende: 'Ik rij in zuidelijke richting op de 75, ben Ambers net gepasseerd, maar ik heb hem nog niet gezien.'
Virgil manoeuvreerde de pick-up achteruit de straat uit, reed door naar de hoofdstraat, zag de blauwe knipperende lichten voor zich uit en ging ze achterna, gevolgd door nog meer blauwe knipperende lichten, van elke smeris die de stad rijk was. Jensen meldde: 'Hij mindert vaart bij het staatspark, draait het park in, rijdt de heuvel op, naar het huis van Judd. Hij rijdt zichzelf klem.'
Virgil: 'Meldkamer, licht de mensen in de omgeving van de heuvel in. We willen geen andere auto's op weg naar boven. Zeg dat ze hun koplampen richting heuvel draaien, maar uit hun auto stappen en in het donker erachter gaan zitten wachten totdat hij de heuvel weer af komt.'

Virgil reed tweehonderd meter achter Big Curly, die tweehonderd meter achter Jensen zat, die op zijn beurt zo'n achthonderd meter achter Williamson reed. Virgil zag Carrs patrouillewagen, met Williamson achter het stuur, de heuvel oprijden, toen Jensens remlichten opgloeiden, hij het park in draaide, Big Curly achter hem hetzelfde deed. Even later minderde ook Virgil vaart. Toen zei Jensen: 'Jezus christus! Hij rijdt de heuvel af richting ravijn, hij rijdt recht op Buffalo Jump af. Hij rijdt verdomme recht op het ravijn af!'
Virgil draaide het park in, keek naar boven en zag de achterlichten van de voorste auto, met Williamson, een sprongetje maken, daarna nog een sprongetje, en toen uit het zicht verdwijnen.
'Hij is over de rand gekukeld,' riep Jensen. 'Jezus, hij is het ravijn in gereden.'
Virgil riep: 'Meldkamer, stuur mensen naar de bodem van Buffalo Jump. Larry, blijf waar je bent. Draai je auto zo dat je koplampen op de helling gericht zijn. Big Curly, rij naar Larry toe en doe hetzelfde. Wacht op me; ik kom naar jullie toe. Ik durf te wedden dat hij uit de auto is gesprongen voordat die over de rand ging.'
En toen was hij er, minderde vaart, reed langs de tweede patrouillewagen, daarna langs Jensen, liet het licht van zijn koplampen over de heuvel gaan, maar zag niets bewegen. Hij sprong uit de pick-up, liep naar Jensen en Big Curly en zei: 'Achteruit, jongens, uit het licht. Blijf in het donker.'

‘Ik zie niemand,’ zei Jensen. Hij en Big Curly hadden allebei een riotgun. Virgil klom achter in de pick-up, deed de gereedschapskist open en haalde er zijn halfautomatische .30-06 en twee magazijnen uit. Uit zijn plunjezak haalde hij een camouflageshirt met lange mouwen, dat hij tijdens de kalkoenenjacht altijd droeg, en trok het aan.
‘Jullie blijven hier en houden het verlichte deel van de helling in de gaten. Als hij niet over de rand is gegaan, zal hij een keer in beweging moeten komen.’ Hij sloeg een magazijn in het geweer en haalde de grendel over. ‘Als je hem ziet, roep dan naar me. Ik kan mijn radio niet meer gebruiken, dan verraad ik mezelf.’
‘Wat ga jij doen?’ vroeg Big Curly.
‘Ik ga om de heuvel heen kruipen. Als hij niet dood op de bodem van het ravijn ligt, moet hij nog ergens op de heuvel zijn. Misschien is hij naar de andere kant geslopen.’
‘Man, misschien kunnen we beter wachten,’ zei Jensen.
Virgil schudde zijn hoofd. ‘Kunnen we niet doen. Als het hem lukt de heuvel af te komen, heeft hij kilometers maisvelden aan alle kanten. Dan vinden we hem uiteindelijk ook wel, maar misschien pas nadat hij een paar boeren heeft vermoord om hun auto te pikken. Wat wij moeten doen, Larry, is elke smeris en hulpsheriff die je kunt vinden hiernaartoe laten komen en de hele heuvel rondom afzetten. Het zal hem tijd kosten om beneden te komen.’
‘Misschien moeten we een paar honden laten komen,’ zei Big Curly.
Virgil knipte met zijn vingers. ‘Goed idee. Doe dat, nu meteen. En als ze hier zijn, zeg dan tegen de begeleiders dat ze ze laten blaffen vanaf de voet van de heuvel, zodat hij denkt dat ze naar boven komen.’
‘We kunnen ze toch de heuvel op laten komen?’ zei Big Curly.
‘Nee, nee,’ zei Virgil. ‘Als hij mensen met honden naar boven ziet komen en denkt dat hij in de val zit, gaat hij naar beneden schieten. Dan kan hij de begeleiders raken, en dat willen we niet. Blaffende honden, dat willen we, maar geen drijfjacht in het donker. Ik ga hem zoeken. Blijf de verlichte helling in de gaten houden en als je hem ziet...’
‘Oké, als je maar oppast,’ zei Jensen.
‘En als het hem is gelukt de voet van de heuvel te bereiken, druk je een paar keer op de claxon van je auto,’ zei Virgil. ‘Dan kom ik terug.’

Vroeger, in de goeie ouwe tijd, in de vijfde, de zesde, de zevende en misschien ook nog wel in de achtste klas, toen het onderwerp ‘vrouwen’ nog niet aan de orde was, hadden Virgil en zijn vrienden vaak oorlogje gespeeld, altijd op een zwoele zomeravond en altijd in het vallende duister.

Hun munitie haalden ze van de appelbomen in de buurt. Onrijpe, groene appels zo groot als een golfbal, van dichtbij gegooid, leverden een even harde dreun op als een linkerhoek. Dekking werd geboden door bomen, schuttingen, heggen, bosjes en uitgegroeid onkruid.
Wat iedereen toen snel leerde, was dat je in het donker, ook met een heldere maan – en er stond een vollemaan aan de hemel toen Virgil door het lange gras de heuvel opsloop – nooit zeker wist wat een mens en wat een schaduw was, en dat je nooit recht naar iemand moest kijken, omdat ze dan konden voelen dat je er was. Je leerde je langzaam te bewegen, zo traag als de schaduw van de maan, die over het land kroop. En als je dat niet leerde, kreeg je een voltreffer achter je oor, dat stond vast, net zoals het vaststond dat God kleine, groene appeltjes had geschapen.

Het oorlogje spelen zat Virgil nog steeds in het bloed, en de jaren van jagen hadden het alleen maar verfijnd. Hij sloop door het prairiegras, dat tot halverwege zijn dijen reikte, half door de knieën gezakt en voorovergebogen, eerst snel, weg van het licht van de auto's, daarna langzamer, op de tast langs scherpe rotspunten, stekelige struiken en doornige prairierozen.
Williamson had de auto het ravijn in laten rijden op vrijwel dezelfde plek waar de auto van zijn moeder over de rand was gegaan. Als hij er bijtijds uit was gesprongen, kon hij drie kanten op: naar links, langs de heuvel naar het westen, terug, over de top naar het noorden, of naar rechts, schuin omhoog naar het oosten. Naar het zuiden kon hij niet, want daar was het ravijn.
Virgil geloofde niet dat hij via de westkant naar beneden zou gaan, want dan zou hij recht in de armen van de arriverende politiemensen lopen, en bovendien zou hij dan de weg moeten oversteken. Hij kon naar het noorden zijn gegaan, maar dan moest hij door het licht van de auto's van Jensen en Big Curly.
Het waarschijnlijkst, dacht Virgil, was dat Williamson naar rechts was gelopen, naar het oosten, langs het ravijn, of naar het noordoosten, er in een flauwe hoek vandaan. Op die manier vermeed hij de weg die bij de restanten van Judds huis eindigde. Dan kon hij onder het huis langs lopen, daarna een meer noordelijke richting kiezen, over de top gaan en die kant van de heuvel afdalen tot de zee van maisvelden zich voor hem uitstrekte.
De mais stond hoog genoeg om ongezien tussen de rijen door te rennen. En ergens onderweg zou hij stuiten op een boerderij waar hij een auto kon pikken.

Als Virgil gelijk had, dan zouden hun paden elkaar boven Judds huis kruisen.
Als hij het mis had, als Williamson een meer noordelijke route had gekozen en het hem gelukt was de weg over te steken, dan zou Williamson zich achter en boven hem bevinden.
Dat zou niet goed zijn.
Virgil bleef tien tellen stilstaan en luisterde. Hij hoorde de mannen roepen, ver weg, maar geen autoclaxon. Williamson was er nog. Virgil hoorde de krekels, het ritselen van het stugge gras in de avondbries en het ruisende klapwieken van de nachtzwaluwen. Hij spitste zijn oren en concentreerde zich, maar verder hoorde hij niets.
Hij liep door.

Williamson rende weg van de auto, door het duister, met de riotgun tegen zich aangeklemd, zonder precies te weten waar hij naartoe moest. Hij had er een zootje van gemaakt, en dit was wat er gebeurde wanneer je ergens een zootje van maakte.
Hij had geweten dat Flowers in zijn pick-up zou zitten om de Dairy Queen in de gaten te houden. Toen dat stomme wijf Jesse Laymon hem belde en over zijn verleden begon alsof ze het zelf had verzonnen, had hij meteen gedacht: je denkt zeker dat ik achterlijk ben? Die afspraak moest een valstrik zijn.
Dat kon niet anders.
Dus had hij een tegenzet bedacht, want er bestond een kans dat Flowers op eigen initiatief handelde, aangezien Stryker en de anderen ook onder verdenking stonden. En als zijn kantoor in de gaten werd gehouden en hij liet zichzelf een paar keer achter het raam zien, en hij ging via het dak naar buiten, tot aan het eind van het blok, daar langs de brandtrap aan de achtergevel van Hartbry's omlaag... en als hij Flowers in zijn pick-up door zijn kop schoot, dan weer terug langs Sherwin-Williams, door het steegje en de brandtrap weer op...
Shit, het was een heel groot risico, maar de pret was toch bijna voorbij. Flowers voerde de druk op hem verder op en als hij het wist van de Williamsons en hoe ze aan hun eind waren gekomen...
Maar als het hem lukte, dan zat hij goed.
Dan was Flowers dood terwijl híj door de sheriff werd geobserveerd.
De riotgun was van Judd junior en al zo oud dat ze er waarschijnlijk nooit achter zouden komen dat die van hem was. Hij kon hem gewoon op straat gooien nadat hij had geschoten.
Hij had zijn plan uitgewerkt, had het even benauwd gekregen, had alles

nog een laatste keer doorgenomen, was naar het dak gegaan om de omgeving te verkennen, had zijn twee observanten gespot – hij kende elke auto in de stad, en zeker die van Stryker en Jensen – en had zichzelf ervan overtuigd dat het moest lukken.
Met het angstzweet op zijn voorhoofd had hij een zwarte coltrui aangetrokken – en hij had het al zo warm –, zijn zwarte handschoenen en zijn zwarte broek.

De coltrui en de handschoenen zou hij in de papierversnipperaar stoppen zodra hij terug was, nam hij zich voor, en door de wc spoelen.
Jezus, wat een risico.
Jezus, wat een gedoe.
Kom op, maak er een eind aan.

En bijna was het hem gelukt.
Hij was er zeker van geweest dat hij Flowers te pakken had. Had Flowers' hoofd door de achterruit van de pick-up gezien. Was doorgelopen naar het voorportier, had de dreun van de riotgun nauwelijks gehoord, had immens genoten van het rondvliegende glas en was weggerend... toen iemand zijn naam riep, hij zich met een ruk omdraaide, iets zag bewegen, erop schoot en besefte dat Flowers hem te slim af was geweest.
En dacht: je denkt zeker dat ik achterlijk ben?

De rest was in een flits van paniek gebeurd. Hij was te voet, hoorde de patrouillewagens van alle kanten komen, zag de knipperende lichten de hoek om komen en had Margo Carr herkend. Hij had zich in de heg verstopt, had zich er gewoon in gedrukt, en toen ze bijna bij hem was...
FLITS-BENG!

Hij had een auto; hij hoorde ze schreeuwen op Carrs radio toen hij haar achter het stuur vandaan trok en op straat gooide, stapte in, scheurde de hoek om, zag meer knipperende lichten en een flitsende lichtbalk op de auto achter hem. Hij had niet nagedacht over waar hij naartoe zou gaan, maar dat bleek naar het noorden te zijn. Meer auto's meldden zich op de radio, hij hoorde iemand roepen waar hij reed, voelde de druk toenemen.
Hij zou niet ver komen in deze auto.
En opgeven was zijn stijl niet.
Zonder na te denken sloeg hij de weg naar het staatspark in, reed het park in tot aan Judds afslag, met druk pratende stemmen op de radio, knipperende lichten achter hem en nog meer op de weg onder hem... stuurde de

auto naar het ravijn dat zijn moeder het leven had gekost en overwoog haar achterna te gaan, er een eind aan te maken.
Maar daar had hij het lef niet voor.
Op het laatste moment liet hij zich uit de auto rollen, met de riotgun tegen zich aan geklemd.
Hij rolde over de rotsbodem, in het duister, terwijl Margo Carrs auto verder de heuvel afreed en over de rand van het ravijn verdween.

Hij krabbelde overeind en begon te rennen. Viel en bezeerde zich. Rustig aan.
Langzamer. Williamson liet zich in het kniehoge gras zakken en begon te kruipen, met de riotgun kletterend over de rotsbodem, krabbelde weer overeind, liep weer een stukje, half door zijn knieën gezakt en voorovergebogen, weg van het licht van de auto's, langs het ravijn, onder de ruïnes van Judds huis langs, weg, waar ook naartoe...
Hij hoorde een steentje vallen; een voetstap. Verroerde zich niet.
Lichten lager op de heuvel en roepende mannen, maar hier was het zo donker als in een kolenkit, en stil.
Weer een steentje. Hij was niet alleen. Een buffel? Er was een hek, dus een buffel kon het niet zijn. Het kon een hert zijn. Het kon die verdomde Flowers zijn.

Virgil zat op de helling, onder een groepje pruimenbomen, niet meer dan een meter of twee hoog, maar stuk voor stuk gewapend met scherpe stekels, niet echt doorns, maar ze deden verdomd veel pijn als je je eraan openhaalde.
Hij zat op een afgebrokkelde rots. Hij had op de middelbare school dan de precisie gemist om een goede pitcher te worden, hij had wel de werparm van een derdehonkman. Dus zat hij op zijn rots, wierp steentjes het duister in, hoorde ze neerkomen en luisterde of hij een reactie hoorde.

Hij hoorde iets wat een voetstap kon zijn, onder hem, een meter of dertig van hem vandaan. Gooide er een steentje naartoe. De stilte werd nog stiller. Interessant. Gooide nog een steentje het duister in en pakte het geweer van de grond. Geen reactie. Nog een steentje...

Williamson had iets zien bewegen. Iemand bevond zich rechts van hem, trapte af en toe een steentje los. Hij concentreerde zich; hij had nog maar drie patronen. Het moest Flowers zijn... toch? Even overwoog hij te schieten, maar deed het niet. In plaats daarvan, en tot zijn eigen verbazing, riep hij: 'Virgil? Ben jij het?'

Virgil hoorde hem duidelijk, onder zich, rechts van de plek waar hij steentjes had gegooid. Hij ging plat op de grond liggen, duwde het geweer voor zich uit.
'Todd? Alles goed met je?'

Williamson: 'Ik schijt zeven kleuren, man.'

Virgil: 'We weten dat je die riotgun hebt. Margo overleeft het wel. Ze is gewond maar ze gaat niet dood. Geef het op.'

Williamson: 'Ga je me niet doodschieten?'

Virgil: 'Je hebt vast wel gehoord dat ik ooit veertien keer op iemand heb geschoten en veertien keer heb gemist. Iedereen in Bluestem weet het. Dus ik ben zeker niet uit op een vuurgevecht.'

Williamson: 'Judd heeft mijn moeder vermoord.'

Virgil: 'Dat weet ik. Een patholoog-anatoom heeft me hetzelfde verteld. Judd heeft haar doodgeslagen met een poolkeu. Ze was al stervende toen ze in het ravijn viel. Je was echt een wonderbaby.'

Williamson dacht te weten waar Flowers stond. Niet meer dan tien, twaalf meter van hem vandaan. Hij kon hem niet zien, maar Flowers hem waarschijnlijk ook niet. Hij kwam half overeind en richtte de riotgun op de plek waar de stem vandaan was gekomen. 'Ik geef het op,' zei hij. 'Wat moet ik nu doen?'

Virgil: 'Gooi de riotgun op de grond.'

Williamson richtte de riotgun, vuurde, pompte een nieuwe patroon in de loop en toen...
Toen lag hij op zijn rug, kletterde de riotgun de helling af en keek hij naar de maan, die bijna vol was. Hij hoorde Flowers roepen, werd verblind door een fel licht en zag dat Flowers naast hem neerhurkte.
De pijn zette in: alles onder zijn middel stond in brand. Hij zei tegen Flowers: 'Dat was niet zo slim, geloof ik.'

'Nee, dat kun je wel zeggen,' zei Virgil. Hij klopte Williamson op de schouder, omdat hij niet goed wist wat hij anders moest doen. 'Hou vol,

binnen een paar minuten hebben we je hier weg.' Hij richtte zich op en draaide rondjes met de lichtstraal van zijn zaklantaarn. 'Hierheen, allemaal! Godverdomme, we zullen hem moeten dragen. We hebben een brancard nodig, iets om hem op te dragen. Kom op, schiet een beetje op.'
Er begonnen mensen te rennen en Virgil hurkte weer naast Williamson neer. 'Was jij het die op Joanie en mij heeft geschoten toen we in het meertje aan het zwemmen waren?' vroeg Virgil.
'Ah,' zei Williamson. Pijn en bevestiging. Natuurlijk was hij het geweest. Daarom had hij geen betere parkeerplek kunnen vinden en niet geweten dat hij veel dichterbij had kunnen komen; Williamson was immers geen geboren Bluestemmer en was nooit met zijn meisje naar het meertje geweest.
'Nog één vraag, voordat de anderen komen...'
Williamson begon het bewustzijn te verliezen, maar gaf nog wel antwoord op Virgils vraag. En toen kwam Jensen naar boven geklauterd, gevolgd door Stryker en meer roepende mensen, en werd Williamson naar beneden gedragen.
Maar het was te laat.
De nijdige horzels van het .30-patroon hadden een stuk uit Williamsons bovenbeen geslagen, en uit zijn slagader. Een stuk zo groot als een maiskolf, maar het bleek genoeg.
Halverwege de heuvel was Todd Williamson leeggebloed en stierf hij.

26

Virgil en Joan gingen met een picknickmand naar de heuvel boven het meertje, aten sandwiches met pastrami, lagen op hun rug op de plaid en probeerden gezichten in de wolken te herkennen. Virgil was aangeslagen. Hij had nog nooit iemand gedood, hoewel hij één keer een vrouw in haar voet had geschoten.

Joan wist het en praatte over andere dingen, probeerde hem af te leiden. Virgil wist wat ze aan het doen was, en het werkte niet.

En Joan zei: '... hartstikke verliefd. Toen Jim de eerste keer trouwde, was het alsof, je weet wel, alsof ze het verplicht waren. Ze kenden elkaar van de middelbare school en verder was iedereen bezet, dus trouwden ze met elkaar. Maar het klikte niet. Van liefde en passie was geen sprake.'

'Ik hoop dat het werkt,' zei Virgil. 'Jesse is een wilde. Ik zag ze vanochtend en ze leken heel gelukkig met elkaar.'

'Nou, in elk geval is Todd... is die zaak achter de rug,' zei Joan. 'Hoeven we niet meer bezorgd en bang te zijn. Er is een hoop veranderd in de afgelopen paar weken.' Ze keek hem aan en zei: 'Je denkt aan andere dingen.'

'Sorry.'

Davenport had de ochtend na de schietpartij gebeld en het eerste wat hij vroeg was: 'Hoe gaat het met je?'

'Hij heeft me met geen vinger aangeraakt,' zei Virgil.

'Dat bedoel ik niet,' zei Davenport. 'Wat ik bedoel is: hoe is het in je hoofd?'

'Dat weet ik niet precies.'

'Hou me op de hoogte,' zei Davenport. 'Je bent altijd een gevoelig type geweest. Dat baart me zorgen.'

'Oké.'

Davenport ging door. 'Virgil, die man was als een dronken automobilist en jij was de muur. Het is niet de schuld van de muur als de dronkenman zich te pletter rijdt.'

'Oké.'

'Wanneer kom je terug? Doe maar rustig aan, je hebt verlof tot de nabespreking.'

'Ik moet hier nog een paar dingen doen,' zei Virgil. 'Daarna kom ik terug.'
'Neem de tijd,' zei Davenport. 'En als het je te zeer dwars blijft zitten, bestaan er pillen. Geloof me, die werken. Ik weet het uit eigen ervaring.'
'Bedankt, man. Ik spreek je later.'

Dus lagen Virgil en Joan naar de wolken te kijken, herkenden ze een olifant, een brandende struik en een dikke mannenreet, compleet met kleine blauwe anus waar een zonnestraaltje doorheen drong. 'Waardoor kwam het dat jij je op Todd concentreerde?' vroeg Joan.
'Door dat boek,' zei Virgil. 'Het boek *Openbaring* in het huis van de Gleasons. Iemand had het daar neergelegd. Op de foto's van de plaats delict stond het niet. Er zijn een paar honderd foto's in dat huis gemaakt en op geen ervan is dat boek te zien. Daarna is het huis verzegeld, zelfs de familie mocht er niet in. Dus moest het een smeris zijn geweest, of iemand in gezelschap van een smeris. Toen Big Curly bekende dat hij Williamson in het huis had gelaten, was dat de druppel. Alhoewel, ik hou nog steeds rekening met de mogelijkheid dat een van de Curly's het heeft neergelegd. Of iemand anders van de sheriffdienst.'
Na een minuut voegde hij eraan toe: 'O, man...'

Joan zei: 'Ik weet dat je van streek bent, maar ik zou zeggen: goddank dat het voorbij is.'
'Ja.'
'Kom op, het had veel en veel erger kunnen aflopen, als jij het was die was neergeschoten.'
'Ja, maar Margo Carr ís neergeschoten,' zei Virgil. 'Ze moet zes verschillende operaties ondergaan voordat ze de oude is. Een maand ziekenhuis, fysiotherapie, ze moeten een stuk huid van haar dij halen om haar hals te herstellen, en helemaal onzichtbaar wordt dat nooit...'

Ze nam hem eens goed op. 'Je bent echt van streek. Die man was gestoord, Virgil.'
Virgil, op zijn rug met zijn handen achter zijn hoofd, zei: 'Ik heb nog even met hem kunnen praten voordat hij stierf. Typerend voor een smeris, vind je niet? Een stervend mens uithoren?'
'Je wist niet dat hij stervende was,' zei ze.
'Ik wist dat ik hem had geraakt met een .30-06, en dat betekent meestal niet veel goeds.'
'Maar...'

Ze herkenden een watermeloen, die eigenlijk een ronde wolk was, en een hond met drie poten, die een kip met drie poten werd toen de wind een snavel aan de kop had geblazen, en Joan vroeg: 'Wat heb je hem gevraagd?'
Virgil schoof zijn billen heen en weer op de plaid en zei: 'Ik heb hem gevraagd naar de vrouw die hem had gebeld en hem heeft verteld dat hij Bill Judds zoon was. Ik heb hem gevraagd of dat een jonge of een oudere vrouw was.'
Een lange stilte. 'O shit,' zei ze toen.
'Ja. "Een jonge" zei hij.'

Ze lagen enige tijd in stilte naast elkaar, totdat Joan ten slotte vroeg: 'Wie was de andere kandidaat?'
'Je moeder. Amy Sweet had me verteld dat ze drie, vier jaar geleden op haar bridgeclubje had verteld dat Judd in de ethanolbusiness zou gaan. Toen heb ik haar gevraagd wie de leden van dat bridgeclubje waren. De naam van je moeder was de enige die ik herkende.'
'Maar hoe heeft dat...?'
'Een optelsom van dingen. Ik kon er maar niet achter komen hoe Williamson had ontdekt dat hij Judds zoon was. Ik heb de moeder van Maggie Lane gesproken en die wist het niet. Ze zei dat Maggie het niet eens zeker wist, maar daar heb ik mijn twijfels over. Dat kan de reden geweest zijn dat ze ruzie met Judd had op de avond van het "man op de maan"-feestje: dat ze zwanger van hem was.'
Virgil trok een lange grasspriet uit de grond, pelde het omhulsel eraf en begon op het zoete uiteinde te knabbelen. 'Hoe dan ook, als niemand in de Cities het wist, dan moest het hiervandaan komen. En wie zou het verband tussen Williamson en Judd leggen? Dat moest iemand zijn die een ernstige wrok jegens Judd koesterde. Wie waren dat? De Strykers.
Voor Jim leek het me te subtiel. En toen vertelde jij me dat je te jong was geweest om te hard geraakt te zijn door de dood van je vader. Maar je moeder vertelde me precies het tegenovergestelde, een paar keer zelfs. Ze zei dat je er helemaal kapot van was.
En je bent al die jaren hier op de farm gebleven om de scherven bij elkaar te vegen en je leven weer op de rails te krijgen.
En ik was nog geen dag in de stad toen jij contact met me zocht en Williamson als mogelijke verdachte aanwees.
Toen kreeg ik dat briefje, zomaar, uit het niets. Daardoor ben ik op zoek gegaan naar een typemachine, die ik nooit heb gevonden... totdat ik bij jou die formulieren van je oogstverzekering op de keukentafel

zag liggen, die waren ingevuld met een typemachine.'
'Shit, shit, shit!' Ze bleef enige tijd zwijgen. Toen vroeg ze: 'Toen Williamson naar je pick-up kwam sluipen en op die pop schoot, had je toen verwacht dat het Williamson zou zijn? Of had je iemand anders verwacht? Big Curly, of Jim, of mij?'
Virgil schudde zijn hoofd. 'Ik had niet verwacht dat jij het zou zijn. We hadden het bewijs van Roman Schmidts piemel dat dat tegensprak.'
Dat moest hij uitleggen.

'Hoe heb je hem gevonden?' vroeg Virgil ten slotte. 'Hoe ben je erachter gekomen dat hij gestoord was?'
'Ik wist niet dat hij gestoord was.' Ze ging rechtop zitten, trok haar benen op en sloeg haar armen eromheen. 'Ik wist dat junior financieel in de problemen zat en dat senior ernstige gezondheidsproblemen had. Toen ik van mijn moeder over die ethanolbusiness hoorde... nou, toen dachten we allebei dat het om een nieuwe zwendel ging, dat de geschiedenis van de jeruzalemartisjok zich zou herhalen en dat er weer een stel farmers opgelicht zou worden.
Eerst wist ik niet wat ik daaraan moest doen,' zei ze. 'Toen bedacht ik dat er altijd geruchten over Lane waren geweest, dat het kind van Judd was en dat Judd haar had vermoord. Dus vroeg ik me af wat er zou gebeuren als er nóg een erfgenaam zou opduiken. Als het hele fortuin van Judd voor de rechter zou worden gebracht. Als de details van de ethanolfabriek openbaar gemaakt zouden worden. Als iemand senior voor de rechter daagde voor doodslag. Dan kon er van alles gebeuren, en misschien zouden we zelfs te weten komen waar het geld van de zwendel met de jeruzalemartisjok gebleven was. Dát dacht ik toen.
In die tijd was internet al flink in opkomst en waren er van die websites waar ze adoptiekinderen hielpen hun biologische ouders terug te vinden. Dus daar ben ik gaan zoeken, en ten slotte kwam ik uit bij Todd Williamson. Ik heb hem gebeld en gezegd dat hij de erfgenaam van een fortuin was.'
'Wat gebeurde er toen?'
'Eerst een hele tijd niks. Toen dook hij ineens op in Bluestem, zonder iets te claimen, als de nieuwe hoofdredacteur van de *Record*.' Ze fronste haar wenkbrauwen en wierp haar haar achterover. 'Ik weet niet hoe hij het voor elkaar had gekregen, maar ik vond het wel erg toevallig. En er gebeurde nog steeds niks. Ik wist dat hij het wist, maar ik kon er niks over zeggen. Ik ging ervan uit dat hij gewoon wachtte totdat de oude man zou overlijden, of dat hij hem al had gesproken en een deal met hem had gemaakt.'

'Je wachtte af.'
'Drie jaar lang. Toen de Gleasons werden vermoord, is het geen seconde bij me opgekomen dat Todd dat had gedaan. Echt niet, ik zweer het. Maar toen werd de oude Judd vermoord en dacht Jim – jij ook, trouwens – dat die twee dingen met elkaar te maken hadden. Toen begon ik me zorgen te maken.'
'Je had iets kunnen zeggen.'
'Ja, dat had ik moeten doen – ik heb het tegen jou gezegd, op een indirecte manier – maar ik had het gevoel dat de mensen mij dan de schuld zouden geven. En ik was er niet zeker van dat die moorden met elkaar in verband stonden. Ik wist het gewoon niet zeker.'
'Dus toen heb je mij dat briefje gestuurd.'
'Ja, omdat niemand iets aan de Judds deed. En ik was ervan overtuigd dat de Judds het middelpunt van alles waren. Als ze met een nieuwe zwendel waren begonnen, zei dat dan niet iets over de moorden? Toen jij en Jim erin begonnen te graven, kwamen jullie uit bij Feur. Ik wist niet dat Feur met die ethanol meedeed, alleen dat Judd junior erbij betrokken was. En Jim was ervan overtuigd dat de moorden door Feur of Feurs mensen waren gepleegd. Dus heb ik mijn mond over Todd gehouden. Je was er zelf trouwens snel achter...'
'Maar door je mond te houden heb je min of meer de Schmidts vermoord, Joanie.'

'Ach, wat een onzin,' zei ze. 'Daar heb ik over nagedacht, echt waar. En over de Gleasons. Maar weet je? De Gleasons hebben de Gleasons vermoord. En de Schmidts hebben de Schmidts vermoord. En de Johnstones zouden de Johnstones hebben vermoord, als ze waren vermoord. Want al deze mensen hebben die afschuwelijke moord in de doofpot gestopt, en daar hebben ze Todd Williamson voor teruggekregen. Eigen schuld, dikke bult.'
'Jezus,' zei Virgil.
'Die zou dat hoogstwaarschijnlijk afkeuren.'

Na een tijdje vroeg Joan: 'Wat ga je nu doen?'
'Niks,' zei Virgil. 'Ik ga naar huis.'
'Dat is alles?' Ze klonk een beetje verbaasd.
'Je hebt er een zootje van gemaakt, Joanie,' zei Virgil. 'Maar ik ben er niet zeker van dat je een misdaad hebt gepleegd. En als dat wel zo is, zal het verdomd moeilijk worden om die te bewijzen.'
Ze zuchtte en ging weer op haar rug liggen. 'Ach, wat sneu voor je, Virgil.'

'Ja.'
Ze keken weer naar de wolken en zagen de paddenstoel van een atoombom, een halfstijve, onbesneden penis en de hoed van de quaker die op het pak Quaker Oats-havermout stond.
Uiteindelijk ging Joan weer rechtop zitten. Ze rekte zich uit en zei: 'Hoor eens, als je nog eens in de buurt komt...'
Virgil trok nog een grasspriet uit de grond, kauwde op het uiteinde, proefde de zoete smaak en zei: 'Kus m'n....'

Verantwoording

Ik heb dit boek geschreven in samenwerking met mijn vriend Larry Millett, die normaliter over architectuur schrijft (*The Curve of the Arch* en *The Lost Twin Cities*), stadshistoricus is (*Strange Days, Dangerous Nights*) en soms ook fictie schrijft (*Sherlock Holmes and the Red Demon,* en nog vier verhalen waarin Holmes en de Ierse barkeeper Shadwell Rafferty de hoofdrol spelen). Millett werd onlangs in een bekend tijdschrift omschreven als een 'knappe' man, wat bij mij een grote jaloezie opriep, maar wat uiteindelijk geen nadelige invloed heeft gehad op de afgesproken deadline...

John Sandford

Lees ook van A.W. Bruna Uitgevers B.V.

John Sandford

Onder schot

In de haven van Duluth wordt het lichaam aangetroffen van een Russische man. De FBI en de plaatselijke politie tasten in het duister, maar al gauw komt er hulp uit Rusland in de persoon van de Russische agente Nadya Kalin. Om alles in goede banen te leiden, wordt Lucas Davenport gevraagd Nadya te helpen met haar onderzoek. Hij vermoedt dat er een politiek kat-en-muisspel wordt gespeeld en vertrouwt de mooie Nadya voor geen cent. Dan wordt kort daarop opnieuw een moord gepleegd, nu op een onschuldige zwerfster…

***

'Sandford is een gelikt verteller. Zijn dialogen zijn geloofwaardig, zijn verteltempo is mooi gelijkmatig en hoog.'
– Elvin Post in *Algemeen Dagblad*

***

ISBN 978 90 461 1250 2

Lees ook van A.W. Bruna Uitgevers B.V.

John Sandford

De insluiper

Minneapolis wordt belaagd door een lustmoordenaar die in korte tijd meerdere jonge, weerloze vrouwen op gruwelijke wijze om het leven brengt. Lucas Davenport wordt ingeschakeld om de psychopaat te grijpen. Terwijl het onderzoek slechts moeizaam vordert, wordt de politie keer op keer geconfronteerd met nieuwe slachtoffers.
De moordenaar raakt geobsedeerd door Sara Jensen, een van zijn inbraakslachtoffers. Zonder dat zij er erg in heeft, houdt hij haar in de gaten. Koste wat het kost wil hij Sara voor zich winnen...
Maar dan, in een aanval van razernij, verliest hij zijn gebruikelijke voorzichtigheid uit het oog. En dat was nu precies waar Lucas Davenport op zat te wachten...

ISBN 978 90 461 1175 8

Lees ook van A.W. Bruna Uitgevers B.V.

John Sandford

Prooi

Clara Rinker moordt voor geld. Met koele charme en elegantie lokt ze haar slachtoffers in haar web en slaat dan genadeloos toe. Lucas Davenport kan hierover meepraten, want hij is een van de velen die Clara als tegenstander heeft gehad. En een van de weinigen die het heeft overleefd...
Een tijdlang lijkt Clara van de aardbol te zijn verdwenen. Maar dan duikt ze opnieuw op nadat ze ternauwernood aan een moordaanslag is ontsnapt. Bij deze aanslag is haar vriend om het leven gekomen en is zijzelf haar ongeboren baby kwijtgeraakt. En dus zint Clara op wraak...

ISBN 978 90 461 1150 5

Lees ook van A.W. Bruna Uitgevers B.V.

John Sandford

Zieke geest

Op een regenachtige dag wordt psychotherapeute Andi Manette met haar twee dochters gekidnapt en opgesloten in een vochtige kelder. Hun belager is John Mail, een geesteszieke die ooit bij haar onder behandeling was.
Lucas Davenport krijgt de opdracht deze kidnapping tot een goed einde te brengen, maar ondanks al zijn tergende telefoontjes lijkt John Mail ongrijpbaar.
De tijd verstrijkt. Terwijl Andi onafgebroken op haar kwelgeest inpraat in de hoop een zwakke plek te treffen, zet Davenport alles op alles om Andi en haar kinderen te bevrijden. Maar werkt de tijd in hun voordeel…

ISBN 978 90 461 1079 9

Lees ook van A.W. Bruna Uitgevers B.V.

John Sandford

Vals spel

James Quatar is een opmerkelijke man. Hij doceert kunstgeschiedenis aan de universiteit, is schrijver en houdt van chique kleding en mooie vrouwen. Zijn hobby's: fotografie en… moorden. Quatar fotografeert vrouwen om vervolgens hun gezichten in pornografische foto's te monteren. Maar hij wil meer dan alleen dit papieren resultaat, hij wil ze ook lijfelijk bezitten. En dan ontpopt hij zich tot een sadistische seriemoordenaar…

Wanneer het gewurgde lichaam van Julie Aronson wordt gevonden, gaat Lucas Davenport zich met de zaak bezighouden. Maar door het gebrek aan aanwijzingen lijkt het een onmogelijke opgave te worden…

ISBN 978 90 461 1035 5